LANCE ET COMPTE

Éditeurs:
LES ÉDITIONS LA PRESSE, LTÉE
44, rue Saint-Antoine ouest
Montréal H2Y 1J5

Conception graphique:
DIANE GAGNÉ

Photographies de la page couverture:
RON DIAMOND

Photographie en dos de couverture:
FRANÇOIS RENAUD

Dépôt légal:
BIBLIOTHÈQUE NATIONALE DU QUÉBEC
4e trimestre 1986

ISBN 2-89043-193-2

1 2 3 4 5 6   91 90 89 88 87 86

RENALD TREMBLAY

d'après le scénario de
LOUIS CARON
et RÉJEAN TREMBLAY

ROMAN

la presse

À mes très chers frères,
tous les mâles et machos *de la terre.*

Renald Tremblay

*En reconnaissance à Richard Martin qui,
le premier, eut l'idée saugrenue d'associer
deux fumeurs de pipe, un romancier et un
chroniqueur de sports, en vue de
l'écriture du feuilleton de télévision
dont ce roman s'inspire.*

*Louis Caron
et Réjean Tremblay*

PREMIER CHAPITRE

PREMIERS PAS
VERS LA GLOIRE

UN SOIR PAS COMME LES AUTRES

Lundi dernier, mon patron me fait venir à son bureau et me dit : « Fernand Bourgouin, tu es journaliste au *Nouvelliste* depuis 1965, tu tiens une chronique de sports à CKFL-Radio depuis cinq ans, le hockey tu connais ça comme le fond de ta poche ; tu écris bien (on n'arrête pas de te complimenter), tu as su t'attirer le respect de tous, eh bien, avant de prendre ta retraite, tu devrais publier une série d'articles de fond sur l'homme qui a donné naissance au hockey à Trois-Rivières : Guy Lambert ! Je suis convaincu qu'avec tout ce que tu as glané au cours de ces nombreuses années, à le suivre d'une patinoire et d'un vestiaire à l'autre, tu pourrais presque écrire un roman ! Hein ? Qu'en dis-tu ? Première tranche dans le "Spécial-sports" samedi prochain ? »

L'idée m'a souri.

Guy Lambert : le plus grand des entraîneurs tri-fluviens ! Le père de notre fameuse équipe junior locale : les Dragons ! Mort d'un terrible accident de voiture, le 13 mars 1979. Guy Lambert, un sujet en or !

Un grand monsieur, ce Guy Lambert !

Beau visage d'homme encadré d'une chevelure sombre et bouclée. Époux modèle. Marié à Maroussia Yéroskine, Française d'origine, née de parents russes émigrés au Canada. Le père de notre jeune et prometteuse étoile de vingt ans, Pierre Lambert, de loin le meilleur joueur de centre que Trois-Rivières ait produit! (Cela dit sans diminuer le talent de son ami de toujours, Denis Mercure, dans la vingtaine lui aussi, excellent ailier lui-même.) Le père également de la jolie Suzie (elle ressemble à sa mère: des yeux vifs, une voix caressante, un corps de déesse, brunette de dix-huit ans, vive et passionnée, amie de coeur de Denis) et du deuxième garçon de la famille, le cadet, Hugo, plus vieux que ses onze ans d'âge, grand dévoreur d'ordinateurs et cuisinier hors pair!

La famille Lambert: quel bon sujet pour le cahier des sports de fin de semaine! Mon patron a raison!

Pour aller chercher les jeunes lecteurs, ceux qui n'ont pas connu Guy Lambert, j'ai pensé tracer le portrait de Pierre, qui lui fait tant honneur depuis quelques années. Je leur parlerai de sa jeunesse, du talisman (un dollar en argent) que son père lui a donné à sa première partie chez les pee-wees. Des trophées gagnés ensuite avec le bantam, le midget, le juvénile et de sa carrière fulgurante dans les mineures, avec nos fameux Dragons. De son talent prodigieux, de l'espoir qu'il entretient d'être repêché cet été par un club de la ligue majeure. De la certitude qu'il nourrit de devenir dès cette année (avec de la chance) joueur professionnel. Je leur parlerai de Ginette Létourneau, sa blonde de Shawinigan, de son travail comme vendeuse au «People». Je leur soulignerai son amour pour Pierre et son attachement pour son père malade, presque mourant. Je dirai l'amour que Pierre porte à Ginette. L'amour qu'il a du hockey, aussi. Je dévoilerai leurs espoirs à tous deux, leurs ambitions, leurs attentes aussi. Je leur décrirai le rêve que nos jeunes trifluviens caressent: aller là où le génie et l'amour les conduiront sûrement un jour: à Québec, Montréal, Boston, Philadelphie, New York, Los Angeles, Genève, Vienne, Moscou...

Un article sérieux, fouillé, émouvant! Un petit chef-d'oeuvre journalistique! Je sais que j'en suis capable. D'autant plus qu'étant le meilleur ami de la famille je jouis d'informations privilégiées...

Qui, mieux que moi, en effet, peut écrire ces articles?

Hier soir, en revenant du journal, je m'y suis mis: j'ai rempli trente pages d'une traite!

Mais aujourd'hui, 18 mai, j'ai tout laissé en plan pour monter à Drummondville. Les Dragons rencontrent les Comets de Prince-Albert en finale de la coupe Memorial. Une partie cruciale. Les Dragons sont favoris, nos gars ont le vent dans les voiles.

Ce soir, il faut à tout prix que Lambert et Mercure se fassent remarquer. Gilles Guilbault, le directeur général du National de Québec, envoie ses dépisteurs. Les deux fouines devraient être dans les gradins. Je sais même que Luc Sigouin, l'avocat-agent du grand Marc Gagnon du National, les accompagnera. Si le club de Québec repêche quelqu'un des nôtres pour son camp d'entraînement à la fin de l'été, ce ne sera personne d'autre que Lambert ou Mercure! J'en suis convaincu. Tout dépend de l'appétit d'Allan Goldman, le propriétaire du club. Bref, cela signifie que l'avenir de nos vedettes de Trois-Rivières se joue tantôt sur la patinoire de l'aréna de Drummondville!

Malgré mon expérience des finales et des repêchages, je me sens nerveux! J'éprouve pour eux un trac fou!

Vers cinq heures, je suis allé prendre l'air en voiture. En passant devant un McDonald's, j'ai vu Pierre et Denis accompagnés de Ginette et Suzie qui y entraient.

J'ai roulé jusqu'au garage Texaco à côté avec l'intention de faire le plein. Soudain, j'ai vu descendre de voiture un groupe de joueurs des Comets, avec des filles à leur bras, le gros Lucky Thompson (leur tueur patenté) en tête. À leur tour, ils sont entrés au McDonald's.

Les Comets de Prince-Albert, les ennemis naturels et héréditaires des Dragons de Trois-Rivières! Connaissant le tempérament bouillant de Pierre et le goût de la provocation de Thompson, je me suis dit: «Hum! Un mot de travers d'un côté ou l'autre et la bagarre éclate!»

À l'affût d'un scoop, je suis resté à distance, guettant les premiers signes d'hostilité...

À peine assise, Ginette me glisse à l'oreille: «Suzie! Ne te retourne pas! Le gros Thompson vient d'entrer avec son troupeau de Comets!» J'ai pâli. «Pas moyen de manger un *bigmac* tranquilles!» ai-je soupiré. J'appréhendais le pire. Avec Thompson dans le décor, la bataille n'est pas loin! C'est connu.

Nous avons commencé à manger. Denis, pour le plaisir de narguer les Comets qui nous toisent sans cesse en proférant quelques insanités anglaises, a entonné le chant de ralliement des Dragons:

«Dragons un jour, Dragons toujours !
Qui sont les Dragons les plus fiers ?
Denis Mercure et Pierre Lambert !
Qui sont les Dragons les plus sûrs ?
Pierre Lambert et Denis Mercure !»

Nous chantons à tue-tête, sauf mon frère Pierre qui n'a pas l'air dans son assiette... Lui qui nous enterre tous d'habitude, le voilà qui marmonne du bout des lèvres : «Dragons un jour, Dragons toujours !»

Ah ! On peut bien chanter à tue-tête au nez et à la barbe (mal rasée) de ce grand singe de Lucky Thompson ! On peut bien !

N'empêche que ce soir au McDonald's de Drummondville, moi, je ne suis pas gros dans mes culottes !

Pierre Lambert a la chienne...

La chienne... la peur... la frousse... Pas des macaques de Prince-Albert, non, mais de moi.

Peur de moi.

Je sens mes jambes molles et mon estomac flotter. Je crains de ne pouvoir contrôler mes nerfs et de lui sauter au visage, l'écoeurant de Thompson ! une injure de plus et... Non ! Il faut que tu te maîtrises, Pierre, il le faut ! Garde tes énergies pour le match de tout à l'heure. Attends d'être sur la glace pour n'en faire qu'une bouchée des Comets ! Le gros Thompson en premier !

Pourtant, mon ventre gargouille d'impatience et mon sang commence à bouillir . . .

Ginette, mieux postée que moi pour observer l'ennemi à sa table, me siffle entre ses dents : «Suzie! Thompson s'est levé, il vient vers nous!»

Il est passé devant moi en m'envoyant le bras d'honneur! Une décharge électrique m'a traversé le corps de la tête aux pieds. J'ai vu rouge. Ginette a crié: «Non, Pierre!» et Denis s'est jeté sur moi pour me retenir.

M'être écouté, je l'égorgeais, l'éborgnais, l'émasculais, le réduisais en viande hachée!

Juste comme j'allais m'élancer, une image, soudain, m'est venue à l'esprit. Nette, concrète, palpable. J'ai vu la coupe Memorial! Là devant moi! Dans mes mains!

Ce ne sont ni les supplications de Ginette ni les biceps de Denis qui m'ont retenu. Cette vision a suffi. Je me suis rassis. Une seule pensée résonnait dans ma tête: «Garde tes énergies pour gagner! Gagner!»

Le mot martelait mes tempes: gagner! Un frisson me parcourait l'échine. J'avais hâte d'être sur la patinoire, de me battre pour la peine! Je me voyais écraser Thompson contre la bande, lui enlever la rondelle d'entre ses pattes de gros singe mal léché, m'élancer vers les filets des Comets et compter! Compter! Défoncer les filets du Prince-Albert jusqu'au trognon! Rayer les Comets du firmament! Les éteindre une fois pour toutes!

Au bout d'une demi-heure, comme il ne s'est rien passé, j'ai quitté les abords du McDonald's pour me rendre à l'aréna. Mon technicien de CKFL-Radio devait sûrement s'impatienter...

En sortant du restaurant, à la première bouffée d'air frais, plus de chienne, plus de peur! Qu'une grande joie! Une grande confiance, une assurance absolues!

À présent, je me sens gonflé à bloc.

Invulnérable, le Pierre Lambert! Invulnérable...

Quand l'enthousiasme me saisit aux tripes comme ça, j'ai aussitôt le goût de faire l'amour. C'est plus fort que moi. Le goût de Ginette me vient comme une démangeaison; le désir d'être nu avec elle, n'importe où, n'importe comment. Souvent, presque toujours, dans ces moments-là, Ginette et moi nous trouvons bien le moyen... Ce soir, pas question! Il ne faut pas que ça arrive. J'ai trop besoin de mes énergies. Toutes. Après, quand nous aurons gagné la coupe (je me croise les doigts dans mon dos sans que les autres me voient), alors là: l'orgie! Prépare-toi ma Ginette! (Et si nous perdions? Voyons Pierre es-tu fou? Nous allons gagner voyons! Gagner!)

Pour l'instant, Denis et moi, il faut aller rejoindre les autres à l'aréna! Juste un bécot: «Je t'aime ma Ginou! Pense à moi pendant la partie... À tantôt. Salut les filles! Allez Denis, tu viens? On a quelque chose de gros qui nous attend!»

Dans ses bras enlacée, Denis me murmure à l'oreille : « Suzie... je t'aime ! C'est pour toi que je vais jouer ce soir ! Pour toi la plus belle des Lambert ! » Je l'ai embrassé longuement. Il a rejoint Pierre.

Ils ont filé.

Tu viens Ginette ? Hugo et maman nous attendent au restaurant de l'aréna...

Dans le vestiaire, une joyeuse ambiance règne. La bonne humeur s'est installée entre les gars. Tout en m'habillant je déconne avec Denis. Je me sens fou. Je fais le clown, je raconte n'importe quoi.

Tout ça dans le fond pour faire tomber la tension, pour relâcher les nerfs. Bizarre de se sentir si étrangement survolté. « Je ne suis pas dans mon état normal ! dis-je à Denis. — C'est moi ! qu'il me répond, j'ai mis de la drogue dans ta gomme à mâcher ! »

Nous rions. Je regarde autour de moi, tous les gars ruminent à qui mieux mieux (on dirait un troupeau de vaches laitières !). De la drogue dans la gomme à mâcher ? Quelle bonne façon de se débarrasser d'un adversaire encombrant ! Avoir su plutôt, Denis, j'en aurais donné en cadeau au gros Thompson, tiens !...

Au moment de sauter sur la patinoire, un courant de cent mille volts me passe dans les veines... Je crie : « Il faut électrocuter les Comets ! D'accord les gars ? » Je n'ai jamais entendu hurler aussi fort...

Encore quelques minutes dans la troisième période... Quel beau jeu! C'est de toute beauté de voir ça!

Parole de Fernand Bourgouin, je n'ai jamais vu les Dragons dans une telle forme! Les Comets se surpassent eux aussi! Pour la dernière partie des finales, c'est un spectacle de choix!

Depuis le début de la partie, Lambert et Mercure ne lâchent pas. Une fougue de tous les instants. Des génies qui ne se démentent pas.

Je jette de temps à autre un regard du côté de maître Luc Sigouin, assis dans les gradins, crucifié entre ses deux larrons de dépisteurs du National. Il a l'air tout à fait séduit par le jeu de nos gars. Ses acolytes opinent du bonnet pour marquer leur satisfaction.

J'ai remarqué que Sigouin se tournait souvent vers Maroussia Lambert, assise pas très loin entre Ginette, la blonde de Pierre, et Suzie, sa fille. Son fils Hugo hurle sans arrêt en hissant sa pancarte jumbo où les noms de Lambert et Mercure en rouge jurent sur le carton vert. Maître Sigouin lorgne toujours du côté de la belle veuve!

Le compte se maintient: deux à deux.

Encore un petit effort les gars! Un coup de coeur! Il nous faut un but. Un seul et la coupe est à nous!

«Vas-y Pierre! Let's go! Vas-y!»

D'ordinaire, c'est vrai, je ne suis pas très démonstrative quand j'assiste à un match de Pierre. Ce soir, malgré moi, je saute sur mon siège, je trépigne, je crie! Même Hugo n'arrive pas à m'enterrer de sa voix perçante.

«Ginette, me dit Maroussia, il faut un but au plus vite pour éviter la prolongation! Nos pauvres gars sont morts de fatigue!»

Pierre est en nage. Comme il est beau à voir, à bout de souffle comme ça! Que je l'aime! J'ai vraiment ce gars-là dans la peau. Dans le sang!

En le voyant la première fois, je me souviens, ses yeux m'ont frappée. Un reflet gris-vert. Un rien de triste, un petit air de chien battu, sous ses boucles brunes. Je l'ai trouvé si beau!

L'envie d'être au lit avec lui est venue plus tard. Le plaisir de passer des heures à jaser, à l'écouter vivre, à sonder ses secrets, m'occupait davantage.

Nous avions des millions de choses à nous raconter. Il ne tarissait pas de confidences, de secrets et de rêves.

Son mystère m'a tout simplement envoûtée et la brune Ginette est devenue sa seule blonde...

Je l'aime, c'est aussi bête que ça!

Je l'aime comme on le voit maintenant, sur la patinoire de l'aréna de Drummondville, aux toutes dernières secondes d'une troisième période électrisante, à bout de nerfs, comme fou.

Des gradins où nous sommes tous à crier, je ne distingue pas bien ses yeux, mais je les sais allumés d'une lueur d'incendie. De cette flamme intérieure si mystérieuse qui rend Pierre magicien...

Pendant l'entracte, grâce à l'insistance têtue de mon fils Hugo, je me suis retrouvée au restaurant de l'aréna devant des frites qui ne me disaient rien de bon.

Mon ami Sigouin (l'ami surtout de mon défunt mari) nous a rejoints, accompagné de deux émissaires du National. Il leur a dit: «Messieurs je vous présente le plus beau fruit de la collaboration franco-russe transplanté au Québec, Maroussia Yéroskine-Lambert!»

J'ai rougi. De coquetterie et de gêne à la fois. Tout ça me flatte, bien sûr, c'est fait gentiment, poliment, mais je dois dire que je suis un peu fatiguée d'entendre souligner mon exotisme franco-russe.

Je ne suis pas débarquée du dernier cargo soviétique arrivé au pays tout de même! Je suis d'ici, moi aussi! Après tant d'années...

J'ai fait contre mauvaise fortune, bon coeur: j'ai souri. Ensuite, j'ai exécuté mon éternel numéro: le coup de la phrase en russe: «Vremia praxodiet bistro, etc.!» Les types ont évidemment écarquillé les yeux. Luc a raconté l'arrivée de mes parents, Russes français, pendant la dernière guerre, notre venue ici alors que j'étais adolescente, mon mariage avec Guy Lambert, sa carrière dans le hockey, sa mort... «Sept! Pas cinq, Luc! Sept ans que Guy est mort!» Et le reste, et le reste.

Soudain un poste de télévision placé au-dessus du comptoir-lunch a attiré notre attention.

On voyait Marc Gagnon, la plus grosse vedette de hockey au Canada, en entrevue! Il était question du National, et de la coupe Stanley qui venait encore une fois cette année de leur échapper.

Luc m'a serrée contre lui de satisfaction: «Tu te rends compte de ce que Marc vient de dire Maroussia? Aïe! Pierre aurait pu sauver le National! C'est de la sacrée bonne publicité pour ton gars, ça!»

J'étais contente. Mon Pierre est bourré de talent, c'est vrai. Mais quel caractère il a! De la braise! Un volcan en éternelle activité! Pourtant, c'est le garçon le plus doux que je connaisse, le plus tendre, le plus sensible aussi... La vie va se charger de l'assouplir un peu sans doute... Vingt ans, c'est bien jeune encore...

«On ne pouvait souhaiter mieux comme fin de saison. Pendant toute l'année, les Dragons de Trois-Rivières et les Comets de Prince-Albert n'avaient qu'une seule idée en tête: l'ultime rendez-vous de ce soir. À l'heure où je vous parle, chacune des deux équipes a une main sur une des anses de la coupe Memorial! Dans quelques minutes, la période de prolongation va commencer. Un seul but et c'est la victoire. Qui le marquera? Pierre Lambert, le joueur vedette des Dragons, ou Max Wilson des Comets? Les paris sont ouverts. Ici Fernand Bourgouin du *Nouvelliste* pour CKFL-Radio Sports, en direct de l'aréna de Drummondville.»

J'ai rendu mon micro à Paul mon technicien et me suis approché rapidement de la patinoire.

La période de prolongation a commencé sauvagement. Aussitôt, les Comets ont jeté le gros Thompson dans la mêlée. Les fruits ne se sont pas fait attendre: la bagarre a éclaté entre Denis Mercure et lui. Punition.

Je n'ai pas baigné souvent dans une atmosphère aussi chargée. La tension peut se couper au couteau. La foule s'égosille en cris et sifflements.

Lambert vient de s'emparer de la rondelle! «Lambert! Lambert! Lambert!» scande la foule d'une seule voix...

Puis soudain, un seul cri...

«Ça y est! Ça y est! Pierre vient de compter! Il l'a fait! Il l'a fait! On a gagné! On l'a! Ça y est! La coupe est à nous! À nous!» ai-je lancé à tue-tête aux oreilles de Maroussia et de Suzie en larmes. Je me suis grondée: Ginette! Calme-toi un peu voyons! Si tu n'arrêtes pas, comment vas-tu répondre aux clientes du «People» demain matin? C'est vrai qu'une extinction de voix me guette. J'ai tant hurlé, j'ai tant crié...

Ah, mon Pierre! Comme Ginette est fière de toi!

Mon Pierre... (Qu'est-ce qui me prend? des larmes? Je pleure moi aussi?)

Que c'est beau Pierre! Que c'est beau!

Ici Pierre! Ici! Regarde par ici!

Dans la cohue et l'hystérie des partisans, entre les empoignades des officiels et les embrassades des joueurs, il porte à bout de bras la coupe que le président de la ligue vient de lui remettre solennellement. Il nous cherche du regard ... il me cherche ... Ici Pierre ! Ginette est ici dans les bras de ta mère et de ta soeur ... Regarde ! Ne vois-tu pas ces trois belles folles enlacées qui pleurent dans les gradins ?

LA SÉANCE DE REPÊCHAGE

Un journaliste se doit d'être au courant de tout, de flairer toutes les pistes qui se présentent à lui, de courir partout la nouvelle, de la dénicher là où elle se terre. C'est ainsi que ce matin, moi, Fernand Bourgouin, avant de me rendre au *Nouvelliste,* je suis passé chez Robert Charland le plus gros distributeur de bière de Trois-Rivières. Je savais que j'y trouverais Lambert et Mercure. En effet, tous les étés, depuis qu'ils sont en âge de conduire, Pierre et Denis travaillent pour lui comme livreurs. Cet été ne fait pas exception.

J'avais une intention bien précise: savoir par quelles équipes professionnelles ils escomptaient être choisis. Car le grand jour du repêchage est venu. Aujourd'hui même, le voile va se lever.

Ils ont parlé de Chicago, de Boston, juste pour essayer de noyer le poisson, mais dans le fond, une seule équipe les intéresse: le National de Québec. Rien de moins. « Êtes-vous nerveux ? leur ai-je demandé. — Pas plus que d'habitude ! m'a répondu Pierre en se mettant un doigt dans l'oeil. » Nous avons ri. L'angoisse se lisait sur leurs visages ...

« Denis, m'a dit Pierre, aujourd'hui, c'est le

jour "J", je te fais un cadeau : je prends le volant !» Je n'aime pas tellement conduire, c'est vrai, je suis distrait ; et ce matin, je risque de l'être davantage...

En démarrant, il a poursuivi : «Penses-tu, toi, que le National est assez fou pour se passer de nous autres ? — Voyons donc ! Ils savent ce qu'on vaut, Denis Mercure et Pierre Lambert, ils nous ont vus jouer ! Le soir de la coupe, leurs dépisteurs n'ont pas cessé de faire notre éloge, c'est Luc Sigouin qui me l'a dit ! — À propos, sais-tu, Denis, que Luc a accepté de s'occuper de mon contrat ? Un bon avocat, Sigouin ! Aïe ! Te rends-tu compte, je vais avoir le même agent que Marc Gagnon !»

J'avais envie de dire à Pierre : «Tu ne vois pas que Sigouin fait ça pour plaire à ta mère ; ton contrat (si contrat il y a), j'ai l'impression qu'il s'en fiche pas mal ! Il doit faire assez d'argent avec celui de Marc Gagnon pour ne pas avoir besoin du tien !» Je me suis tu comme d'habitude. Je crois qu'il n'est pas toujours bon de dire tout ce qu'on pense. Même à son meilleur ami...

Oui, le beau Fernand est à l'affût ! Je ne lâche pas ! Je viens de téléphoner à Québec. J'ai parlé à mon collègue du journal *Québec-Métro*, Lucien Boivin, Lulu pour les intimes. Il paraît que ça brasse dans le bureau de Gilles Guilbault, le directeur général du National. Lulu a pu envoyer un espion sur place (son vieux truc : un livreur de poulet B.B.Q. qui écoute aux portes...) L'entraîneur Jacques Mercier est coriace lui aussi, difficile. Pour bien mesurer la valeur d'un joueur, il peut passer des heures à visionner le même vidéo ! Des heures à scruter le moindre de ses gestes sur la patinoire, à critiquer son style, sa manière de patiner, de lancer et le reste... Un vrai maniaque, le Jacques Mercier !

Lulu m'a confié que Guilbault ne s'attendait pas à faire monter beaucoup de recrues avec le National cette année. Si Pierre et Denis savaient ça, leur angoisse leur semblerait moins supportable encore!

Depuis ce matin, Pierre ne cesse de me dire: «Denis! Arrête de niaiser! — C'est plus fort que moi, je ne peux pas m'en empêcher! J'ai pas confiance! Je ne serai jamais repêché, tu vas voir! Denis Mercure, qui c'est pour ces gros cigares-là, hein? Un petit gars de province, un demi-talent sans avenir... Non, je le sais: personne ne va me choisir. La ligue majeure, ce n'est pas pour moi!»

Pierre insiste: «Faut pas que tu te laisses aller au découragement mon Denis... autrement, ta chance va s'enfuir! Elle ne t'a pas laissé tomber jusqu'à maintenant? Pourquoi en serait-il autrement aujourd'hui, hein? Arrête donc de te faire du souci pour rien, sacrifice!»

Je suis énervé, c'est vrai! Je ne peux pas supporter ça, moi, attendre sans savoir! Ça me rend fou! J'en deviens malade! Que j'aimerais être fait comme toi, Pierre Lambert: toujours sûr de mon coup, sûr de moi!

Hier soir, mon fils Hugo nous a tourné un de ses spaghettis: pâtes fraîches, s'il vous plaît! (qu'il avait dénichées je ne sais où), et sauce à la viande de sa façon. Un délice! Onze ans et il cuisine déjà comme un chef!

Je n'arrive pas à découvrir par quel miracle génétique le goût de la popote lui est venu. Pourtant, je ne suis pas une bonne cuisinière et Guy n'arrivait pas à faire bouillir de l'eau sans crever la casserole! Alors? Je suis bien sa mère (un accouchement par césarienne laisse des traces et des souvenirs), pas moyen d'en douter! Un autre des mystères de la nature, sans doute.

Les garçons n'avaient pas l'air dans leur assiette. C'est vrai que le repêchage les énerve. Leur avenir est en suspens.

C'est curieux, je parle d'eux comme si Denis faisait partie de la famille! Mais c'est tout comme! À force de le voir dans la maison (depuis qu'il a quitté son Abitibi natal il vit avec nous à Trois-Rivières-Ouest) j'oublie qu'il est un Mercure et non un Lambert!

C'est un garçon adorable. Intelligent. Plus sensible encore que Pierre. Plus malléable aussi. Un caractère plus facile. De toute façon, très bientôt il deviendra mon beau-fils, (à les voir se bécoter Suzie et lui comme hier soir, le mariage n'est plus très loin...) et le nom de Lambert lui appartiendra aussi, d'une certaine façon.

À plus tard les mariages! (Parce qu'il y a celui de Pierre et Ginette en vue aussi.) Pour l'instant, c'est aux carrières qu'il faut songer. Bien sûr, pas seulement à celles de Pierre et Denis (qui se décident à l'heure même), mais à celle de Suzie aussi (et d'Hugo plus tard). Ma Suzie s'est inscrite à un cours de marketing de mode à Québec (seul endroit où ça se donne). Il a fallu lui dénicher un appartement et une compagne (je ne suis pas riche, il faut économiser) prête à partager avec elle le loyer et la nourriture. J'ai trouvé une fille merveilleuse: Marie-Louise Haddad, que tout le monde appelle Marilou. Jolie fille aux longs cheveux noirs, délicate et volontaire, vive d'esprit, portée sur les questions métaphysiques, adepte du yoga et passionnée d'ésotérisme. Une bien curieuse enfant. Mi-gitane, mi-gourou. Elle a dix-huit ans comme ma fille. Elle et Suzie devraient bien s'entendre. Et puis, elle est Tunisienne... Suzie ne sera pas trop dépaysée ... Moi-même, Maroussia sa mère, ne suis-je pas en quelque sorte étrangère?

La gérante du «People» de Shawinigan où je travaille, Madame Tremblay, est venue me voir: «Mon Dieu Ginette que je te trouve pâle! Es-tu dans tes périodes? Si tu vas te trouver mal ma petite fille, reste pas derrière ton comptoir, va te reposer un brin, voyons!»

J'ai suivi son conseil et suis allée m'étendre dans le salon des employés. Ce ne sont pas mes «périodes» comme elle dit qui me rendent si pâle, c'est l'inquiétude. J'angoisse à cause du repêchage de Pierre.

J'ai découvert une radio transistor dans un tiroir. Elle marche!

Je suis tellement énervée: je n'arrive pas à trouver CKFL! Ça y est: «Ici à Montréal, nous en sommes à la septième sélection de la première ronde ... Voici que le directeur général Gilles Guilbault fait signe au président qu'il est prêt ... Il se penche vers le microphone ... Mesdames et Messieurs, qui sera le premier choix du National?»

Sitôt le premier choix de Guilbault connu, mon patron me dit: «Tu as visé juste Fernand! C'est pas Max Wilson que le National a choisi comme je le pensais, mais Pierre Lambert! Tu as du flair! Tiens ... » Et il m'a remis le vingt dollars qu'on avait gagé là-dessus.

Quand Guilbault, un peu plus tard, a fait l'annonce de sa deuxième sélection, j'ai invité mon patron à prendre une bière: nous avions fait le même choix que le directeur général du National: Denis Mercure!

Nous sommes donc sortis. Dehors, on entendait un vrai concert de klaxons. Les partisans des Dragons avaient de quoi être fiers. Deux de leurs meilleurs joueurs allaient faire le camp d'entraînement du National de Québec ! Ça n'arrive pas tous les jours !

La Brasserie du Père Thomas où j'amenais le patron se trouve juste en face du journal. À peine avions-nous fait quelques pas qu'un camion de livraison de bière a surgi tous phares allumés et klaxon hurlant. J'ai tout de suite reconnu nos deux héros du jour. Ils ont laissé le véhicule au milieu de la chaussée et l'ont quitté en courant, dansant et tournoyant en tous sens en direction de la cathédrale . . .

Deux fous en délire ! Ah ! Si je n'avais pas tant mal aux reins, je les suivrais volontiers !

SEPTEMBRE À QUÉBEC

J'ai vu Québec des dizaines de fois dans ma vie, mais comme aujourd'hui, de la fenêtre d'hôtel où le National me loge, jamais ! Tout m'apparaît tellement plus beau, plus grand, plus vrai. «Pierre, m'a dit Ginette venue passer la semaine avec moi, je suis si heureuse pour toi !» et elle s'est mise à pleurer. Je l'ai prise dans mes bras. J'ai parlé de l'avenir qui nous attendait si, au bout du camp d'entraînement, je faisais le club pour de bon. Parce que rien n'est encore définitif. Un camp d'entraînement, c'est pour se faire valoir, justifier le choix des gros cigares (les maîtres du National: Goldman, Guilbault, Mercier), montrer de quoi la recrue est capable devant les gros canons de l'équipe, les Marc Gagnon, les Robert Martin, les Champagne, Broadshaw et le reste. Un camp d'entraînement, c'est la grande épreuve.

Après, quand tout se passe bien, on peut rêver sur les cent mille dollars de salaire prévus au contrat. Mais d'abord être le meilleur au camp. La meilleure d'entre toutes les recrues. Rien de moins.

Ginette pleurait de joie, mais d'inquiétude aussi. Quelques jours avant notre départ pour Québec, son père est entré d'urgence à l'hôpital. Le beau-père ne fera pas long feu, j'en ai bien peur. Le coeur. Ginette est nerveuse. La vie s'acharne à nous séparer. Je pars, elle devra rentrer bientôt à Shawinigan: son père, son travail . . .

J'ai essayé de lui changer les idées : « Avec mon gros salaire qui s'en vient, pense aux boutiques que tu vas pouvoir ouvrir à Québec, Montréal, Los Angeles, Paris, New York ! » Elle a souri, m'a embrassé. Le goût de faire l'amour nous est venu . . . Rien de mieux pour remettre le coeur et les muscles à leur place !

Depuis deux jours, Pierre est d'humeur massacrante ! Il ne s'attendait pas à ce que l'entraînement soit aussi difficile et tout cela me retombe sur le dos. Il boude, il gueule, rien n'arrive à le faire sourire. Dans ces moments-là, il ne m'appelle pas «Ginou», mais Ginette Létourneau, pour bien marquer la distance entre nous. Pour signifier sa froideur. J'ai mal. J'aurais le goût de retourner à Shawinigan sans même le prévenir. Mais je l'aime et j'endure . . .

Sacrifice ! Tu ne pensais jamais, mon pauvre Pierre, que le camp pouvait être aussi dur ! J'étais tout feu tout flamme en entrant dans le Colisée de Québec ! En pénétrant dans le vestiaire du National, j'ai presque embrassé le plancher ! C'est simple, j'avais envie de pleurer, mais Denis était là, tout aussi bouleversé que moi. Nous nous sommes contentés de siffler pour faire passer l'angoisse. Le soigneur de l'équipe, Claude Saint-Cyr (que les joueurs appellent Nounou), nous a désigné nos cases. C'est tellement impressionnant de s'habiller à côté de vedettes comme Marc Gagnon, Robert Martin, Steve Broadshaw, d'entendre parler français et anglais en même temps! Une autre planète!

Mais sur la glace, tous ces gars-là, auparavant si aimables dans le vestiaire, ne nous laissent plus aucune chance. Tout de suite, il faut donner le meilleur de soi-même. Se mesurer d'homme à homme. La présence des journalistes ne facilite pas les choses. De les voir bourdonner dans les gradins autour de Guilbault et de Goldman, ça m'agace! Parmi eux, je ne connais que Fernand Bourgouin. Lucien Boivin (du plus gros journal de Québec) et Linda Hébert (qu'est-ce qu'elle fait dans le monde du hockey celle-là?), je ne les ai jamais vus. Ils nous espionnent sans cesse, nous sondent de l'oeil comme le feraient des savants devant leurs animaux de laboratoire . . . Ça me rend nerveux.

Pendant les pratiques, l'entraîneur Jacques Mercier ne fait de cadeau à personne. Celui-là, je ne l'aime pas beaucoup. Fendant comme lui, il ne s'en fait plus! Il m'est tombé sur le dos une couple de fois déjà . . . Je sens que notre entente ne sera pas facile. En tout cas, son petit sermon aux recrues m'a bien donné la chienne: «Hier, vous avez eu l'air fous. Disons que vous étiez nerveux. Première fois dans la grande bâtisse, première fois que vous rencontrez ces grosses vedettes-là. Bon ben oubliez tout ça, parce que votre "job", c'est à eux-autres que vous allez la prendre. Ça ne veut pas dire, parce que vous les avez vus à la télé depuis dix ans, qu'ils sont meilleurs que vous autres . . . On va mettre une chose au clair: un club de ligue majeure, ça ne gagne pas avec des prières ni avec des *parties* de fesses. Ça fait que vos blondes, oubliez-les pour un bout de temps!

Vous êtes une vingtaine ici-dedans. Je vais en garder UN, peut-être DEUX! Vendredi qui vient, on fait les premières coupures... Il vous reste quatre jours pour m'impressionner!»

LE CREUSET DE L'ÉPREUVE

J'ai demandé à Fernand Bourgouin de me parler des deux recrues de Trois-Rivières, il les connaît bien, un ami de la famille: «Lambert et Mercure? Les deux doigts de la main, Linda! Des gars exceptionnels! Les meilleurs amis du monde!» Eh bien! Pour des amis, ils n'ont pas l'air de s'aimer fort par les temps qui courent! Deux coqs! Encore tantôt, Champagne et Broadshaw ont dû les séparer! Depuis, ils se regardent comme chien et chat. C'est vrai que la compétition est forte dans un camp d'entraînement, mais de la sorte, entre deux grands amis, en cinq ans de journalisme sportif, je n'ai pas vu ça souvent! Ces deux-là sont en train de se déchirer pour arracher une place avec le National, ce qui est loin d'être acquis, bien loin...

L'écoeurant de Denis Mercure! Il me choque assez des fois, que je le réduirais en miettes! T'as fini de me donner des jambettes en cachette et des coups de coude dans le dos! C'est Pierre Lambert qui te le dit!

Je vais t'apprendre à me respecter, moi! Aujourd'hui, ton coup de genou dans le ventre, c'était de trop!

Ma conscience me réprimande: «Denis, tu es

cochon avec Pierre ! » C'est vrai, je joue raide avec lui. Il faut dire que le beau Pierre s'attire des bosses ! Toujours ses petits coups de bâton par en-dessous. Il joue à l'ange, mais il sait bien cacher ses cornes . . .

Moi aussi, je dois penser à ma carrière ! Il n'y a qu'une place dans le National et je la veux ! Aussi simple que ça ! Denis Mercure joue un aussi bon hockey que toi Pierre Lambert, tu sauras !

« Linda ! As-tu vu ? » J'ai regardé Bourgouin béat d'étonnement. Paul Couture, un vétéran encore bien vert, venait de plaquer solidement Denis Mercure contre la rampe. Si brutalement que l'autre a gémi. À part Fernand et moi, personne, je crois, n'a remarqué l'incident. J'ai eu mal à l'épaule pour le petit gars de Trois-Rivières . . .

L'appartement que maman m'a trouvé à Québec est superbe. Assez grand pour deux et suffisamment petit pour ne pas se tuer à faire le ménage . . . Maman sait que sa fille Suzie n'est pas très portée sur les tâches domestiques . . .

Tout de suite j'ai cliqué avec Marilou. Elle me plaît bien cette fille. Pas compliquée pour deux sous. Moi qui m'imaginais les Tunisiennes vivant encore au dix-septième siècle, j'ai été bien attrapée ! Marilou est fantastique ! Nous avons passé la semaine à peinturer et à décorer, tout en s'amusant comme des folles. Elle m'a enseigné quelques exercices de yoga (elle le pratique depuis deux ans !) entre deux coups de pinceau, de ciseau et de marteau.

Je n'ai pas résisté à l'envie d'aller la présenter à Pierre et Ginette.

Nous sommes passées d'abord chez Michel Matthieu, le gardien de but du National chez qui Denis a pris pension pour la durée du camp. Nous nous sommes rendues ensuite à la chambre d'hôtel de Pierre.

Des cris venaient de leur porte. Ginette hurlait : «J'ai pas la lèpre Pierre Lambert! C'est pas parce que tu fais le camp d'entraînement du National qu'on ne peut plus s'embrasser!» Le torchon brûlait.

J'ai frappé tout de même.

Plutôt lourde l'atmosphère!

Ginette boudait, Pierre se tuait à faire ses *push-up*. Heureusement, la présence de Marilou a jeté un baume. Elle s'est aussitôt occupée de Pierre (j'ai remarqué à quel point elle l'a tout de suite trouvé de son goût, cela frisait l'indécence...) et moi de Ginette. Après les présentations et les banalités d'usage, j'ai proposé à tout le monde un spaghetti au restaurant.

La proposition a plu à tous, sauf à Pierre, évidemment. Marilou a bien tenté de le convaincre de nous accompagner en usant de ses charmes (quelle belle chevelure d'ébène elle a!), mais Pierre, aussi têtu qu'un mulet, est resté de marbre.

Nous l'avons tout simplement laissé à sa rogne et à sa grogne... Je connais mon frère, dans ces moments-là, pour ménager nos nerfs, vaut mieux se tenir à l'écart...

Non, mais vous allez finir par lui ficher la paix, à Pierre Lambert? C'est ça, allez-vous-en, laissez-moi m'entraîner tranquille!

J'en ai assez!

On dirait que Ginette le fait exprès pour ne pas comprendre! C'est important pour moi le camp d'entraînement! Comment va-t-il falloir le crier?

Je dois rester en forme, garder ma concentration, comprends-tu? Je ne veux pas qu'on m'énerve! c'est clair?

Je viens de lui dire: «Il faut que je fasse des exercices ce soir; j'ai l'impression d'en reperdre, je traîne de la patte. Plus de vin, plus de restaurant!»

Rien à faire, dix minutes plus tard, je dois répéter. Ah des fois, je me passerais bien d'une blonde! Si j'étais seul à Québec, je suis sûr que je m'arrangerais mieux. J'aurais plus de temps pour me ressaisir.

Aïe! Je n'ai perdu que cinq livres depuis le début de l'entraînement, c'est pas assez! J'ai besoin de mes réflexes; le poids, c'est bon, mais pas trop. Retrouver mes nerfs d'avant, c'est tout ce qui me préoccupe...

Si Ginette n'était pas là, je ne mangerais que des salades! Sûr!

Elle et Suzie avec leurs fichus spaghettis! On n'est pas supposés engraisser avec ça! Tu parles! Et mon poids en trop, d'où est-ce qu'il vient, hein, Ginette Létourneau?

C'est la première fois que je ressens une douleur pareille ! J'ai l'impression d'avoir tout le dos déchiré. Pourtant, en me regardant dans le miroir, ce midi, je n'ai rien vu d'anormal.

Que mon épaule me fait souffrir !

Suzie m'a frictionné pendant une bonne heure, comme Saint-Cyr l'a recommandé. Ça m'a fait du bien. Mais tout à l'heure, quand Pierre s'est agrippé à mon bras en voulant faire le drôle devant Marilou, j'ai pensé m'évanouir, c'est bien simple ! Comme si mon crâne s'était ouvert en deux ! Que j'ai eu mal !

Depuis que Couture m'a plaqué, ça élance sans bon sens !

Mail il ne faut pas que ça m'empêche de montrer quel hockey je suis capable de jouer... Il ne faut pas... Allons Denis, tu prends ton courage à deux mains et tu fonces !

Gilles Guilbault me fait venir à son bureau pour me dire : «Luc Sigouin, j'ai quelque chose à te proposer pour ton petit Lambert : un contrat de trois ans ! Écoute bien ça : si le gars reste dans les mineures, je lui offre trente mille dollars la première année, trente-cinq la deuxième et quarante la dernière. Si jamais, à la fin du camp on l'acceptait dans le National : quatre-vingt-dix pour la première année, cent cinq et cent vingt mille pour les autres... Qu'est-ce que tu en penses ?» J'ai bondi : «C'est pas ce que tu avais promis en juin, Gilles Guilbault ! Tu m'avais dit : vingt mille à la signature du contrat, trente si Lambert est choisi recrue de l'année et plein salaire s'il joue au moins trente parties dans la grande ligue ! Rappelle-toi !» Son cigare a rougi au bord de ses lèvres. Nous avons brassé des chiffres et finalement : «Admettons qu'on signe pour trois ans, lui ai-je dit, que la moitié du salaire de Lambert soit versée la première année, histoire d'éponger l'impôt, hein, ça te dit quoi Gilles ?»

Il a accepté.

«Et Mercure ? lui ai-je dit. — Sera pas bien compliqué... a-t-il répondu.»

Devant un terrain si bien pavé, j'en ai profité pour parler un peu du contrat de Marc Gagnon qui se termine cette année... Mais je me suis vite aperçu que Guilbault n'était pas encore mûr. J'attends mon heure, mon Gilles. Maître Sigouin n'est pas pressé. Jamais pressé.

Ginette a simplement prononcé mon nom comme elle seule sait le faire : «Pierre», et je n'ai pas pu résister. J'ai fait la paix. Nous nous sommes embrassés.

Et nous avons fait l'amour.

Je n'en pouvais plus. Elle, pas davantage.

C'est incroyable comme ça fait du bien. La tension tombe d'un coup sec... Tout paraît tellement plus simple après. Les problèmes s'effacent. La vie m'a semblé plus belle. Plus concrète aussi.

Je ne sais pas si c'est vrai ce qu'on raconte :

faire l'amour avant une compétition brûle les énergies, mais moi, j'ai l'impression que ça m'en donne ! je ne dois pas être fait comme les autres, je suppose ... C'est vrai, Pierre Lambert n'est pas un gars ordinaire ...

UNE AMITIÉ EN PÉRIL

Pourtant la pratique avait bien commencé. Je pétais le feu. Jamais je n'avais patiné comme ça, jamais ! je me connais bien ! La confiance me gonflait la poitrine, j'étais prêt à affronter l'Armée Rouge au grand complet !

Je menais le jeu avec Marc Gagnon, tout allait comme dans un conte de fées. Je me suis juste permis de faire une passe que l'entraîneur n'a pas aimée. Aussitôt le sifflet. Voilà Mercier qui crie : « Lambert ! C'est pas ce que je t'avais dit de faire ! Recommence ! » Je lui réponds : « Mais, ç'a marché ! » J'aurais jamais dû répliquer. Il est devenu blanc de rage : « Si t'es pas capable de faire ce qu'on te dit, sors d'ici ! » J'ai juste murmuré « Ben ... » entre mes lèvres. Il s'est précipité vers moi en hurlant : « Sors je t'ai dit ! Sors ! »

J'ai eu peur. J'ai quitté la patinoire. Tout le monde était figé sur place, de vraies statues de sel.

J'aurais tué Mercier si Guilbault et les journalistes n'avaient pas été là ... Je l'aurais tué, je le jure !

En entrant dans le vestiaire, j'ai cassé mon bâton sur un banc, tellement je voyais rouge.

«Tout un numéro ton Lambert, hein Mercier!
que me lance Guilbault comme je refermais la porte de
son bureau, accompagné de mon adjoint Phil Aubry. —
Oui, un caractère de chien! Mais fais-t'en pas mon
Gilles, il y en a des moins rétifs et d'aussi bons... Tiens
André Bazinet par exemple, hein? Un bon joueur de
centre lui aussi, patineur un peu lourd mais, un gars qui
écoute quand on parle... — Trop fluette! a tranché
Guilbaut.» Bon. Bazinet rayé de la carte!

«Il y en d'autres encore tu sais... Andrew Pe-
terson, hein? Qu'est-ce que tu en dis?»

Guilbault s'est allumé un cigare. Il m'a regardé:
«Trop mou. Reste Mercure et ton petit coq de Lambert... — Ronald Chapdelaine? ai-je aussitôt suggéré.»
Guilbault a soufflé un nuage devant lui: «Faut lui redres-
ser la colonne, Jacques! Pas besoin de ça dans le National...»

Nous étions attablés face à face devant un
«cheeseburger» et un café. J'ai dit à Pierre: «Tu sais
que Denis a mal à une épaule; Suzie raconte qu'il a le
bras presque arraché... Il n'a pas dormi de la nuit passée...» Il s'est jeté sur son «cheese» brûlant. Moi, je
n'avais pas faim.

Notre lune de miel n'avait pas duré longtemps,
juste quelques heures. Depuis sa chicane avec Mercier, il
grognait, rugissait: «Je te dis Ginette, c'est dur en sacrifice de ne pas savoir où on s'en va!» Je lui ai avoué que
j'étais perdue moi aussi, entre le travail à Shawinigan, où
je devais retourner après-demain, mes vacances ache-
vées, et le goût presque maladif de rester ici, avec lui à
Québec. «Si tu m'aimais, tu resterais!» Le coup m'a
assommée. «Tu sais bien que mon père est malade, je

ne peux pas le laisser... Pierre, regardons la réalité en face : je ne peux pas m'embarquer tout de suite, comprends-moi ! »

La gifle est venue. Sèche. Nette. Un rasoir : « C'est ça, retourne donc vendre tes collants chez "People" ! » Je m'en suis mordu les lèvres.

J'ai mal ! Maman que j'ai mal !

Depuis le début de l'exercice sur la patinoire du Colisée, il se brasse beaucoup de choses au bureau de la direction du National. Lucien voulait que j'aille écouter aux portes avec lui : « Viens Linda, on va tirer les vers du nez de Guilbault ! Il faut savoir lequel de ces gars-là va faire le club cette année ! »

Je n'aime pas quémander des informations. Je préfère travailler en douceur, appâter la nouvelle, laisser le poisson de l'événement approcher...

Je ne l'ai pas confié à Lucien Boivin, mais, grâce à ma manière d'agir, je suis parvenue à faire parler Jacques Mercier. C'est ça le style Linda Hébert... À dix heures ce matin, je savais tout ! Pendant que toi tu cours après Guilbault qui ne te dira rien, je rédige, moi, mon papier pour mon journal (*Le Matin* comme tu sais) en révélant à mes lecteurs assidus le nom de celui qui a été choisi pour faire partie du National de Québec !

Pendant ce temps-là, je garde un oeil sur la patinoire parce que le jeu est beau. Les recrues mettent le paquet. Lambert et Mercure bataillent ferme pour la rondelle. On joue dur.

Mercure a du courage : faire semblant de ne pas avoir mal. Je sais qu'il a été blessé par la solide mise en échec que Couture lui a servie. À l'épaule droite. J'ai parlé à la soeur de Lambert, Suzie, (c'est la blonde de Mercure), elle m'a tout confié : le pauvre gars n'en dort pas. Il souffre véritablement le martyre !

Je n'ai pas pu résister : Denis était là, contrôlant la rondelle ; j'ai pris mon élan et j'ai écrasé de toutes mes forces son épaule droite contre la rampe. Il a poussé un cri de douleur et s'est affaissé sur la glace . . .

On l'a sorti sur une civière. J'ai vu des larmes couler sur ses joues. Il était aussi blanc et livide qu'un mort.

Linda Hébert s'est approchée de moi : « Tu sais, Pierre Lambert, c'était pas nécessaire de démolir ton meilleur ami. Le club, c'est toi qui le fais de toute façon ! »

DEUXIÈME CHAPITRE

EN ROUTE VERS LA GLOIRE

UN PREMIER PAS AVEC
LES GRANDS

Le plus beau de mes trophées, c'est de voir mon fils Pierre dans l'uniforme du National! Ah! Si Guy pouvait voir ça! Quelle joie ce serait pour lui aussi! Des années d'espoir, de travail, d'acharnement enfin récompensées! Le grand soir est arrivé: sa première partie chez les professionnels! J'en ai les larmes aux yeux!

Hugo me crie: « Maman? C'est commencé? — Pas encore mon Hugo, ton frère attend que tu descendes et t'installes devant le téléviseur!» Hugo rit et dévale l'escalier en coup de vent. Denis est avec nous, le bras droit en écharpe, figé comme une statue, le visage fermé. Depuis son accident au camp d'entraînement, il n'est plus le même. Il rumine je ne sais quoi de sombre et de terrible. J'ai sollicité ses confidences, mais l'huître ne s'est pas ouverte. Le pauvre enfant! Une blessure aussi bête, juste avant le début de la saison. Sa carrière dans la ligue majeure est compromise, c'est clair.

Le médecin ne s'est pas encore prononcé sur la durée de sa convalescence. Cher Denis, il fait pitié à voir...

Pour l'amener à se livrer un peu, je lui dis: « Tu

aurais dû descendre à Québec, Denis! La première partie de la saison, contre Buffalo surtout, c'est important! Tu sais bien que ta place est au Colisée! Et puis, Suzie trouve que tu la négliges ... — Je remettrai les pieds au Colisée quand mon épaule sera correcte! qu'il a sifflé entre ses dents. » J'ai compris qu'il ne fallait pas insister. Les Sabres font leur entrée. La partie commence ...

Si j'avais le courage de vous dire à haute voix ce que je pense tout bas, Madame Lambert, savez-vous ce que je dirais? Ça, non Madame Lambert, non! J'ai bien fait de ne pas descendre à Québec! Qu'est-ce que ça changerait pour le National de voir Denis Mercure le bras en écharpe, dites-le moi?

J'aurais l'air niaiseux, tout simplement.

Non. Ma place est avec vous, à Trois-Rivières. Ici, je peux faire toute la physiothérapie que je veux. J'ai besoin de retourner sur la patinoire le plus vite possible. Le hockey, c'est toute ma vie, vous le savez bien!

Ce n'est pas en allant me faire voir à votre fils ce soir à Québec que je vais oublier ce qu'il m'a fait ...

Parce qu'entre Pierre et moi, je vais vous le dire, ça ne sera plus jamais comme avant ... Quelque chose s'est brisé entre nous deux. Dix ans d'amitié, de complicité, envolés. Dix ans à vivre, à penser, à rêver pour deux, effacés. Un bon morceau de notre vie vient de se détacher. De se rompre.

Pour vous dire toute ma pensée, j'arrive mal à

me rentrer tout ça dans la tête. J'ai mal au coeur à force d'y penser.

Comment comprendre, admettre que c'est bien Pierre, mon meilleur ami, qui m'a causé cette blessure?

J'essaie d'imaginer ce qui a pu se passer dans sa tête. La chose est possible: j'aurais pu agir comme lui, dans les mêmes circonstances, si seulement j'avais été méchant...

Ma plus grande peine, c'est de savoir que Pierre connaissait mon état et que cela ne l'a pas empêché de me rentrer dedans. J'ai compris d'un coup sec qu'il est prêt à faire son chemin dans la vie en écrasant au passage, s'il le faut, ses affections et ses amitiés.

J'ai fait tout un bout de chemin dans ma tête pour comprendre ça, je vous assure! Je ne voulais pas croire qu'un gars comme lui pouvait descendre aussi bas.

Moi, Madame Lambert, j'ai toujours cru que le sport, même le sport professionnel, passait après les amis et la famille. Qu'on n'avait pas le droit de risquer tout ça pour réussir, se tailler une place de vedette et gagner beaucoup d'argent.

Je suis probablement mal fait.

Je ne tiens pas au succès coûte que coûte, vous savez! Pour moi, la réussite ne se trouve pas dans la meilleure des places, la plus haute ou la plus payante, mais dans le maximum qu'on peut tirer de soi-même. Peu importe que cela soit reconnu ou non par les autres. Que les efforts accomplis nous accordent ou non la gloire et le prestige!

Réussir, pour moi, Madame Lambert, c'est faire la paix avec soi, aller au bout de ses talents sans démolir ni briser ni détruire personne. C'est simplement réaliser le meilleur que l'on porte en nous.

Pierre pensait la même chose ; en tout cas, il l'affirmait. Lui aussi disait ne jamais détruire quelqu'un pour se placer les pieds. À la première occasion, le voilà qui fait tout le contraire. Oui, l'amitié de Pierre Lambert et Denis Mercure ne sera plus jamais la même.

Faire le National, jouer à Québec, à New York, à Boston... c'était le plus grand rêve de notre vie. Nous ne parlions que de ça. Nous passions des heures à inventer notre avenir : des moments extraordinaires sur la patinoire, fonçant vers les filets de l'adversaire, en marquant buts sur buts sous les cris et les ovations de la foule. Nous rêvions de devenir les plus grosses vedettes du club (plus grosses encore que Marc Gagnon !). Les coqueluches de Québec ! Nos photos étalées à la une dans tous les journaux, dans toutes les revues de sport ! Des salaires astronomiques ! Des Ferrari, des Jaguar et des Corvette à nos portes ! Des filles sexy, des mannequins, des actrices, des princesses à nos bras... Rien n'était trop beau pour nous. Rien.

Et maintenant, je suis cloué à Trois-Rivières, devant le téléviseur, à regarder votre fils réaliser tout seul un rêve qu'on s'était fabriqué à deux. J'ai bien de la misère à le prendre, Madame Lambert, bien de la misère.

Si j'avais le courage de me vider le coeur, voilà ce que je vous dirais...

Sur la passerelle des journalistes, dans l'atmosphère joyeuse du Colisée de Québec, Lucien Boivin à côté de moi me dit: «Toute une surprise pour un début de saison, Linda! Mercier qui confie la première mise au jeu à une recrue! — C'est étonnant, oui! C'est un avertissement mon Lulu! Un signe! — Pour qui tu prends? demande Lulu. — Pour le gars au bout du banc, voyons... la grosse vedette du National...»

Je me doute de ce que Mercier a dans la tête en donnant la mise au jeu au petit nouveau de Trois-Rivières. C'est à moi qu'il envoie un message. L'air de me dire: «Marc Gagnon! Tu t'es trop traîné les pieds la saison passée, reste donc sur le banc un petit bout de temps!»

C'est vrai que j'ai fini pas mal mou la saison dernière. Si la coupe nous a filé entre les mains, c'est un peu par ma faute.

Je n'ai pas eu de chance non plus! Il y a du monde contre moi dans l'équipe! Ma popularité en dérange plusieurs, surtout les sans talent, les plafonnés... Les jos-connaissants qui me rendent la vie impossible, qui ne veulent rien savoir de mes opinions de vétéran, convaincus de tout savoir, de tout connaître du hockey parce qu'ils sont entraîneurs...

Si je n'avais pas eu Jacques Mercier contre moi, l'autre saison, j'aurais fait mille fois mieux. Moi, j'ai besoin qu'on me fasse confiance. Surtout qu'on ne chiale pas dans mon dos! Qu'on ne fasse pas l'hypocrite avec des petites flèches détournées devant tout le monde, dans le vestiaire, à la fin des parties...

J'exige qu'on me respecte. Après tout, c'est qui le National de Québec sinon Marc Gagnon?

C'est moi qui lui ai donné sa place dans la ligue à cette équipe-là. C'est moi qui la fais tenir sur ses jambes, debout devant Montréal, devant New York, devant tous les autres clubs! J'ai besoin qu'on s'en souvienne dans le vestiaire, devant Allan Goldman, devant Gilles Guilbault et, surtout, devant les journalistes!

Si j'avais eu, de la part de Mercier, toute la confiance que j'étais en droit d'attendre, j'aurais fini la saison avec une bien meilleure fiche, même si je reste encore le compteur numéro un, le joueur le plus rapide, le plus efficace...

Demandez-le à n'importe quel amateur, il va vous le dire: Marc Gagnon, c'est la crème des joueurs!

Si je n'étais pas là, jamais on ne verrait autant de monde au Colisée. C'est moi qui le remplis. Juste avec mon nom, avec ma tête qu'on peut voir dans tous les journaux, tous les jours à la télévision!

C'est vrai que le monde parle beaucoup de moi, beaucoup de ma vie, surtout à la radio. On invente bien des histoires sur mon compte. Des vraies comme des fausses, pour exciter les imaginations. Facile à comprendre: plus les gens ont de quoi jaser, plus le Colisée est plein, plus il y a de partisans pour boire, manger, acheter, dépenser, plus ça rapporte gros. Pour conserver ma place en haut de la pyramide et justifier mon salaire, je laisse les histoires et les rumeurs circuler... Qui donc s'en plaindrait?

J'aurais donc voulu descendre à Québec voir Pierre jouer sa première partie! Il m'a téléphoné au souper: «Ginou... pourquoi tu viens pas... — Un jeudi? Impossible! Je travaille! Tu sais bien que le "People"

reste ouvert le soir comme les autres magasins. »

Il était très déçu. Pas autant que moi.

Pour faire du mal, la clientèle afflue. Heureusement, je trouve ici et là quelques secondes pour faire un saut au salon des employés. J'ouvre la radio : « ... la rondelle est dans la zone du National. Les Sabres ne semblent pas disposés à s'en laisser imposer ce soir ! Après huit minutes quarante de jeu, le compte est toujours zéro à zéro ... »

« J'y vais, madame Tremblay, j'arrive ! »

J'ai laissé tomber ma séance de yoga pour suivre Suzie au Colisée : « Marilou ! J'ai des billets pour la partie de ce soir, ça te tente de venir ? ». Et nous sommes parties à la belle épouvante.

En vérité, j'y suis venue surtout pour voir son frère Pierre. Le hockey n'est pas ma grande passion. Les joueurs, si ! Du reste, les hommes en général m'intéressent.

À voir Suzie trépigner d'impatience sur son siège, elle est folle du hockey. Ça ne l'empêche pas d'apprécier certains joueurs d'ailleurs.

Elle n'arrête pas de s'exclamer : « As-tu vu comme il est beau ? — Qui ça ? que je lui rétorque. — Marc Gagnon, voyons ! — C'est un joueur de l'équipe ? — Évidemment ! » Elle est outrée. Je m'amuse d'elle : « Il ne joue pas ! Comment veux-tu que je sache ... » Pour toute réponse elle crie à pleins poumons : « Gagnon ! Gagnon ! Gagnon ! », entraînant la foule à sa suite.

Bien sûr que je connais Marc Gagnon! Je vis à Québec depuis cinq ans et on n'entend parler que de lui ici! On voit sa photo partout! Tellement qu'à mon arrivée, je croyais qu'il s'agissait du maire ou d'un important ministre...

Marc Gagnon tant qu'on voudra, pour moi, Pierre Lambert est bien plus beau!

J'ai demandé à Madame Tremblay l'autorisation d'aller me reposer une minute: «Pas trop longtemps, ma Ginette! Je ne sais pas ce qui se passe ce soir, mais tout le monde a décidé de magasiner en même temps!»

Évidemment, je me suis précipitée sur la radio: «... dans la zone du Buffalo. Une passe à Broadshaw... interceptée par Steve Carter des Sabres qui s'élance... Lambert à sa poursuite... On bataille ferme dans le coin... Lambert parvient à s'emparer de la rondelle... il s'élance, Hamstead le talonne... Lambert est devant les filets du Buffalo... Il lance... et compte!»

J'ai poussé un grand cri de joie. Madame Tremblay est accourue à la porte, blanche de peur: «Il y a quelque chose qui ne va pas, Ginette?»

Je lui ai sauté au cou: «Pierre! Il l'a son premier but avec le National! Il l'a!»

Lulu s'est penché vers moi: «T'avais raison, Linda, le petit gars de Trois-Rivières, c'est de la graine de champion!»

Pendant que l'ovation fait rage, et que Lulu ne tarit pas d'éloges sur Pierre Lambert, moi, je regarde le bout du banc du National. Il y a là Marc Gagnon qui ne jubile pas, lui. Mercier est en train de lui servir une leçon de son cru : pas cinq minutes de jeu depuis le début de la partie ! Plus que quatre minutes à la troisième période ... Marc a de quoi rugir ... Jacques Mercier devrait faire attention. On paie très cher de se faire un ennemi de Marc Gagnon ... Très cher ...

Ginette est arrivée en hurlant. Hugo a entrepris de lui décrire sous toutes les coutures et les détails le tir de Pierre et l'entrée de la rondelle dans le filet des Sabres. Madame Lambert rit aux éclats en embrassant tout le monde. Moi, l'écorché de Denis Mercure, je suis figé devant le téléviseur qui récite son chapelet de mauvaises nouvelles et je jongle.

Ma tête s'affole. Je vais éclater. On devait me donner une réponse demain matin pour mon épaule. Je ne pouvais plus attendre, pour savoir à quoi m'en tenir, j'ai rejoint chez lui le docteur Côté, mon médecin traitant : «J'ai examiné tes radiographies, mon Denis ... Au moins deux mois pour guérir ça ! Deux bons mois au moins ! »

J'aurais envie de crier !

DE NOUVELLES AMOURS ?

Je suis arrivé dans la cuisine, mon fils de douze ans, Jimmy, écoutait les commentaires sportifs d'André Simon à la radio. Il n'y en avait que pour Marc Gagnon et moi : « Pour conclure, j'aurais deux messages à livrer aux gens du National : un pour Marc Gagnon, l'autre pour Jacques Mercier. Ou bien Marc Gagnon est fini, et qu'on le dise, ou bien Jacques Mercier l'ignore volontairement. Mais il y a un coupable quelque part. »

Jimmy me regardait perplexe, cloué sur sa chaise roulante.

Marilou est devenue folle ! À peine sortie du lit ce matin, elle a couru chercher les journaux : « Tu as vu le titre dans *Le Matin*, Suzie ? : "Pierre Lambert, le nouveau héros du National" ! » J'ai crié de joie pour mon frère, puis je me suis moqué de Marilou : « Tiens ! La piqûre du hockey commence à faire son effet ! » Elle n'a pas été longue à répondre : « Dis plutôt la piqûre de Pierre Lambert ! »

Nous avons déjeuné en lisant l'article élogieux de Linda Hébert, puis celui de Lucien Boivin dans *Québec-Métro* qui clamait : « Lambert triomphe ! »

Au deuxième café, je n'en pouvais plus, je lui ai dévoilé ma surprise : « Qu'est-ce que tu dirais Marilou d'assister à la pratique du National tantôt à dix heures ? »

Elle a failli m'étrangler de ses étreintes hystériques !

Les ragots d'André Simon commençaient à m'échauffer les oreilles, j'ai téléphoné à Sigouin, mon agent : « Guilbault m'a fait une proposition de contrat pour toi, Marc ! Quelque chose d'alléchant... mais on aurait besoin d'une grosse saison, par exemple ! »

J'ai vu rouge: «Que Guilbault s'arrange d'abord par exiger que Mercier me fasse jouer!»

Sigouin a paru mal à l'aise: «Dis donc, Marc, est-ce qu'il s'est passé quelque chose avec Mercier?» Je lui ai ri au nez: «Mercier? Voyons, il continue de faire son *power trip*! C'est pas nouveau... Tout ce que j'ai à te dire Luc, c'est de faire passer le message à Gilles Guilbault. Je veux de la glace, c'est clair? On parlera de contrat après. Vu?»

Suzie me téléphone ce matin avant la pratique: «Pierre, je voudrais aller te voir au Colisée avec Marilou, penses-tu que c'est possible d'arranger ça?»

Je les ai fait entrer en même temps que moi à neuf heures et demie, et je me suis dirigé vers le vestiaire. En poussant la porte, j'ai dit bonjour, personne n'a répondu. Pas un gars ne s'est retourné. Ça m'a fait tout drôle. Je suis allé à ma case, me suis déshabillé. Quand j'ai voulu enfiler ma combinaison, tous les boutons avaient disparu. En mettant mes bas, je me suis aperçu que les bouts avaient été coupés... mes bretelles de culottes aussi... quelqu'un s'était amusé à verser tout plein de vaseline et de mousse à barbe dans mes patins...

J'ai sacré comme un charretier. Tout le vestiaire a éclaté de rire. Les gars se sont jetés sur moi en criant; on m'a ficelé avec du ruban gommé et arrosé d'un grand seau d'eau glacée! Tout le monde s'est ensuite précipité sur la patinoire pour la pratique en me laissant tout seul, en lambeaux, mouillé de la tête aux pieds!

Évidemment, j'ai sauté sur la patinoire bien après le premier quart d'heure d'exercice. Mercier a sifflé: «C'est quoi cette histoire-là? Dix heures et quart passées! À sa deuxième pratique de la saison! D'abord, c'est deux cents piastres d'amende et puis c'est cinquante *push-up*! Tout de suite au centre de la glace!»

Il a fallu m'exécuter. J'avais l'air fin devant Suzie et Marilou. Devant Marilou surtout que je trouve bien de mon goût...

C'est ça les baptêmes dans la ligue majeure... C'est éprouvant en sacrifice!

Au bout d'une heure, Mercier nous a donné un petit *break*. Marc Gagnon s'est approché de moi: «As-tu vu les deux beaux morceaux dans les estrades? Je serais bien mal pris pour choisir! — Moi, que j'ai dit, c'est pas bien compliqué: celle de gauche, c'est ma soeur et l'autre, la fille qui partage son appartement... — Ça tombe bien, moi, c'est celle de gauche justement qui m'intéresse...» Je n'ai pas eu le temps d'ajouter quoi que ce soit, il leur a crié: «Les filles! Pierre veut qu'on aille luncher ensemble après la pratique! Attendez-nous, la douche ne sera pas longue!»

Je me suis senti mal à l'aise, mais j'ai envoyé la main à Marilou pour ne pas perdre la face.

Sacré Gagnon!

DES SORTIES PROMETTEUSES

Suzie était tout énervée: «Marilou! Tu te rends compte! On va au restaurant avec le grand Marc Gagnon!» Je me suis assise en face du beau Pierre pour pouvoir le contempler à mon aise, pendant que la grosse vedette étalait ses charmes (c'est vrai qu'il a de beaux yeux !) devant Suzie littéralement pâmée.

Il lui a fait mille compliments, lui suggérant même de laisser le marketing de mode pour devenir mannequin... Son frère n'avait pas tellement l'air d'apprécier cette cour un peu puérile. L'atmosphère, devenue lourde, j'ai proposé à Pierre une sortie surprise, laissant Marc et Suzie nager dans leur conte de fées...

J'ai suggéré l'Aérodium. Il a froncé les sourcils : « C'est quoi ça ? » Pour toute réponse je lui ai commandé (bien doucement) de nous conduire vers l'autoroute transcanadienne. Une bonne randonnée, mais en lui promettant que le jeu en valait la chandelle.

Quand, revêtus de nos combinaisons de parachutistes, nous nous sommes jetés dans le vide, il s'est écrié : « Marilou, c'est extraordinaire ! Fantastique ! » On aurait dit un enfant.

Il a fallu lui expliquer le principe de l'Aérodium : un moteur d'avion en marche, placé sous un silo capitonné, produit une colonne d'air suffisamment puissante pour nous maintenir en place, tels des oiseaux qui planent, à un vingtaine de pieds du sol...

Une fois revenus sur le plancher des vaches, il est devenu plus tendre, plus caressant. J'attendais ce moment-là depuis notre première rencontre, à la fin de l'été, dans sa chambre d'hôtel...

Nous sommes rentrés à Québec en extase, nous bécotant, nous caressant... Lui, parlant de hockey sans cesse, de son avenir, de ses ambitions ; moi, l'écoutant, la tête sur son épaule... Je l'ai invité à la maison en espérant que Suzie n'y serait pas. Souhait exaucé : personne.

Nous nous sommes abandonnés l'un à l'autre, dénombrant nos os, soupesant nos muscles, sondant les plis et replis de nos chairs.

Je l'ai absorbé par tous les pores de ma peau. Nous nous sommes dévorés des mains, des yeux, des lèvres, jusqu'au plaisir suprême...

Un rêve tous les sens éveillés...

Les racontars qui circulent sur le compte de Marc Gagnon sont des sottises. J'ai pu le vérifier. Marc est charmant, si doux, si compréhensif, pas du tout coureur de jupons comme les mauvaises langues s'acharnent à le dire. Après le petit lunch de ce midi avec Marilou et Pierre (qui a tout fait pour être désagréable d'ailleurs) nous sommes montés dans sa Ferrari. Rouge feu, (Wouah ! quelle bagnole ! On est loin de la Pontiac de maman !) faire lentement le tour de l'île d'Orléans, en jasant de mille et une choses. Il soutient que je devrais tenter ma chance comme mannequin ; ce n'est pas une mauvaise idée. Je vais y réfléchir. Ensuite, il m'a invitée au bar d'un hôtel qu'il connaît bien et m'a offert le champagne. Ça m'a flattée. Il s'est laissé aller à des aveux : « Suzie, ce que je souhaite, c'est être ton ami, rien d'autre... J'ai besoin de quelqu'un qui peut m'écouter, me comprendre... Tu sais, c'est pas facile d'être Marc Gagnon... c'est bien lourd à porter parfois ! » Son témoignage de confiance m'a émue.

Un chic type. Et quels yeux ! Je me suis noyée toute la soirée dans la mer verte et bleue de son regard si tendre si caressant. Je m'y jetterai encore, aussi souvent qu'il le voudra. Oui, je veux être son amie, sa confidente, son âme soeur...

Vers minuit, il m'a reconduite à l'appartement. En me quittant, il m'a baisé la main, simplement, en vrai gentilhomme. Assurément, Marc Gagnon a de la classe. Un grand monsieur...

Je n'ai pas voulu passer le reste de la nuit avec Marilou à l'appartement. J'avais dit à Ginette de m'appeler dans la soirée et il est déjà dix heures et demie !

En ouvrant la porte, le téléphone sonnait. Michel Matthieu, notre gardien de but avec qui je pensionne me lance : «Pierre ! Ça doit être ta blonde !» Me doutant bien que ce ne devait pas être son premier appel, je décroche au troisième coup, sans prendre le temps de refermer derrière moi : «Pierre ? Qu'est-ce que tu fais ? Je suis inquiète ! On devait s'appeler à neuf heures !» Sans réfléchir, je réponds du tac au tac : «J'étais allé voir un film ! — Lequel ?» Je fais signe à Michel de me passer *Le Matin* : «T'aurais aimé ça Ginou... Il n'y avait pas beaucoup de monde... Ça m'a surpris pour un vendredi soir... parce que franchement (je cherchais désespérément les horaires de cinéma)... franchement un bien bon film !... Faut dire qu'à Québec, hein, c'est pas comme à Trois-Rivières, il y a du choix... — C'était quoi ton film ? insiste Ginette.» J'avise la première réclame qui me tombe sous les yeux. *«First Blood !»* J'avais chaud sans bon sens ! «On l'a vu ensemble sur le vidéo de ta mère ! — ...Euh ! Je voulais le revoir... sur un grand écran ! — Ah bon...»

«Ginou... je vais être obligé de raccrocher, mes toasts viennent de sauter... — Tu mangeais ? — Une petite fringale, Ginou... juste pour me calmer l'es-

tomac avant d'aller me coucher . . . Demain, on joue. —
Contre qui ? — Les Flyers. Écoute Ginou, je suis fatigué,
on se rappelle demain, O.K. ? . . . — Dors bien. — Je
t'embrasse. Bonne nuit ! »

Michel Matthieu était plié en quatre, mort de
rire. C'est la première fois que j'étais forcé de mentir à
Ginette. J'ai senti ma conscience bien lourde. Du plomb
dans l'estomac.

DES AMOURS À L'HORIZON

J'ai voulu en avoir le coeur net à propos de mon
client, Marc Gagnon, et de Nicole, sa femme. J'étais
convaincu que ses problèmes au jeu venaient d'elle. En
l'absence de Marc, elle m'a reçu à la maison, avec beaucoup de gentillesse : « Un peu de vin, maître Sigouin ? »

Après le premier verre, j'ai foncé : « Tu sais Nicole, le contrat de Marc se termine cette année. Guilbault m'a fait une offre très intéressante, mais pour en
profiter, il faudrait que ton mari joue la plus grosse saison de sa carrière . . . Comme c'est là, il se traîne plutôt
les pieds . . . — Luc, compte pas trop là-dessus, Marc a
perdu ses réflexes ! — Il les a toujours retrouvés, non ? —
Il n'avait pas trente-trois ans ! — Tu es pessimiste Nicole ! — Réaliste Luc ! Simplement réaliste. Ne t'inquiète
pas trop quand même. Marc est encore capable de passer
à travers une couple de bonnes saisons. Tu sais bien qu'il
ne pourrait jamais accepter de passer au second rang . . .
Il va se ressaisir, fais-lui confiance . . . Encore un peu de
vin ? »

Nicole a su dissiper mes craintes. Elle a vidé
son verre et je suis parti, rasséréné.

J'ai mal dormi. Le téléphone que j'ai fait à Pierre hier soir m'a troublée. Il n'était pas comme d'habitude, plus nerveux. Il se passe quelque chose à Québec, je le sens.

Pour en avoir le coeur net, j'ai demandé à Madame Tremblay mon après-midi de congé : «T'aurais dû me parler de ça plus de bonne heure cette semaine, Ginette! Là, c'est pas possible, j'ai personne pour te remplacer. »

J'ai supplié : «Je n'ai pas encore vu Pierre jouer depuis qu'il est avec le National, juste le temps de me changer et de descendre à Québec. J'aimerais ça le rencontrer avant la partie . . . »

Rien à faire. Madame Tremblay était manifestement désolée. Pas autant que moi. «Le travail, ça passe avant les affaires de coeur, Ginette!» qu'elle a cru bon d'ajouter.

Je suis retournée derrière mon comptoir le coeur gros. Inquiète. Rongée d'incertitude . . .

Le jeu est beau, oui! Pierre joue bien, oui! Tout est parfait, oui! Mais pas pour moi! «Denis? Est-ce que c'est recommencé?» demande Hugo en revenant de la cuisine, deux assiettes de gâteau à la main. Début de la troisième. Je donnerais tout ce que j'ai pour être sur la patinoire moi aussi. Dire que ça aurait pu être possible si mon épaule . . . Si Pierre . . .

Madame Lambert m'observe du coin de l'oeil en mangeant son gâteau. «Dis-moi, Denis... as-tu eu des nouvelles de Suzie aujourd'hui? — Non. Pas de nouvelles. Rien. — Tu ne l'appelles plus? — J'appelle, mais elle n'est jamais là!» J'aurais envie de lui dire ce qui me trotte dans la tête, mais je n'ose pas. D'ailleurs Suzie, quand elle y est, j'ai l'impression qu'elle est ailleurs!

«Depuis trois ans que tu pensionnes ici, vous ne vous lâchiez pas d'une semelle, et puis voilà que...»

Sans le vouloir, j'élève le ton (ses questions m'agacent). C'est pas de ma faute moi, si Suzie étudie à Québec et que je suis pris à faire de la physio à Trois-Rivières!

«Tu sais, Denis, des physiothérapeutes, il y en a partout, surtout à Québec... Tu devrais aller passer quelques jours avec Suzie, tiens! Rien de mieux pour ton moral...» J'ai baragouiné un oui très mou juste comme Pierre comptait un but sous les clameurs de la foule du Colisée et les cris d'indien d'Hugo.

Lambert joue vraiment très bien. Ce gars-là va aller loin. Deux buts tout seul. Plus qu'une minute à la troisième et le compte est toujours deux à deux.

Lulu me dit: «Linda! Tu entends le monde?» Les gens applaudissent Lambert tout en scandant le nom de Gagnon. Futée la foule du Colisée! Elle n'abandonne pas ses dieux facilement: «Gagnon! Gagnon! Gagnon!» D'un seul poumon.

Mais Jacques Mercier a décidé d'en faire à sa tête: Marc Gagnon restera sur le banc. C'est vrai qu'il était sur la glace pour les buts des Flyers. Jusqu'à présent, il ne s'est pas beaucoup fatigué, le beau Marc !

Les partisans insistent. Mercier ne bronche pas, visiblement mal à l'aise. Marc lui, demeure impassible, un vague sourire inquiet sur les lèvres, l'air de goûter en même temps gloire et frustration.

Mercier joue avec le feu ! S'il réussit à faire sortir Marc de ses gonds, on risque un jour ou l'autre de voir un sacré beau feu d'artifice !

La sirène hurle la fin du match. Une partie nulle. Ouf ! Le National l'a échappé belle ! Philadelphie lui a donné bien du fil à retordre . . .

J'ai claqué la porte de mon bureau. Mon adjoint, Phil Aubry, qui me suivait de trop près, a failli la recevoir sur les doigts : « Sapristi Jacques ! Fais attention ! »

Je fulminais : « Le maudit Gagnon ! Ah le flanc-mou ! Deux buts qu'il nous coûte ce soir ! Deux ! Et si j'ai le malheur de chialer, d'ouvrir ma trappe, je vais me faire crucifier dans les journaux, sans compter que Guilbault va vouloir me tuer ! — Voyons Jacques, qu'est-ce que ça te donnerait de partir en peur ? — Si Gagnon n'est pas assez en forme pour jouer comme du monde, je te garantis qu'il va suer dans les pratiques ! Pas dans les parties ! Je t'en passe un papier, Phil ! »

Jacques Mercier commence à avoir son voyage ! J'avais surtout mal à la tête. J'ai dit à Phil de me laisser tout seul, que j'avais à réfléchir : « O.K. boss ! »

La pâte molle à Marc Gagnon ! Pourtant, au

début, il n'était pas comme ça. C'était un joueur travaillant, bourré de talent, rapide, rusé, intelligent, inépuisable. Mais depuis le début de la saison, je ne sais pas ce qui se passe, on dirait qu'il a tout oublié, qu'il est à bout de souffle.

C'est vrai que les jeunes poulettes, les petits verres, les gros *parties* l'occupent pas mal. Il brûle la chandelle par les deux bouts, le Marc Gagnon.

Faut croire que la gloire lui a monté à la tête. Eh bien, moi, je vais la dégonfler sa grosse tête!

Une équipe comme le National ne peut pas laisser aller les choses comme ça. Si notre plus importante vedette s'écrase sur ses lauriers en laissant faire tout le travail par les autres, il faut arrêter ça! On ne peut pas tolérer que notre meilleur joueur donne l'exemple de la paresse! La saison commence, il faut partir du bon pied.

À Guilbault de réagir. Qu'il parle à Gagnon! Mais non! Il le protège, le ménage, le dorlote. Gagnon lui fait gagner beaucoup d'argent, oui! C'est sa vache à lait, d'accord, mais il y a des veaux autour qui travaillent fort, plus fort que la grande vache, et ne méritent pas de voir leurs efforts gaspillés comme ça!

Je ne comprends pas. Il y a sûrement quelque chose qui ne tourne pas rond dans la vie de Marc. Sa femme? Bien sûr, Nicole boit pas mal. Possible que ce soit l'une des explications... Ce n'est pas une raison suffisante pour se traîner les pieds pendant les pratiques et jouer à l'homme invisible durant les parties. Surtout pas contre Philadelphie.

Si je trouvais le courage de lui parler! Je n'y arrive pas! Je le regarde et je bloque.

Je lui dirais de se ressaisir avant que le laisser-aller prenne le dessus. Je connais ça, moi, le laisser-aller.

Tu sais, Marc, moi aussi le succès, un jour, m'est monté à la tête! Oh! Pas un gros comme le tien! Non, une petite gloire de province. Une gloriole d'entraîneur de midget, assez puissante cependant pour me faire préférer les jeunes poulettes et le gin à la place de Judy, ma femme, et de mon fils Jimmy. Mon fils qui avait neuf ans...

Sais-tu ce qui peut arriver à un gars enflé par une petite réussite, les filles et les *parties*? Après bien des bières, des cognacs, des gins et des rhums, quand on monte en voiture avec son fils de neuf ans?

Le mur de béton venait si vite, Marc! Si vite! Après un grand bruit, le silence est tombé, enveloppé d'odeurs de caoutchouc brûlé, d'huile chaude et d'essence. J'ai vomi du sang et de l'alcool; j'ai entendu Jimmy gémir. J'ai pleuré. Il était trop tard. Le mal était fait.

Pourquoi m'a-t-il fallu un accident pareil pour m'ouvrir les yeux?

Briser la vie de mon fils pour apprendre à mener la mienne comme un homme? Mon fils qui ne marchera plus!

Je ne voudrais pas que, dans ton laisser-aller, une chose comme celle-là t'arrive, mon pauvre Marc! Si tu savais comme on souffre! On voudrait mourir! On sait que, même mort, on n'oublierait pas. On reste vivant pour voir l'horreur de ce qu'on a fait sans le vouloir. Un enfant de neuf ans, paralysé des deux jambes, assis dans une chaise roulante...

Ta Ferrari ne te mènera peut-être pas aussi loin, Marc! Mais toi, tu peux redonner la coupe Stanley au National, si tu veux! Si tu te réveilles!

On a besoin de toi, Marc Gagnon! Ressaisis-toi? Tu es encore le meilleur joueur de l'équipe! Si tu voulais t'ouvrir les yeux, on pourrait passer la plus belle saison de notre carrière!

J'ai été choisi deuxième étoile de la soirée! Les deux seuls buts du National, ce sont les miens! Je ne suis pas mécontent de moi: «Cent fois bravo le Chat!» C'est comme ça que m'appelle Robert Martin, notre capitaine. Il a donné le ton. Tout le monde m'appelle le Chat maintenant.

«Une nulle! On s'en tire à bon compte! Entre toi et moi, mon Pierre, on s'est tellement traîné les pieds qu'on ne la méritait pas celle-là!»

Une chose sûre: moi, j'ai gagné mon étoile! J'ai travaillé fort.

J'avais le coeur en fête en sortant du Colisée.

Ça n'a pas duré: j'ai vu ma soeur Suzie au bras de Marc Gagnon. Elle essayait de le consoler de sa partie passée sur le banc. Je n'ai pas aimé la voir avec lui. On dit tellement de choses sur le compte de Marc que je crains pour Suzie.

Gagnon l'a embrassée puis il est parti. Je me suis approché de Suzie: «As-tu des nouvelles de Denis? lui ai-je demandé pour la faire revenir sur terre. — Toi? En as-tu de Ginette?»

J'ai tourné les talons et suis rentré à la maison.

Devant les caméras de la télévision, André Simon me demande en entrevue (accordée en remplacement de Marc qui s'est désisté à la dernière minute): «Linda Hébert, d'après vous, qu'est-ce qu'il faut penser de la performance actuelle de Marc Gagnon? — Le plus grand joueur du National est en fin de carrière! dis-je. Marc Gagnon s'accroche à son contrat comme à une bouée de sauvetage! Après tout, il faut bien que quelqu'un ait le courage de le dire: Marc Gagnon est en train de nuire au National. C'est vrai que quand on brûle la chandelle par les deux bouts...»

Simon a rougi de satisfaction.

J'ai bien peur d'avoir placé, ce soir, ma tête sur le billot de la guillotine...

LE VOYAGE À WINNIPEG

Ce soir, c'est mon premier voyage en avion! En route pour Winnipeg! Je pensais avoir le mal de l'air, mais non!

Quel plaisir de rouler à pleine vitesse sur la piste (plus vite qu'en Corvette!), d'entendre les moteurs gronder! Quelle paix ensuite quand l'envol a lieu et que la nuit nous prend sur ses ailes!

Après avoir remercié Lucien Boivin pour la deuxième étoile qu'il m'a décernée («Attends de lire l'ar-

ticle que je suis en train de pondre!» qu'il m'a confié),
j'ai regagné ma place à côté de Robert Martin.

Je ne sais pas pourquoi, mais ce gars-là me ras-
sure. Il vient de s'allumer un énorme cigare: «Si je ne
fumais pas, le Chat, les gars perdraient confiance dans
leur capitaine!»

Templeton et Champagne gueulent à l'intention
d'une hôtesse qui sourit: «Miss! Fire! Fire!» «Nounou!
Va dire au pilote que le feu est pris à bord!» Martin, dans
un clin d'oeil: «Tu vois, mon Pierre, qu'est-ce que je te
disais?»

J'ai le coeur léger. Je sors de mon bagage à
main les deux petites bières que Nounou m'a données en
récompense («Pour tes deux buts, le Chat!»). J'en offre
une à Martin et je m'enfile l'autre derrière la cravate.

En deux gorgées, je flotte déjà au-dessus de
l'avion!

Mes commentaires d'hier soir à la télévision ont
jeté le froid dans mes relations avec le National. J'ai pris
ma place à bord de l'avion nolisé qui nous mène à Winnipeg sous certains regards hostiles et quelques faces de
bois. Jacques Mercier m'a esquissé un sourire un peu
gêné (mes propos ont eu de quoi le réjouir). «Salut Linda...» Guilbault, qui est de ce premier voyage de l'é-
quipe, m'a carrément ignorée.

Lulu s'est installé derrière moi, comme d'habitude. Guilbault et Mercier se sont isolés à l'avant de
l'appareil. Les joueurs de cartes ont investi, quant à eux;
l'arrière et les vétérans ont retrouvé leurs places consa-
crées, en particulier Gary Bennett, l'intellectuel, et Paul

Couture, dit le Curé (à cause de sa Bible qu'il traîne toujours avec lui).

On a laissé Marc Gagnon tout seul.

Lui, n'a vraiment pas l'air de me porter dans son coeur !

Je suis allée lui parler. Tenter de m'expliquer. Pas moyen : «Écoute câlisse ! (le silence s'est imposé autour). Fais pas exprès ! C'est pas parce que tu es une fille que tu peux tout te permettre ! Écrase !»

Je n'ai pas demandé mon reste et j'ai vivement regagné ma place !

Après le repas, servi par la même hôtesse que le printemps passé, après d'ailleurs le même menu, quasiment rituel, j'ai dit à Gilles Guilbault : «Ils sont drôles les journalistes ! Donner une étoile à Bennett. Il a passé la soirée à genoux. Pire que Paul Couture avec sa Bible ! La saison va être longue en désespoir !»

Guilbault s'est allongé les pieds sous la banquette devant lui : «Ben non, tu charries Jacques ! Gary est un gars solide. Il va s'ajuster. Tu le sais !»

J'ai admis : «En tout cas, Gilles, il y en a un qui a besoin de se remettre en forme. Je parle de Marc Gagnon — Le club, Jacques, c'est toi qui le mènes, mais n'oublie jamais que Marc Gagnon, c'est un cas spécial !»

Encore la haute protection ! que j'ai eu le goût de lui dire. Mais j'ai plutôt répondu : «Pour commencer, j'ai mis Lambert avec lui dans sa chambre, à Winnipeg.

S'il a du coeur, ça va le piquer un peu. J'espère qu'il va comprendre le message. »

Guilbault n'a pas répliqué. Il est disparu derrière l'épaisse fumée de son cigare.

Je mène, oui! Tu peux le dire!... Je lui prépare une sacrée belle surprise à Marc Gagnon! Tu sauras m'en donner des nouvelles.

Ah! Que j'étais contente! À deux heures moins quart du matin, Pierre m'a téléphoné de Winnipeg! Il venait juste de descendre d'avion. Il appelait de sa chambre d'hôtel: «Ginou! Que j'avais hâte de te parler! — Moi donc. — As-tu regardé la partie d'hier à la télé? — Tu sais bien que je travaillais! Pierre, je me meurs d'ennui! — Moi aussi tu me manques Ginette! Je ne pourrai pas te parler longtemps, je ne suis pas tout seul dans la chambre! — Comment ça? Blonde? Rousse? Brune? — Châtain pâle! Je chambre avec Marc, Marc Gagnon... Bon, il faut que je te quitte Ginou, Marc a besoin du téléphone!»

Nous nous sommes embrassés. Au téléphone, on fait ce qu'on peut. Il m'a dit qu'il m'aimait, moi de même. C'est vrai, je l'aime. Comme une folle!

J'ai eu la surprise de ma vie. J'allais me déshabiller, me coucher enfin, quand Marc me dit: «Déchausse-toi pas trop vite, mon gars!» Il venait de parler au téléphone à une certaine Honey, une fille de Winnipeg qu'il avait l'air de bien connaître. «Pierre, t'as jamais visité Winnipeg, toi? («Non...») Va donc prendre l'air, mon gars! Va marcher un peu, disons... jusqu'à trois heures, hein? Me semble que c'est raisonnable... » Je ne comprenais pas: «Veux-tu que je te fasse un dessin?» Tout à coup, j'ai saisi: la fille était une fille... Il a décroché le téléphone: «Room service? One bottle of champagne. Dom Perignon... What? Find one!»

Je me suis dirigé vers la porte, passablement dépité: «Surtout, fais attention à Mercier, hein? Si tu te fais pincer, tu nous mets dans le trouble tous les deux!»

Je suis sorti, rouge comme un coq, d'avoir pris tant de temps à comprendre.

Je n'étais même pas enragé, simplement dégoûté. Écoeuré.

En franchissant la porte tournante de l'hôtel, je suis tombé nez à nez avec Jacques Mercier, notre entraîneur. Il m'a dévisagé. J'ai bafouillé, plus rouge encore que tantôt: «Je ne suis pas capable de dormir... Les nerfs... »

Mercier me brûlait de son regard: «Et puis... Gagnon n'arrête pas de ronfler!»

J'ai souri le plus niaiseusement du monde et me suis éclipsé.

TROISIÈME CHAPITRE

LE TEMPS EST
À L'ORAGE

LES BOURGEONS
DE LA RENOMMÉE

Je me tenais en coulisses, les mains moites, un ouragan au ventre. L'animateur de l'émission a lancé tout à coup : « Mon prochain invité (j'ai ressenti un pincement au coeur) porte le chandail numéro treize. Il a déjà marqué six buts en neuf parties. On dit de lui qu'il pourrait devenir le nouveau Marc Gagnon. Il est natif de Trois-Rivières. Mesdames et Messieurs, surtout Mesdemoiselles, accueillons Pierre Lambert, le prodigieux joueur de centre du National de Québec ! »

Sous les applaudissements des autres invités, je me suis dirigé vers le fauteuil que le régisseur m'avait désigné avant l'émission. La lumière des projecteurs m'éblouissait. Je me suis assis, mal à l'aise. Je n'étais jamais entré dans un studio de télévision de ma vie. Un univers inconnu. J'avais la gorge sèche.

L'animateur m'a souhaité la bienvenue puis m'a demandé : « Comment se sent-on, à vingt ans, grosse vedette du National ? — Vedette, ai-je répondu, c'est un bien grand mot. Disons que des fois, j'ai l'impression que je fais un beau rêve ... — Avant d'aller plus loin, dites-moi, Pierre Lambert, comment se fait-il que vous portiez un numéro dont la réputation ... enfin, ce n'est pas tout le monde qui aimerait s'afficher avec le chiffre treize dans le dos!... » J'ai répondu que tous les chiffres se valaient, que celui-là ou un autre... Mais la véritable raison, je n'ai pas osé la lui révéler.

J'ai choisi le treize en souvenir du treize septembre où papa m'avait remis un dollar en argent pour ma première partie avec les pee-wees (depuis, je le porte à mon poignet à chaque fois que je saute sur la patinoire), et pour me rappeler aussi que c'est un treize mars qu'il est mort. Ce numéro-là, c'est mon porte-bonheur, ma patte de lapin à moi!

Je ne pouvais pas raconter ça à l'animateur: j'ai eu peur du ridicule. Et puis, c'est un secret entre mon père et moi...

Ma fille Ginette est venue me voir. Malgré les médicaments qu'ils m'administrent à la pelle, qui me troublent la vue et l'ouïe, je ne manque pas une seule partie de hockey à la radio ou à la télévision! Le hockey, c'est le cordon ombilical qui me relie à la vraie vie, celle qui bat dehors, loin des murs verts de ma chambre d'hôpital. La seule chose qui me fasse oublier l'approche du Grand Repêchage de la Mort.

Ginette me dit en entrant: «Comment papa, vous ne regardez pas Pierre à la télévision?» Je le savais pourtant qu'il passait en entrevue, mais je l'avais oublié. Ah les pilules!

Quand l'animateur s'est écrié: «Ce qui est paradoxal c'est que, personnellement, vous, Pierre Lambert, vous connaissez un excellent début de saison, tandis que le National et Marc Gagnon...» j'ai su tout de suite que j'allais marcher sur des oeufs!

J'ai répliqué: «Il y a encore soixante-dix parties à jouer!» Mais je n'ai pu éviter la question-piège: «D'après vous qu'est-ce qui arrive à Marc Gagnon?»

De la cuisine, j'observais Marc, assis sur le bord de son fauteuil, tendu, prêt à sauter sur le téléviseur. Moi, je buvais mon cognac. Francis et Marie-France se chamaillaient derrière lui. Sans laisser des yeux l'écran où l'on voyait Pierre Lambert en gros plan, il me crie: «Nicole! Les enfants, câlisse!» aussi sec que fort.

La vapeur du cognac m'a échauffé les oreilles! Les enfants ont fait silence une seconde, puis les cris et la bousculade ont repris, s'ajoutant aux voix de la télévision: «Écoutez... Marc Gagnon joue bien, mais il n'a pas eu beaucoup de glace depuis le début... — Justement, pourquoi? — Faudrait demander ça au *coach*!» Marc s'est levé d'un trait. Brusquement, il a éteint l'appareil et s'est précipité vers les enfants: «Marie-France! Va dans ta chambre!» Il a empoigné Francis: «Toi! Envoye dehors!» en lui administrant une bonne tape sur une fesse. Francis, l'air d'avoir plus de peur que de mal, est disparu au sous-sol en coup de vent.

«Marc Gagnon! que j'ai hurlé, tu vas passer ta frustration ailleurs que sur les enfants!»

Il s'est tourné vers moi, blanc de rage: «Toi, bois ton cognac et sacre-moi patience, câlisse!» Il est sorti en claquant la porte.

Les larmes m'ont inondé les yeux; de toutes mes forces, j'ai lancé mon verre au fond de l'évier!

Quand Maurice Trudeau, le vice-président au marketing des restaurants Poulet Burger m'a dit au téléphone : « Sigouin ? As-tu le temps de venir luncher avec moi ce midi ? » j'ai sauté sur l'occasion. Je me doutais bien qu'il avait quelque chose à me proposer. Chaque fois que je suis allé manger avec lui quelque part, je suis sorti de table avec un contrat en poche.

« Je ne sais pas si tu le savais, Luc, mais au cours de la prochaine année, notre chaîne de restaurants veut doubler le nombre de ses franchises au Québec... On cherche un porte-parole, une image, quelqu'un qu'on pourrait identifier à notre marque. J'avais Marc Gagnon en tête, mais plus je regarde aller le petit Lambert, plus je me demande... C'est bien toi son agent, hein ? » J'ai répondu oui, en faisant vite des calculs dans ma tête.

« Lambert est trop jeune pour ce que vous cherchez Maurice ! que j'ai commencé par dire. Ta compagnie veut toucher la famille ? Attirer les parents avec leurs enfants ? Marc est tout désigné pour ça ! Un mari ! Un père de famille modèle ! La maturité du consommateur qui sait choisir... Avec Marc, vous ne pouvez pas vous tromper ! — Wow ! a riposté Maurice, le mari modèle ! Aïe ! Charrie pas Luc ! Les journaux parlent de divorce toutes les semaines ! » Je suis resté figé un moment, puis mes esprits me sont revenus : « Tu sais bien que Marc n'aura jamais les moyens de divorcer, voyons ! » En lui allumant son cigare, j'ai demandé : « Vos conditions, Maurice, ça serait quoi ? »

Je me sens de plus en plus étranger à la famille Lambert. Même les gâteaux d'Hugo ne me disent plus rien de bon. Il vient d'ailleurs d'en sortir un, tout chaud, du four, pendant que sa mère tourne en rond de la cuisine au salon où je me suis réfugié.

« Veux-tu une bière, Denis ? » me demande Madame Lambert entre deux tournées. Je décline : « Je pense que je vais aller en prendre une au Flamboyant...
— Tu n'attends pas Pierre et Suzie ? Ils doivent être ici d'une minute à l'autre ! » Je me lève pour sortir : « Il y a quelque chose entre Suzie et toi ? » Comme on sonne à la porte, j'enchaîne : « Il n'y a rien, je vous assure ! »

En ouvrant, je me bute à Albert Simard. Il me fait un salut de la main et se dirige tout droit vers Madame Lambert qu'il enlace et embrasse.

Hugo rit en douce en déposant son gâteau sur la table à café. Des rougeurs apparaissent sur les joues de Madame Lambert...

Me sentant de trop, je sors.

Je ne sais pas ce qui se passe dans la tête de ma soeur Suzie. Elle devait monter à Trois-Rivières avec moi tout à l'heure. Tel qu'entendu, je passe à son appartement la prendre et je la trouve en train d'essayer une robe de sa création sur Marilou ! (une Marilou d'ailleurs qui, en me voyant apparaître, s'est jetée à mon cou !)

Comme je m'étonnais de ne pas la voir prête : « J'ai changé d'idée, Pierre, je reste ici ! » J'étais déjà en retard, ça m'a agacé. Heureusement qu'aujourd'hui rien ne peut altérer ma bonne humeur...

Ah les filles ! J'ai l'impression parfois qu'elles viennent vraiment d'une autre planète !

En sortant du journal (très tard ; pour mille raisons), je me suis dit : Fernand, une petite bière ne te ferait pas de tort !

Tout près du journal, il y a un bar appelé Le Flamboyant où je vais de temps à autre, quand je veux faire le vide dans ma tête et renouveler mon inspiration. On y rencontre toute la faune marginale de Trois-Rivières. Le contact avec la clientèle est facile. Cette ambiance étrange favorise chez moi la réflexion. C'est dans ce lieu que j'ai trouvé mes meilleures idées d'article. Il faut croire que les vices des autres éveillent mes talents de journaliste !

Toujours est-il que je me pointe au Flamboyant vers les onze heures pour apercevoir Denis Mercure, passablement éméché, en grande conversation confidentielle (à voix bien haute) avec Ti-Poil, l'indispensable pilier de taverne de Trois-Rivières : «Je te dis mon Ti-Poil que c'était un beau show à voir ! J'ai rien qu'une chose à te dire : Pierre Lambert, c'est pas un ange, c'est un chien sale ! À cause de lui, je suis pris à faire de la physio et ma carrière dans le hockey s'en va chez le diable !»

Je me suis assis à l'écart, tout oreille, flairant ma manchette pour demain . . .

Quand Pierre est arrivé (Ginette l'attendait impatiemment depuis une bonne heure), nous avons dégusté le gâteau maison d'Hugo. Au moment du café, j'ai solennellement demandé le silence et annoncé à tous la grande nouvelle : «Grâce à Albert Simard, mon cher comptable ici présent, grâce à Hugo qui a inscrit tous nos savants calculs sur l'ordinateur, grâce surtout à mon gérant de banque (rires), je vous annonce l'ouverture prochaine d'une succursale des Créations Maroussia Lambert, à Québec!» Les applaudissements et les hourras ont fusé.

J'étais aussi excitée que le matin de mon mariage!

Ma première boutique de vêtements pour dames, ouverte il y a deux ans, ici à Trois-Rivières, marchait bien. Avec Albert, nous avons fait le tour de mes chiffres pour arriver à la conclusion qu'une expansion était possible et même souhaitable. Et je m'y suis lancée. Au début, avec appréhension, mais à la longue, l'idée m'est apparue excellente et je suis passée à l'action.

Pour la succursale de Québec, nous avons pensé à une formule nouvelle: une coopérative de mode et de créations. Les couturières qui travaillent pour moi, mes modistes (dont ma fille Suzie et Marilou font partie), sont presque toutes des immigrantes, bourrées de talent, qui n'arrivent pas à s'imposer sur le marché. J'ai pensé leur venir en aide. Beaucoup de choses restent à mettre au point, mais l'idée me semble bonne... «À la santé de la nouvelle boutique!» de lancer Albert en levant sa tasse de café et me prenant par la taille.

Pierre et Ginette n'arrêtent pas de se bécoter. Ils ont hâte de se retrouver en tête-à-tête, c'est évident. Comme je les comprends! Pierre me demande: «Quand est-ce que tu l'ouvres ta succursale, maman?» Je lui réponds qu'il faut d'abord trouver le local... Ginette s'est inquiétée de l'absence de Denis. Je lui ai dit où il se trouvait et les ai poussés tous les deux vers la sortie: «Allez! je vous chasse, les amoureux! Dehors! Passez dire un petit bonsoir à Denis, hein?... Ça ne va pas fort pour lui ces temps-ci, ça ne peut que lui faire du bien...

Allez, bonne nuit ! » Et j'ai refermé la porte derrière eux.

J'en étais à ma deuxième petite bière, écoutant sans me faire voir les confidences de Denis (de plus en plus soûl du reste), quand j'ai aperçu Pierre Lambert, accompagné de sa blonde, se frayant un chemin entre les tables.

La fumée dense et la lumière étouffée leur donnaient l'air, à Ginette et à lui, de nager dans une mer orageuse ; les voix et les bruits recréant le ressac de la vague . . .

La première, Ginette a aperçu Denis. Elle l'a désigné à Pierre, qui a pâli (s'il avait entendu toutes les récriminations de son ami, il aurait pâli bien davantage !) Il a esquissé un pas vers la sortie, Ginette l'a retenu. Ils se sont dirigés vers Mercure, affalé devant sa bonne douzaine de bouteilles vides.

«Salut Denis, comment ça va ? a tout de suite attaqué Pierre — Mal ! a rétorqué Denis très sèchement. Tu devrais le savoir, maudite face d'hypocrite ! » Ginette a perdu son sourire dans la gêne et l'étonnement. Pierre est resté un moment saisi : «C'était un accident, tu le sais ! » Au mot «accident», Denis s'est dressé, chancelant : «Hypocrite, pis menteur en plus ! Tu m'écoeures ! Tu le savais que j'étais déjà blessé ! Hein ? Tu le savais ! Tu m'as enfoncé dans la bande pareil ! Tu voulais être sûr de rester avec le club, hein ? Mon tabarnaque de sale ! »

Mercure allait se jeter sur Pierre, je me suis dirigé vers eux.

«Denis, arrête ça ! » a lancé Ginette. Elle a entraîné Pierre, blanc comme un drap, tandis que Denis poursuivait : «Mon frère! T'étais comme mon frère! Mais t'es rien qu'un sale ... un sale!»

À quelques pas de la porte, Ginette m'a reconnu. Elle a blanchi. Affolée, elle s'est jetée sur moi : «Fernand! Vous n'allez pas écrire ça dans le journal, hein? Vous n'allez pas publier ça? Je vous en supplie!»...

RIEN NE VA PLUS

Allan Goldman, le père nourricier du National, notre bailleur de fonds, celui par qui nos salaires arrivent, est entré en coup de vent dans mon bureau : «Gilles! (m'a-t-il dit avec son fort accent anglais), ils sont encore sur notre dos?» Il brandissait les journaux, rouge de mécontentement : «Pas une journée sans qu'il ne soit question de la paresse de Marc Gagnon et de l'entêtement de Jacques Mercier?» Je lui réponds : «Les journalistes, Allan, on peut toujours leur faire des petits cadeaux de temps en temps, mais on n'arrive pas toujours à faire ce qu'on veut d'eux autres!»

Il est devenu soudain très nerveux : «Je vais te faire une confidence, Gilles ... Tu me promets que ça ne sortira pas d'ici? (j'ai failli me choquer). Tu sais que j'ai d'autres business à part le club ... Mes affaires vont mal. Je perds énormément d'argent ... J'ai même été obligé de donner le National en garantie ... J'ai pas envie de déclarer faillite! Ça fait que, arrange-toi comme tu voudras avec les journalistes, mais je ne veux plus entendre un mot de travers sur le National! Compris?» Et il est sorti.

Faire taire André Simon? Éliminer les papiers

vitrioliques de Linda Hébert? Interdire les questions embarrassantes de Lucien Boivin? Impossible.

Mais pousser dans le dos de Jacques Mercier? Ça oui, c'est possible!

Pierre s'est levé en retard ce matin et m'a engueulée, comme si c'était de ma faute: «M'man! Tu m'as pas réveillé? — Si. Par deux fois. Un mort! Ta nuit a dû être courte... — Ginette est partie de bonne heure? — À huit heures! Elle avait l'air d'avoir le "People" très loin...»

Je lui ai demandé s'il savait où Denis pouvait être; son lit n'était pas défait. Il m'a baragouiné je ne sais quoi en recrachant son café: «Eurk! Il est froid!» Je lui ai suggéré de s'en faire du frais...

Finalement, par faiblesse maternelle, c'est moi qui me suis mise à la tâche pendant qu'il se jetait sur *Le Nouvelliste*, l'air curieusement inquiet.

«Sais-tu, lui ai-je dit en le tirant de la page des sports, j'ai bien peur qu'il ne se soit passé quelque chose entre ta soeur et Denis... — Pas avec Suzie, maman! C'est avec moi qu'il s'est passé quelque chose!» J'ai exprimé ma surprise. «Denis et moi, on s'est engueulés!» J'ai demandé si c'était grave: «Très grave!» Je suis restée interdite; je m'attendais si peu que le coup vienne de ce côté-là!

Depuis quelque temps, il me semblait aussi qu'il se tramait quelque chose... Denis était tellement morose, tellement froid, c'en était devenu insupportable. Et Suzie, à la dernière minute, qui refuse de monter le voir... J'avais toutes les raisons d'imaginer que ça n'allait plus entre eux! Mais qu'entre Pierre et Denis, une engueulade éclate, je n'arrivais pas à le croire.

J'ai voulu en savoir davantage, mais Pierre était déjà sur le pas de la porte. «Faut que je rentre à Québec! Je suis en retard!»

En me soufflant une bise à distance, il est prestement disparu. Je n'ai pas eu le temps de courir après lui, le téléphone sonnait à fendre l'âme... C'était Ginette.

Je suis de mauvaise humeur contre Jacques Mercier! J'ai profité de notre jogging, sur les Plaines d'Abraham ce matin, pour soulever le cas de Marc Gagnon. J'ai prononcé le nom de Goldman; il a bondi: «Goldman? Est-ce que je lui dis comment pratiquer sa religion, moi? C'est pas lui qui va venir m'indiquer qui faire jouer, avec qui, et quand! Pas d'ingérence dans mon travail d'entraîneur, O.K., Gilles Guilbault? — Ce n'est pas une question de s'ingérer dans tes décisions, Jacques, mais simplement de te demander de régler le cas de Marc Gagnon!» J'ai ajouté, en mettant le plus de miel possible dans ma voix: «Penses-tu, Jacques, qu'avec un peu plus de glace, Gagnon recommencerait à donner du rendement...?»

Il a éclaté: «Gagnon n'est pas en forme! Il ne jouera pas pendant les *power-play* tant qu'il ne l'aura pas mérité! Est-ce assez clair? Tu iras traduire ça en yiddish à Goldman de ma part!»

Il était furieux. Moi aussi. Il a fait demi-tour et j'ai continué à courir, droit devant moi, comme un enragé.

Je voulais tirer au clair la chicane Lambert-Mercure avant d'écrire mon papier. Tout un scoop: une solide et vieille amitié brisée par une triste cupidité entraînant une blessure grave... Une histoire du tonnerre!

Ce midi, je suis donc allé prendre une bouchée avec Ginette Létourneau au comptoir-lunch du «People» où elle travaille.

Denis était déjà là: «Salut Fernand! Je voulais te voir justement...»

Je n'ai pas eu besoin de poser de questions, il s'est vidé le coeur. À un moment donné, il s'est adressé à Ginette: «Pierre le savait que j'étais déjà blessé? Il le savait, hein?» Ginette a paru troublée: «Ben... peut-être que oui... Suzie m'avait dit que tu avais l'épaule déboîtée... J'ai dû le lui répéter... je ne sais pas...» Elle s'est tournée vers moi, aussi suppliante que la veille: «Monsieur Bourgouin, vous n'allez pas raconter ça dans le journal! Pierre et Denis c'étaient comme deux frères! — J'ai un métier à faire, moi! que j'ai rétorqué. (Son regard s'est assombri.) Ce qui est arrivé hier soir, c'est de l'information! Le monde a le droit de savoir ce qui se passe dans le sport!»

Denis m'a regardé droit dans les yeux: «Le sport? C'est du sport cette affaire-là?» a-t-il ajouté en désignant son épaule droite en écharpe.

Tantôt j'étais bien décidé à révéler toute l'affaire dans ma chronique au *Nouvelliste* ou peut-être même sur les ondes à CKFL, mais, à présent, j'hésite. Je dois dire que la réponse de Denis m'a quelque peu touché...

86

LES CHOSES SE GÂTENT

Je suis arrivé au Colisée juste à temps pour la pratique : onze heures tapant ! Je n'ai plus en tête que les mots de Denis contre moi : « Pierre Lambert, t'es un tabarnaque de sale ! » ... Je me suis levé, ce matin, avec un boulet dans l'estomac. Sa colère m'a volé mes énergies.

Ça tombe bien mal ! En sautant sur la patinoire, Mercier nous a crié : « Aujourd'hui, j'ai décidé de faire fondre le lard ! »

Il nous a forcés à patiner comme des fous d'une bande à l'autre. De plus en plus vite : « Envoye Lambert ! Arrête de te traîner les pieds, espèce de sans-coeur ! Envoye, patine ! Patine ! »

J'essaie d'aller le plus vite que je peux, mais même Gagnon réussit à me devancer ! C'est simple, on dirait que mes patins pèsent une tonne et que je porte des jambières de ciment !

Toujours la tête pleine de mon histoire avec Denis. J'en ai les jambes coupées ! Et Mercier qui est toujours sur mon dos ...

Après la grande suée commandée par Jacques Mercier, nous nous sommes dirigés, Lucien Boivin et moi, des gradins vers le bureau de l'entraîneur qui devait répondre aux questions de la presse.

Lulu me glisse : « Qu'est-ce que tu penses de la

pratique, Linda?» J'ai simplement levé les yeux au ciel en haussant les épaules...

Quelle pratique? pensais-je. Je n'ai pas vu souvent des joueurs aussi nuls que les gars du National ce matin! Même Lambert n'avait pas l'air dans son assiette. Et Marc Gagnon qui suait comme une fontaine!

Pendant une grosse heure, les murs du Colisée, dans un écho de cathédrale, ont résonné des ordres de Mercier, ponctués de ses coups de sifflets stridents. Seuls l'accompagnaient les râles moribonds de toutes ces pâtes molles essoufflées... Du très grand sport! De toute beauté!

Lulu a posé la première question à Jacques Mercier: «On entend dire un peu partout que Gary Bennett aurait besoin de repos... est-ce qu'on peut s'attendre à un changement dans les filets du National?» Mercier a continué de délacer ses patins: «Ouais... il y a de bonnes chances que Michel Matthieu soit dans nos buts à la prochaine partie...» La question suivante l'a glacé sur place; elle venait d'un confrère du *Montreal Post*: «Tell me, Jacques, are you satisfied at all with Gagnon?» Mercier a hésité un moment, puis s'est défait bruyamment de ses patins: «No one is perfect!»

J'ai glissé entre mes dents: «Il y en a certains qui le sont moins que d'autres!» Il n'a pas eu l'air d'apprécier. «Je n'ai nommé personne en particulier! J'ai fait une remarque générale!» a-t-il lancé à mon intention.

Lulu a enchaîné: «Est-ce que j'ai rêvé, Jacques, on aurait dit que Lambert avait l'air malade ce matin?» Mercier a répondu du tac au tac: «Tu as raison, Lucien! Je pense qu'il a fait une indigestion cette nuit! — C'est pour s'informer de son indigestion que tu es allé l'engueuler pendant cinq minutes devant tout le monde?

88

ai-je demandé du tac au tac.» Son visage s'est rembruni : «Bon, s'il n'y a pas d'autres questions, je vous remercie de votre visite!»

Il était à la porte, l'avait ouverte. Nous avons quitté la pièce à la queue leu leu, comme des enfants sages.

En passant devant lui, je n'ai pu m'empêcher de sourire, imperceptiblement...

Au milieu de l'après-midi, Pierre me téléphone au magasin (lui qui n'avait jamais osé). Je lui parle de ma rencontre avec Bourgouin : «Puis? — Je ne sais pas... — Comment ça tu ne sais pas? — Denis était là. Il a répété les mêmes niaiseries qu'hier. — Tu ne le crois pas au moins?» Sa voix trahissait son inquiétude. «Bien sûr que non! — Et Bourgouin? — Il n'a rien dit — Tu comprends, Ginou, il ne faut pas que cette histoire-là sorte! Ce qui s'est passé entre Denis et moi, c'est privé! — C'est ce que je lui ai dit! — Penses-tu qu'il va publier ça dans le journal? (sa voix se cassait). — Il a dit qu'il allait y penser...»

J'ai dû couper court, Madame Tremblay me réclamait. J'aurais donné ma vie pour être à côté de Pierre à Québec! Il me semblait si perdu, si troublé. Il a besoin de moi comme jamais, je le sens!

Ah, que la vie est donc difficile à vivre des fois, mon Dieu!

Le Colisée se vide. La foule a compris : il ne reste plus que quelques minutes de jeu contre les Flyers qui mènent quatre à deux. Une partie minable.

Lulu se penche vers moi : « Veux-tu me dire, Linda, pourquoi Mercier laisse Gagnon sur le banc... »

Ce qui reste de partisans se désâme à scander le nom de la vedette du National. Inutilement. Mercier ne bronche pas.

J'ai l'oeil sur la loge du National où Allan Goldman ne tient pas en place. À ses côtés, Gilles Guilbault se mord les lèvres.

Un coup de sifflet retentit. Une punition pour Philadelphie ! Les partisans reprennent espoir et hurlent « Gagnon ! Gagnon ! » à qui mieux mieux.

Goldman regarde en direction du banc du National. Guilbault se prend la tête à deux mains.

Mercier a désigné sa ligne d'attaque : Gagnon n'est pas du nombre. Il reste sur le banc, dépité.

Goldman s'est levé. Guilbault l'imite. Ils quittent leurs places, rapidement, l'air furieux.

Le feu est aux poudres ! De la passerelle des journalistes, je vois déjà le torchon brûler...

Goldman a claqué la porte de mon bureau : « Gilles ! Je me suis toujours mêlé de mes affaires, tu le sais ! Je t'ai laissé diriger le club à ta manière. Tu as commis des erreurs, mais jamais je ne te les ai remises sur le nez ! Mais là, ça va faire ! (Je n'osais même pas le regarder ; je me sentais plus coupable qu'un enfant pris à voler.) Si tu ne peux pas régler le problème, je vais m'en occuper moi-même ! Pour commencer, tu vas me trouver tout de suite un autre entraîneur ! Je veux une équipe qui marche et j'ai besoin d'un *coach* qui ne fait pas de troubles ! »

J'ai levé des yeux surpris vers lui : « Un entraîneur comme ça, Allan, ça n'existe nulle part, voyons ! — Ah non ? Pourquoi tu penses que je te paye d'abord, hein ? »

DES SURPRISES S'EN VIENNENT

Ma femme s'est levée à sept heures. Moi, j'ai suivi une heure après, en même temps que Jimmy. Il fallait qu'elle soit avec ses personnes âgées, à la Maison Garnier, à huit heures.

Ma Judy, c'est la bénévole parfaite ! Elle s'occupe des vieux du quartier depuis des années ... Elle est merveilleuse. Toujours active, souriante, serviable (un peu moins bonne cuisinière, mais on ne peut pas tout avoir !).

C'est vrai, la fascination qu'elle exerce sur moi dure depuis des années ! J'ai pour elle de l'amour, et aussi une très grande admiration. Surtout depuis mon accident avec Jimmy. Quelle bonté ! Quelle force ! Je méritais le pire : son départ. Elle est restée pour m'aider à retrouver la route. Elle m'a ouvert les yeux. M'a éclairé. Une grande dame, Judy. La meilleure des mères !

Une femme.

Neuf heures moins cinq, déjà?

J'ai dit à Jimmy, en tirant sa chaise roulante jusqu'à la table: «Deux toasts avec du "beurre de pinottes", mon pit?»

Il m'a fait oui de la tête tout en ne quittant pas André Simon des oreilles, lequel claironnait son commentaire sportif à la radio: «Ce matin, un seul sujet de discussion: pourquoi l'entraîneur du National (j'ai à peine cligné des yeux, mais Jimmy m'observe...), Jacques Mercier, s'acharne-t-il sur Marc Gagnon? Pourquoi donc un valeureux vétéran comme le grand Marc doit-il subir pareil traitement? Mercier se cherche-t-il un bouc émissaire pour tenter d'excuser la faillite de son équipe dans les séries du printemps dernier? Je vous invite à me téléphoner pour qu'on fasse savoir, tous ensemble, à la direction du National, que personne n'est dupe des manoeuvres douteuses de Jacques Mercier!»

Ç'a été plus fort que moi, j'ai éteint l'appareil d'un coup sec. Jimmy a levé son regard vers moi: «Papa... quand est-ce que tu vas le faire jouer, Marc Gagnon, hein? — Quand il sera prêt à jouer, mon pit! Pas avant!»

J'ai passé ma main dans ses cheveux. Les toasts viennent de jaillir du grille-pain.

Pendant que j'étends le beurre dessus, je réponds à André Simon, en-dedans de moi: non, ce n'est pas pour excuser la faillite de l'équipe le printemps dernier, ni parce que j'ai une dent contre lui, que je laisse Marc Gagnon croupir sur le banc. Non.

C'est simplement parce qu'il est aussi en forme qu'une poche de patates vide, et motivé qu'un veau à l'abattoir! Moi, les pâtes molles, je ne peux pas endurer ça!

C'est la seule raison pour laquelle Marc Gagnon reste au bout du banc, bien assis sur son cul! La seule! Et tant qu'il ne donnera pas son maximum, il ne bougera pas de là! C'est clair?

Je suis allé voir Madame Lambert à sa boutique. Comme par hasard, Fernand Bourgouin était là: «Salut Denis! Comment ça va ce matin?»

J'allais mieux, c'est vrai. Mon idée était faite: «Je pense que je vais suivre votre conseil, madame Lambert, et aller passer la semaine à Québec, avant de monter voir les Saints à Chicoutimi. Je partirai demain! — Sage décision Denis! Tu vas voir Suzie? — Certain! Je m'ennuie à mourir... — Et Pierre? qu'elle me glisse, l'oeil inquisiteur. Tu sais, qu'elle ajoute aussitôt, j'ai parlé à Ginette; elle ma tout raconté... (J'ai rougi.) Un jour ou l'autre, il va falloir que vous vous parliez, Pierre et toi... — Je ne suis pas encore prêt! ai-je répondu en me dirigeant vers la porte.»

Bourgouin m'a serré la main: «Bon voyage! Fais-t'en pas pour ton épaule, mon Denis, je te donne un mois d'entraînement au plus et tu vas la retrouver comme neuve!»

Madame Lambert m'a embrassé: «À plus tard!»

Je suis sorti.

☆

Je regardais Denis s'éloigner et me disais : cet enfant-là, je le compte parmi les miens ! Je le sens aussi bien que Pierre, Suzie et Hugo ! Je souffre avec lui, je me réjouis avec lui.

Pour l'instant, je souffre. Sa querelle avec Pierre me touche énormément. Je ne comprends pas. Pierre l'aurait mis en échec tout en le sachant blessé ? Mon Pierre ? Capable d'un geste pareil ? J'ai le coeur en compote . . .

De la boutique, ce matin, j'ai téléphoné à Fernand Bourgouin. Il est accouru aussitôt, comme d'habitude. J'aime bien Fernand, c'est un conseiller de premier ordre. Un grand ami. Il entretient pour moi, surtout depuis la mort de Guy, un sentiment plus large que l'amitié, mais il sait garder ses distances. Fernand est vraiment l'ami parfait : pas toujours avec vous, mais toujours présent.

Après le départ d'une cliente, je lui demande : « Fernand, es-tu bien certain que ce serait dans l'intérêt public que leur querelle d'enfants se retrouve dans le journal ? » Il rougit : « Voyons donc, Maroussia ! Ça ne m'est jamais venu à l'idée, voyons ! »

Me voilà rassurée. Je lui presse affectueusement le bras : « Je savais bien que je m'en faisais pour rien aussi . . . »

Il s'est raidi un peu : « Mais . . . tu diras à ton petit Luc Sigouin, qui m'a supplié au nom de ton fils de ne rien écrire sur la blessure de Denis, que n'avoir écouté que mon instinct de journaliste, je lui organisais le portrait bien raide à ton frappé d'avocat! Prends-en ma parole!»

J'ai expliqué à Suzie ce qu'est un «asana»: une posture du corps qui favorise l'éveil de nos centres vitaux. Depuis quelques jours, elle s'est mise à faire du yoga avec moi: «Je veux en faire tous les jours!» Je crains que sa résolution ne soit pas des plus fermes. À peine avions-nous commencé nos exercices: «Il faut que je sois en ville à cinq heures!» Son ami de Trois-Rivières venait de lui téléphoner. Je lui dis: «Ton beau Denis s'est enfin aperçu que tu existais!»

Elle a fait couler son bain et commencé de se dévêtir: «Marilou, dis-moi franchement: Pierre, tu l'aimes tant que ça? — Moi, tu sais, un garçon ou un autre, ai-je répondu.»

Je lui ai parlé de ma conception de l'amour, de l'universalité des sentiments, de la liberté... Ça l'a rendue songeuse: «Ça me fait tout drôle quand je pense à Ginette... imaginer Pierre en train de faire l'amour avec une autre... — Toi? Denis, tu l'aimes tant que ça? — Denis? Bizarre, hein, Marilou? Quand il est là je suis contente et quand il n'y est pas, je ne m'ennuie pas! Pourtant, j'ai l'impression que je l'aime!»

Je n'ai pu m'empêcher de lui avouer: «Je ne pense pas que ce soit ça l'amour, Suzie!» Elle a écarquillé les yeux avant de disparaître dans la salle de bains.

Aussitôt, le téléphone a sonné. C'était Pierre: «Ça ne file pas fort... J'ai le goût de te voir... Est-ce qu'on va faire un tour en ville?»

Je l'ai invité ici, dans une heure, le temps de laisser Suzie rejoindre son Denis.

«Denis est en ville? — Il s'en vient je pense...
Alors, Pierre? Qu'est-ce que tu en dis? Je connais une
recette infaillible pour te remonter le moral... — Pas
moyen de te résister, toi, Marilou! Attends-moi, j'arrive!»

J'ai mon congé du magasin: une semaine! Madame Tremblay me l'a confirmé: «Ginette! Tu peux descendre à Québec, demain, voir jouer ton beau Pierre! Je
t'ai trouvé une remplaçante!» Je lui ai sauté au cou!

Ah, que j'ai hâte de voir Pierre! Je m'ennuie de
lui à mourir! Si je pouvais me trouver du travail à Québec, je laisserais tomber mon comptoir du «People» et
j'irais vivre avec lui!

Ah, si je pouvais...

Ce n'est pas avec Denis que j'avais rendez-
vous, mais avec Marc Gagnon! Je n'ai pas osé le dire à
Marilou.

Marc m'a dit: «Ma belle Suzie, viens me rejoindre au bar de l'Auberge, à cinq heures!»

Quand j'ai fait mon apparition, il était déjà là.

Il m'a embrassée avec délicatesse et commandé
des kirs. Nous avons bu. Nous avons parlé.

Il était si malheureux. Toutes ces histoires entre
Mercier et lui: «Tu sais, Marc, lui disais-je (il me regar-

dait intensément de ses yeux verts), tous les grands hommes ont eu leurs moments difficiles ... Tu sais bien que ce sont toujours ceux qui ne font rien qui chialent ! »

Il m'a pressée contre lui avec tendresse : « Demain soir, Suzie, je vais te faire un cadeau : compter un but juste pour toi. Ton premier but. Le plus important. Demain soir : je te le jure ! Je te rapporte la rondelle ! »

J'en ai eu les larmes aux yeux !

« Marilou ! me dit Pierre en m'embrassant, jamais je n'avais fait l'amour comme ça ! — J'ai de l'expérience ! que je lui réponds. — On dirait ... »

Je ne lui ai pas tout dit : depuis l'âge de quatorze ans que je fais l'amour ... J'aime ça. On raffine ses techniques. J'avais l'impression de l'amener visiter un pays nouveau ; je lui glisse : « Ta blonde manque probablement d'expérience ... »

Une voix s'est fait entendre dans le salon ! C'est Suzie qui revient de son rendez-vous. Pierre a bondi du lit comme un kangourou. En deux minutes, il a enfilé son caleçon ...

J'ai crié à Suzie : « On est ici ! » Pierre m'a jeté un regard désespéré en glissant tant bien que mal ses jambes dans son pantalon, juste comme Suzie apparaissait : « Mon Dieu, Marilou ! Es-tu passée sous les gros chars ? » (Je devais laisser l'impression de sortir d'un cyclone.) « Où est la victime ? » a-t-elle ajouté en apercevant Pierre, un soulier à la main. Elle l'a empoigné par le bras : « Viens voir qui est là ! » Ils sont sortis.

Il s'est fait un silence pesant, puis j'ai entendu la voix de Suzie : «J'ai invité Marc à venir prendre un café...»

Tout ce que les journaux racontent sur le dos du National commence à m'énerver drôlement! Goldman veut tout foutre en l'air, Sigouin fait des menaces, et moi, je suis pris en sandwich entre tout ça! Ça commence à devenir invivable!

Sigouin me téléphone : «Gilles Guilbault, ça fait combien de temps qu'on se connaît? — Dix-sept, dix-huit ans, que je lui réponds. — Eh bien, ça fait dix-huit ans que je n'ai jamais été aussi sérieux qu'aujourd'hui : si Marc Gagnon ne joue pas régulièrement demain soir, je monte à Allan Goldman! Tu m'entends, Gilles? Goldman! Si ça ne suffit pas, je ne te garantis plus rien de Marc Gagnon! Le championnat, tu pourras oublier ça pour cette année!»

Il y a des fois où j'échangerais mon fauteuil de directeur pour un banc de parc avec les robineux...

D'AUTRES ULTIMATUMS

Il est bien, le Denis de Suzie. Il vient d'arriver de Trois-Rivières; un beau morceau d'homme. Costaud, belle gueule osseuse, châtain clair, hum... (je me fais la morale : Marilou, je t'en prie, ne sois pas si gourmande!).

J'ai lu quelque part dans un livre de yoga : «L'amour est une drogue qui entretient la dépendance»; l'amour, je ne sais pas, mais faire l'amour, si!

L'appartement est envahi; nous avons invité tout plein de monde pour regarder la partie de ce soir à la télévision. Un *party* de samedi soir de pauvres: des riens à bouffer (des riens qui coûtent cher): biscottes, chips, chocolat, coke, bière, et beaucoup de musique!

Denis est arrivé et je n'ai rien ressenti. Il m'a dit: «Suzie, j'ai vu le docteur avant de partir de Trois-Rivières. Mes traitements ont donné de bons résultats. Je passe la semaine à Québec pour faire de la physio et, vendredi prochain, je devrais être bon pour me rapporter à Chicoutimi!»

Je suis restée surprise: «Comment ça à Chicoutimi? — Pour finir de guérir mon épaule et reprendre l'entraînement! — À Chicoutimi! Au bout du monde! me suis-je écriée, ça n'a pas d'allure!»

Pourtant, il avait l'air content, lui. Moi, je ne sais plus. C'est Marc qui me trouble. Terriblement.

Chicoutimi, Québec, Trois-Rivières, tout ça me semble exister dans un autre univers...

En faisant le voyage de Trois-Rivières à Québec, j'ai bien vu que l'automne est chez nous: tout est jaune, rouge et gris. J'ai trouvé le paysage bien beau, mais le voyage interminable.

Enfin, me voilà arrivée! Enfin, j'ai pu retrouver Pierre! À moi, toute une semaine! Enfin...

«Je suis content que tu sois là, Ginette, ma Ginou...» Son baiser! J'en avais oublié le goût!

Nous avons mangé très légèrement (histoire de se garder de l'appétit pour après le match), puis nous sommes entrés au Colisée.

En promenant son regard sur la patinoire vide, Pierre m'a dit: «On a rêvé à ces moments-là combien de fois, hein Ginou? Tu sais, quand tu comptes un but et que la foule se met à hurler, tu as l'impression que tu vas éclater, tellement c'est extraordinaire! Tu te sens dans un autre monde, quelqu'un d'autre! Tu ne voudrais pas que ça s'arrête, jamais! Et quand ça s'arrête, tu es prêt à tout pour que ça recommence!»

Il irradiait. Jamais je n'avais vu Pierre aussi beau!

Il m'a présentée à Marc Gagnon et à sa femme que nous avions croisés. Puis Marc et lui nous ont quittées pour le vestiaire. Nicole Gagnon m'a entraînée vers nos places. Déjà, la clameur de la foule qui se répandait dans les gradins montait de minute en minute. J'avais le trac. J'ai compris tout à coup ce que Pierre pouvait ressentir avant de sauter sur la glace. J'en ai eu la chair de poule...

«Ça commence mal, hein, Linda? me souffle Lulu. — Mal? Tu me le dis!»

À peine quarante secondes de jeu et Boston vient de compter dans les filets du National! Ça commence mal, en effet...

Parmi les joueurs du Boston, j'ai repéré le frère du gros Thompson, des Comets! Il paraît qu'il est le plus dangereux des deux. La foule l'a hué! J'ai crié moi aussi.

Sitôt le premier but des Bruins compté (Pierre en a cassé son bâton sur la glace!), Nicole Gagnon me dit: «Si c'est pour être de même encore ce soir, nous n'avons rien à faire ici! Viens-t'en Ginette!» Elle s'est dirigée vers la sortie. J'ai hésité. Finalement, je l'ai suivie...

Elle m'a entraînée au restaurant des invités spéciaux. C'est chic.

Elle a commandé du vin blanc. Depuis tout à l'heure, nous le buvons. Nicole boit vite. Elle se sent en confiance avec moi et parle: «Au début, Marc, c'était le gars le plus adorable du monde! Le plus fin! Le plus avenant que j'aie connu. Je te parle de l'époque où j'étais encore Nicole Bastien, la fille du vétérinaire de Cap-Chat. Avant le National...

«Tu sais bien qu'aux premiers temps d'un mariage, tout est trop beau, trop bon, trop vrai. Ce que je veux dire, c'est qu'au début, tu ne te méfies pas. Tu penses que tout va marcher comme tu l'as imaginé.

«J'ai commencé à déchanter quand Marc s'est hissé au sommet de la gloire. Le jour où il est devenu la plus grosse étoile du National. Moi, à partir de ce moment-là, j'ai décliné. J'ai perdu de l'éclat! Les poulettes qui rôdaient autour du Colisée, le soir après les parties, se sont mises à briller à ma place.

«Tout à coup, j'ai cessé d'avoir droit aux finesses, aux gentillesses, aux cadeaux. Depuis, je ramasse ses petites crises, ses sautes d'humeur, ses blâmes, ses chicanes. Certains matins, c'est le café qui est froid ou ses rôties que j'ai laissé brûler ; d'autres fois, l'entraîneur l'écoeure ou les journalistes parlent en mal de lui ! Il en veut au monde entier ! Jamais de la faute de l'idole ! La vedette est sans péché. Jamais rien à se reprocher. La star est parfaite !

« Eh bien Ginette, la perfection de Marc est en train de me tuer ! »

Lulu grogne : « Une partie qui pue, Linda ! Pourrie ! » Je suis bien d'accord avec lui : une partie qui donne la nausée. Les partisans ont commencé à huer. Des places se vident. Encore dix minutes en troisième période ; sept à un pour Boston.

Tout à l'heure (il fallait s'y attendre avec Thompson sur la patinoire), la bagarre a éclaté entre Lambert et lui. Les coups ont plu. Un moment, les partisans ont repris vie, puis l'apathie est revenue.

Du hockey de grande classe !

Marc Gagnon n'a pas sauté sur la glace une seule fois du match et Mercier rumine sa gomme. Les joueurs du National ont la mine bien basse. Je me risque à dire à Lulu que la partie est perdue d'avance. On peut déjà la qualifier de lamentable. Il secoue la tête tristement.

Nicole s'est versé le reste de la bouteille de vin : « Tu es sûre, Ginette, tu n'en veux plus ? » J'ai réitéré mon refus.

« Tu n'as jamais songé à divorcer ? » que je lui demande.

Elle a eu l'air étonnée : « Bien sûr . . . ça aurait fait l'affaire de qui, tu penses ? Marc se serait envoyé en l'air pendant quelques années et moi j'aurais perdu la chance de retrouver l'homme que j'aimais. Que j'aime encore, malgré tout . . . Parce que le vrai Marc Gagnon, il est encore là, sous sa carapace de vedette . . . » J'ai déposé mon verre vide : « Quand il va lâcher le hockey, tu vas voir, Nicole, tout va s'arranger ! — Je ne sais pas . . . Quand tu es devenu une star, Ginette, tu restes marqué en-dedans de toi. Tu sais, Marc a quelque chose de changé dans sa tête, je ne sais pas comment l'exprimer, mais je le sens . . . »

Marilou, la copine de Suzie, m'avait dit : « Denis, viens . . . » Je ne connaissais personne des filles et des gars qu'il y avait là. Elle m'a présenté à tout le monde. Au début, je n'avais pas tellement le goût de parler, mais comme la partie est devenue ennuyeuse à mourir, depuis une heure, je discute, je jase, je règle le sort du monde.

De temps à autre, je ne peux m'empêcher d'abandonner la discussion pour la télévision. Dans les toutes dernières minutes de jeu, Mercier s'est enfin décidé d'envoyer Marc Gagnon sur la patinoire !

Gagnon s'est échappé ! (Le silence se fait dans le salon.) Il patine ! (Je hausse le volume.) Oh ! la belle feinte ! (Toutes les respirations sont en suspens.) Le voici devant les filets des Bruins ! Marc Gagnon lance . . . et compte !

Un vrai beau but ! Je l'applaudis ! Suzie crie !

Tout le monde l'ovationne! Du grand art!

Mais, que je me dis, à quoi ça sert un beau but quand il ne reste qu'une minute à la troisième période et qu'on perd sept à deux?

Gagnon a demandé la rondelle à l'arbitre: «Est-ce qu'il s'agirait d'un record qui nous aurait échappé?» interroge le commentateur de la télévision... Record de partie plate, oui!

Je ne sais pas ce qui se passe, Suzie pleure. Je lui ai demandé si quelque chose n'allait pas. «C'est rien, Denis, c'est rien...»

Peut-être que j'ai dit quelque chose...

Goldman a failli démolir ma porte en entrant dans mon bureau. Hors de lui: «Gilles! Ton Mercier aurait voulu me ridiculiser qu'il n'aurait pas agi autrement! Faire jouer Gagnon quand la partie est perdue! C'est une claque en pleine face! Tu as vu de quoi il est capable, Marc Gagnon, quand on le laisse jouer?... Gilles, je t'avais demandé de regarder s'il n'y avait pas un *coach* de libre en quelque part... As-tu trouvé?»

Je n'avais pas le courage de le regarder, encore moins de lui répondre que je n'avais pas cherché...

En quittant le restaurant des invités, Nicole me dit: «Pas chanceuse, ma Ginette! La première fois que tu viens les voir jouer... — Les voir jouer, ai-je répliqué, façon de parler...»

Là-dessus, Pierre a surgi, l'oeil droit en compote, un beau beurre noir : «Mon doux, Pierre ! me suis-je écriée, qu'est-ce qui t'est arrivé ? — Comment ? Tu devrais le savoir : je me suis battu avec le gros Thompson ! Comment ça se fait que tu n'as pas vu ça ? » J'avais l'air idiote. J'ai avoué : «J'ai passé la soirée au bar, à parler avec Nicole... »

J'ai eu l'impression de faire sauter de la dynamite : «Ça te prend trois semaines avant de venir me voir jouer et tu passes ta soirée autour d'une bouteille, à jaser ? » Il fulminait. Je rougissais. J'ai bafouillé : «Prends-le pas comme ça ! — Je le prends pas comme ça, je le prends pas pantoute ! » Il s'est dirigé vers la sortie, enragé.

Je l'ai rattrapé, l'ai enlacé, me suis collée à lui, l'ai cajolé. Finalement, il m'a prise dans ses bras. Ne va pas trop vite, Pierre, lui ai-je soufflé à l'oreille, j'ai de la misère à te suivre...

Après la crise de Goldman, le tour de Gagnon est venu. Lui aussi a failli démolir la porte de mon bureau en entrant : «J'ai fermé ma gueule, Gilles Guilbault ! J'ai tout enduré ! Mais là, la goutte d'eau a fait déborder le vase ! Mercier me traîne dans la merde, Gilles ! Il me fait jouer quand il sait que la partie est perdue ! Sais-tu ce que je représente pour vous autres, moi ? Des millions de tickets ! Des millions ! » Je lui ai répondu : «C'est le passé, ça, Marc ! Tu n'es plus en forme ! » J'ai cru qu'il allait m'étriper : «Le but que j'ai compté tantôt, nomme-moi un autre joueur qui aurait pu le faire à ma place ! — Un but, que j'ai lancé, ce n'est pas une partie ! Encore moins une saison... — Qui c'est qui va aller nous chercher la Coupe cette année, hein, Gilles ? Ton Lambert ? Écoute-moi bien, j'irai pas par quatre chemins : fais-toi

toi une idée et vite : c'est Jacques Mercier ou moi !
Choisis ! »

La porte n'a pas claqué quand Marc est sorti en
trombe, j'ai eu le temps de l'intercepter avant...

QUATRIÈME CHAPITRE

TEMPÊTE CHEZ LE NATIONAL

LE VENT TOURNE

Déjà le 24 novembre ! Moi qui voulais ouvrir ma succursale « Maroussia Lambert » à Québec pour Noël, il va falloir mettre les bouchées doubles !

Je suis littéralement submergée par la paperasse étalée là, sur la table de la salle à manger. Je demande à Hugo, qui pianote sur l'ordinateur branché au téléviseur du salon, s'il a pris le temps de mettre en mémoire la liste des membres de la coopérative et leurs adresses : « Je ne peux pas tout faire, maman ! » Il ajoute : « Ça ne marche plus là ! Deux petites assistances en six parties ! Va falloir que Pierre se réveille ! »

Bon, j'ai compris. Hugo préfère bourrer le cerveau électronique de statistiques sur son frère, pour qui ça ne va pas très fort par les temps qui courent (on dirait que sa flamme baisse), plutôt que de *computer* les colonnes de noms et de chiffres des affaires de sa mère...

Tout le monde m'avait promis de m'aider, mais me voilà toute seule. Ou presque. Suzie semble trop absorbée ailleurs pour se souvenir qu'elle devait (m'avait-elle dit) venir passer quelques jours avec moi, ici, à Trois-Rivières, préparer les commandes de fournitures. Ginette (qui m'a déjà donné tout le temps qu'elle pouvait) est à Québec pour la semaine et je ne peux plus compter sur Pierre.

Heureusement, il y a Albert Simard qui me supporte et m'encourage à aller au bout de mes rêves, malgré qu'il ne soit pas convaincu de la justesse de mon idée de coopérative.

Il y a des jours où, je l'avoue, je n'en sais plus trop rien moi-même. Je pense qu'Albert me trouve un peu folle . . .

Michel Matthieu est allé s'installer chez des parents, en banlieue de Québec, pour me laisser toute seule avec Pierre à l'appartement: «Ça ne me dérange pas Ginette! Pour une belle fille comme toi, je suis prêt à tout!» (Il en était tout rouge.) J'ai trouvé ça bien gentil de sa part. Un bon gars, Michel. Un peu timide. Ça lui donne du charme.

J'observe Pierre du coin de l'oeil tout en préparant une sauce à spaghetti. Elle commence à frémir. Pierre aussi frémit: il a l'oreille branchée sur la radio.

C'est l'heure de la ligne ouverte d'André Simon. Les auditeurs disent des choses énormes: «Mercier est jaloux de Lambert! Le jeune a trop de caractère, si ça ne marche plus pour lui à l'heure actuelle, c'est de la faute à l'entraîneur du National!» Un sursaut de friture en provenance de ma casserole l'agace. Il me lance un regard assassin, je hausse les épaules et lui, le volume de la radio.

«Mercier! Il aime ça montrer que c'est lui qui mène. Lambert n'est pas assez maniable pour lui!» J'ajoute des épices. «Moi, c'est Marc Gagnon que je trouve pas correct! C'est drôle que Lambert a toujours la ron-delle dans les patins quand c'est Gagnon qui fait la passe? Tu ne trouves pas ça curieux toi, André? C'est vrai que Gagnon a toujours été un égoïste qui s'arrange pour bien paraître! Les autres, il s'en fiche pas mal!»

On a tambouriné à la porte, puis Suzie et sa copine Marilou ont surgi. Deux coups de vent.

Je n'ai pas bien aimé la façon avec laquelle Ma-rilou s'est jetée sur Pierre pour le saluer (des baisers, des caresses qui en disent long). Ça l'a rendu mal à l'aise, moi, davantage.

«Hum, ça sent bon! qu'elle s'est écriée en ve-nant flairer ma casserole, tu sais comment t'arranger pour ne pas passer inaperçue, toi?» J'ai failli lui ré-pondre: «Et toi?», mais je me suis retenue. J'ai plutôt augmenté le feu sous ma casserole...

Pierre, que nos bavardages et nos présences im-patientent, s'est levé d'un trait en enfilant sa veste. Il s'est dirigé vers la porte: «Où tu vas? lui ai-je crié. — Marcher!» Le ton n'appelait aucune réplique.

Nous sommes restées seules, muettes, nous je-tant tour à tour des regards étonnés.

Je regarde travailler le National, au Colisée ce matin, bien assise au chaud, le nez dans le col de mon manteau: «Les chiffres ne mentent pas, Linda! m'expli-que Lucien Boivin, après mon commentaire sur la non-chalance de Pierre Lambert. Écoute: je trouve que Lam-bert ne joue pas si mal que ça! J'ai des statistiques! Tu sais, Smith et Lavoie, les ailiers de ton chou-chou (pauvre Lulu! dès que je m'intéresse le moindrement à la performance d'un joueur, tout de suite, il se convainc que j'en suis amoureuse! C'est ridicule!), ils ont obtenu trente-quatre tirs au but dans les six dernières parties! C'est du monde à la messe, ça!» J'opine du bonnet sans mot dire. Je songe.

Il n'y a pas longtemps encore, c'était Gagnon qui traînait de la patte. Aujourd'hui, c'est Lambert qui en arrache comme un diable. Bons hier, pourris aujourd'hui.

Un soir, les partisans montent l'équipe aux nues, le lendemain, ils la vouent aux enfers! Ce matin encore, la radio crachait des injures à l'endroit de Mercier, hier, c'était Gagnon qu'on traînait dans la merde.

Vraiment, un yo-yo, le hockey! Des hauts et des bas. Parfois encore, tout dort au bout de la corde (les moments où Mercier laisse certains paresseux ronfler sur le banc)... Oui, un yo-yo!

Reste une vérité: quelque chose ne va pas pour Lambert. Il a l'air perdu. Il faut que j'aille tirer ça au clair...

Ma plus grande surprise demeure Marc Gagnon. Lui qui ne savait même plus patiner il y quinze jours, le voilà à présent fringant comme un jeune étalon! Tel que je le connais, il doit avoir quelqu'un à impressionner dans l'entourage. Marc devient meilleur quand une cour s'émoustille à ses pieds...

Allan Goldman vient de faire son apparition. C'est bien la première fois depuis le début de la saison que je le vois sourire, celui-là! C'est vrai que les affaires vont mieux qu'en septembre. Le Colisée est rempli à craquer depuis deux bonnes semaines. Aux guichets, l'argent doit se ramasser à la pelle !

Je sortais de la douche, j'achevais de m'habiller quand Allan Goldman est entré : «Salut Jacques ! C'est beau ! Je ne suis pas mécontent . . . Deuxième position, la bâtisse est pleine, les journalistes ne disent pas trop de bêtises, faudrait que ça dure ! »

J'ai continué de nouer ma cravate. Il a ajouté à voix basse : «Gagnon va mieux depuis que tu lui donnes de la glace . . . » Je n'ai pas laissé le miroir des yeux et j'ai répliqué en mordant bien dans mes mots : «Marc Gagnon joue plus, parce qu'il joue mieux ! C'est aussi simple que ça ! »

Il s'est passé la main sur le menton et s'est éclipsé.

Je ne sais plus où j'en suis ! Tout ce qui me semble clair, c'est que Marc Gagnon me plaît et que Denis fait encore partie de ma vie. Marc me dit : «Suzie . . . On va prendre un verre . . . »

Nous voici à la place habituelle, au bar de l'Auberge.

De la voiture à l'ascenseur, il n'a pas cessé une seconde de m'ausculter de ses mains . . . Toute la chaleur de son corps glissait dans le mien. Ma chair a pris feu. Nous avons échangé des baisers d'incendie. Ah ! s'étreindre pour s'éteindre. Mon Dieu, que Marc me trouble ! J'en deviens folle ! Je le désire, c'est effrayant !

Il a voulu aller un peu trop loin, un peu trop vite. Je l'ai repoussé ; depuis, il boude.

Je lui dis, au bout d'un moment : « Prends pas ça mal, Marc ! Essaie de me comprendre ! Ça fait deux ans que je sors avec un gars de Trois-Rivières et ça s'adonne que c'est le meilleur ami de mon frère... Mets-toi à ma place... »

Il s'est pressé contre moi (sa douce chaleur encore une fois !) : « Toi aussi, mets-toi à ma place ! Ça fait un mois qu'on se voit en cachette... Je n'en peux plus ! Je ne suis pas un moine, moi ! » Il m'a saisie par la taille. J'ai eu l'impression que de vraies flammes allaient surgir ! J'ai dit : « Moi, ce que je veux, c'est que la première fois qu'on fera l'amour, ce soit si extraordinaire, si sublime, si merveilleux, qu'on s'en souvienne jusqu'à la fin de nos jours ! »

Il a souri. Nous nous sommes embrassés de nouveau. Je me suis noyée dans le vert bleuté de ses yeux dévorants.

Après le souper au spaghetti, la bonne humeur de Pierre n'étant pas revenue, je lui ai proposé d'aller prendre le digestif au bar de l'Auberge. Il a accepté : « C'est bien pour te faire plaisir, Ginou... »

En chemin, la conversation est tombée sur Jacques Mercier : « Comment veux-tu que je compte ? Il ne me donne pas de glace ! Il avait essayé de me casser au camp d'entraînement, ça n'avait pas marché, et là il recommence ! C'est son *power-trip*... Mais il ne m'aura pas ! Je n'irai jamais manger dans sa main ! »

Je découvrais la cause de sa face de carême.

Je lui ai suggéré d'être patient, de ne pas aller trop vite. Avec son caractère bouillant, le moindre mot échappé et la marmite saute !

En entrant dans le bar, j'ai tout de suite reconnu Marc Gagnon au fond de la salle. Il parlait à une femme qui me faisait dos et que je ne voyais pas bien. J'ai dit à Pierre que Marc Gagnon était là, il a pâli. Il aurait voulu s'en aller. Je lui ai dit : « Allons donc ! Fais pas le sauvage ! Il doit être avec Nicole ! C'est une femme intéressante, j'aimerais la saluer. »

Il s'est laissé convaincre.

Quand j'ai aperçu Pierre et Ginette à côté de notre table, tout mon sang s'est retiré de mes veines ! Ginette a blêmi : « Suzie !... » Marc, lui, n'a pas eu l'air étonné, il les a accueillis avec un sourire, en les invitant à s'asseoir.

Pierre m'a littéralement foudroyée du regard. Une seconde, j'ai pensé recevoir une gifle. J'ai bafouillé : « Bonsoir... on parlait... (je me suis sentie rouge comme une pivoine). — Viens-t'en Ginette ! a-t-il lancé en tournant les talons, on va les laisser jaser tranquilles ! nous laissant, Marc et moi, à notre gêne et à notre surprise. »

LA DESCENTE AUX ENFERS

Je l'avais sur le coeur, il fallait que j'en parle. J'ai dit à Suzie : « Veux-tu me répondre franchement ? Est-ce qu'il y a quelque chose entre Pierre et Marilou ? » Sans prendre le temps de réfléchir, sans hésiter, elle m'a lancé : « Voyons donc, Ginette ! Qu'est-ce que tu vas t'imaginer là ? »

Ça ne m'a pas convaincue. Je ne suis quand même pas folle ! J'ai bien vu comment Marilou agissait avec lui. J'ai vu que Pierre ne lui était pas indifférent non plus ! Je ne suis pas aveugle !

« Je serais capable de le prendre, tu sais ! » que j'ai ajouté. Elle m'a regardée en fronçant les sourcils : « T'es sûre ? »

Je me suis tue. C'est vrai, je ne suis pas sûre que je le prendrais. Ça ne m'empêche pas de me ronger d'inquiétude pour Pierre. Il est de plus en plus cynique, le hockey est en train de me le rendre carrément insupportable !

Au Colisée, les partisans du National ont beau hurler, sauter sur leurs sièges, claquer des pieds et des mains sous les sifflets et les airs de ralliement orchestrés par Tonio le meneur de claques, je n'arrive pas à être dans le coup : « Hein, Linda ? Dis-le donc, c'est ton chouchou de Lambert qui t'inquiète ? dit en se moquant Lucien Boivin. — Oui, c'est Pierre Lambert qui m'inquiète ! Marc Gagnon, je m'en fiche ! Même si c'est grâce à lui que le National mène six à trois contre le Tricolore ! On est rendus à la fin de la dernière période ; depuis le début de la partie, si Pierre a joué trois minutes, c'est beau !

Comme je le connais, il doit bouillir! — C'est pour ça que Mercier le garde sur le banc, Linda! Autrement, il ferait fondre la glace!» Lulu éclate de rire.

Je réponds: «Si j'étais à la place de Mercier, je ferais attention! — T'haïrais pas ça avoir soin de lui, hein, Linda?» Lulu rit de plus belle. Je hausse les épaules.

Dans la loge du National, Goldman se penche vers moi et me glisse à l'oreille: «T'as vu Marc Gagnon, Gilles? Il joue comme un petit jeune de vingt ans!» J'acquiesce. Goldman tire de son cigare un nuage de satisfaction: «Tu vois, Gilles, toujours les vieux coqs qui chantent le plus fort!» J'ai pouffé de rire.

La partie a été tellement enlevante jusqu'à maintenant que Nicole Gagnon, avec qui j'assiste des gradins du Colisée à l'éblouissante performance de son mari, ne m'a pas encore proposé d'aller prendre un verre au bar du restaurant des invités. «C'est pas mêlant, Ginette, quand je vois Marc jouer comme ça, je le trouve encore beau!» Elle rayonne de joie. «Mais, Marc Gagnon sera toujours un bel homme, Nicole! que je lui réponds.» Elle sourit, l'âme en paix.

Il y a de quoi le trouver beau. D'ailleurs, elle n'est pas la seule. À l'instant présent, la foule hurle son nom, applaudit, crie, siffle et chante: Marc vient de compter un but superbe, tout en ruse, en force, en élégance. Un chef-d'oeuvre! Du grand Marc Gagnon!

Tout autour de nous monte une vague, un déferlement d'ivresse sous le cri déchirant de la sirène. Le National a gagné!

«Sept à trois! s'exclame Lulu, comme je revêtais mon manteau. Je suppose que tu vas écrire ton évangile selon saint Marc, ma Linda? — Non! que j'ai répondu. Non, Marc Gagnon, ce soir je te le laisse, Lulu! À toi de l'encenser à pleine page si tu veux, moi, j'ai d'autres choses à faire... — Tu veux dire un chat à fouetter, ma Linda?» Il me rit au nez. Je fais la moue et sors.

Oui, un autre chat à fouetter, tu as vu juste, Lucien!

Le pauvre Hugo a travaillé tout le temps de la partie! C'est bien la première fois que je le vois manquer un match du National à la télé: «Tant que Mercier ne fera pas jouer Pierre, j'aime autant pas les regarder!» Il s'est battu avec les noms des membres de la coopérative (tout plein d'immigrantes des pays de l'Est, aux noms en «ski», «vitch» et autres) pendant trois bonnes heures: «M'man! J'ai fini! a-t-il claironné en fin de soirée, tu peux me les demander par rue, par quartier, par ville, par village, tout ce que tu voudras, j'ai tout! La liste des fournisseurs aussi!»

Je l'ai remercié et suis allée retrouver Albert à la cuisine.

«Franchement Maroussia, qu'il me dit, d'un air découragé, je ne comprends pas ton entêtement à vouloir organiser une coopérative avec de pauvres gens qui n'y connaissent rien! Comment vas-tu réussir à ouvrir de nouvelles boutiques si tu distribues tes profits à tout le monde?»

Je lui ai expliqué, pour la dixième fois, que je

voulais venir en aide à ces couturières exceptionnelles, ces immigrantes pleines de talent, qui ne savent se vendre.

Je lui ai répété combien je suis convaincue qu'une coopérative peut, assurément, leur servir de tremplin, et diversifier l'inventaire de mes créations de mode. Rien à faire, il trouve le projet insensé.

De toute façon, mon cher Albert, la première réunion est prévue pour demain soir, alors, plus moyen de reculer!

Il me fixe un moment, un sourire le détend ensuite et l'illumine. Brave Albert!

Je suis passée par le vestiaire du National, suivie de Lulu, histoire de prendre le pouls des gagnants.

Lucien s'est empressé de féliciter Jacques Mercier qui lui répond: «Oui, un beau match, Lucien! Fallait nous donner le temps! Marc Gagnon nous montre qu'il a du coeur et qu'il peut donner encore du grand hockey! Tout le monde joue bien ces temps-ci!»

Une question me brûlait les lèvres, elle s'est exprimée d'elle-même: «Lambert, lui, tu le gardes pour les finales?»

Mercier a baissé les yeux: «Je ne veux pas le brûler, Linda, la pression est dure pour une recrue... Il a encore du temps devant lui!»

Depuis tout à l'heure, je l'observais, Pierre Lambert. Dans son coin, l'air morose, en train de se défaire de ses patins qui n'avaient pas servi. Je me suis approchée : «Je n'ai rien à dire!» a-t-il tranché en me voyant. Je me suis postée devant lui : «Ce n'est pas de la partie que j'aimerais parler...»

Il m'a dévisagée.

C'est vrai que j'ai un verre dans le nez. Plusieurs même.

«J'aime le cognac! que je dis à Maryse Couture, la femme du Curé (c'est le surnom de Paul Couture), il n'y a rien de mal là-dedans! À chacun sa béquille, hein? Ton mari, c'est la Bible, moi, le cognac!»

Elle n'a pas eu l'air d'apprécier le rapprochement.

Sur les entrefaites, Paul est arrivé : «Merci mon Dieu! Une autre que Tu as bien voulu nous donner! Tu sais Nicole, le Seigneur était avec Marc aussi ce soir! Tu as vu comment il a joué?» Malgré moi (l'alcool me rend susceptible), j'ai répondu assez sèchement : «Si le Seigneur voulait bien s'occuper de Marc ailleurs que sur la glace, ça ferait bien mon affaire!» Il a répliqué : «Le Seigneur nous suit partout, tu le sais bien! — Des fois, il doit bien se demander où Il est rendu! que j'ai répondu du tac au tac.»

Ça les a glacés. Maryse et lui m'ont laissée à mon verre sans prendre la peine de me dire bonsoir.

Je me suis levée (péniblement) et, comme j'allais mettre mon manteau, je tombe sur Ginette Létourneau, la blonde de Pierre Lambert, accompagnée d'une très jolie fille que je ne connaissais pas.

Ginette m'a paru mal à l'aise. Il a fallu que j'insiste pour être présentée.

La jolie fille, c'est Suzie, la soeur de Pierre.

« Vous êtes tous aussi beaux dans la famille ? » que je lui lance. Elle a souri timidement. J'ai offert de trinquer mais elles ont refusé.

« En parlant de la bête . . . » me suis-je écriée en apercevant le beau Pierre venir vers nous. Ginette et Suzie se sont retournées.

Il a dit : « Rentrez sans moi, j'ai une invitation ! Impossible de dire non ! » Ginette a demandé : « Lucien Boivin ? » Pierre a répondu : « Non, Linda Hébert. »

Marc est alors apparu. Le silence s'est fait. Il y a eu quelques saluts embarrassés et tout le monde s'est séparé.

UNE SOIRÉE DE TROP

Linda m'avait donné rendez-vous chez Max : « Pierre, qu'elle m'a dit, je n'ai pas le goût de parler de la partie, mais j'irais prendre un verre . . . ça te tente ? » J'ai accepté.

J'ai été le plus surpris du monde en la voyant apparaître, sans son masque de journaliste, déguisée en femme, vraiment belle, les cheveux dénoués, tout sourire.

Nous avons commandé des verres. À peine deux gorgées plus tard, le nom de Jacques Mercier venait sur le tapis. J'ai tempêté sur son dos. Linda m'a répondu : «Calme-toi. Même Marc Gagnon a dû patiner longtemps sur le banc avant de commencer à jouer pour vrai ! Je connais Mercier, si tu ne figurais pas dans ses plans, il y a longtemps qu'il t'aurait renvoyé dans les mineures ! Tu as beaucoup trop de talent pour ça, et Mercier le sait, ne t'en fais pas... » Ses paroles m'ont réconforté, mais j'avais encore mal. «On avait dit qu'on oubliait le hockey, Pierre ! Parle-moi de toi ! De ta mère, ton père, ta jeunesse... ce que tu voudras ! »

J'ai parlé. On a bu. On a dansé. On a jasé. Au quatrième scotch, l'image de Mercier m'est revenue. Un grand ressentiment m'est monté à la gorge.

J'ai grogné : «Si Mercier m'a dit vingt mots depuis le début de la saison, c'est beau ! On dirait qu'il a peur de me faire jouer. Ou bien, c'est de Marc Gagnon qu'il a peur ? » Elle m'a répliqué : «Voyons donc, Pierre ! Tu te fais des idées. — Pourquoi (ai-je ajouté) penses-tu qu'il me laisse sur le banc ? Pour garder la place à Gagnon ! Je te dis, Linda : Mercier fait dans ses culottes devant Marc Gagnon ! — Voyons donc, Pierre ! Marc Gagnon, c'est la grosse vedette du National, Mercier est assez intelligent pour reconnaître ça ! De toute façon, il n'a pas grand-chose à reprocher à Marc ! »

J'ai éclaté ! Tout ce que j'avais sur le coeur est sorti, d'un bloc : «Rien à lui reprocher ? Marc Gagnon ? D'abord, il ne respecte même pas le couvre-feu ! Il se fait monter du champagne par le *room service !* S'il arrêtait de courailler les filles, il aurait peut-être de meilleures jambes pendant les parties et, nous autres, on ne serait pas toujours obligés de prendre son homme dans notre zone ! — T'exagères ! — Non ! J'exagère pas ! Le premier soir à Winnipeg, j'ai été obligé de lui laisser la chambre... Je suis tombé sur Mercier dans les portes tournantes de l'hôtel! J'exagère? À Chicago, ç'a été la même maudite affaire! Sauf que là, il était quatre heures du matin quand j'ai pu me coucher! Monsieur n'arrivait pas à se défaire de sa poulette... »

Linda a posé son verre: «Tout ce que tu me racontes là, Pierre, Jacques Mercier n'a pas besoin de le savoir, c'est la vie privée de Gagnon ça! — Vie privée? que j'ai repris en haussant le ton. Que Marc Gagnon se traîne les pieds pendant les pratiques et qu'il me passe toujours la rondelle entre les patins quand on joue ensemble, c'est de la vie privée, ça, je suppose?»

Elle me regardait, étonnée, perplexe. Je suis resté suspendu au bout de ma phrase. J'ai pris une gorgée de scotch et j'ai ajouté: «En plus, il est en train de chanter la pomme à ma soeur Suzie! Elle, pas plus fine, se laisse embobiner! Il est à la veille d'avoir mon poing dans le front, la grosse vedette du National! C'est moi qui te le dis!»

Ce matin, au journal, j'ai eu le malheur de raconter à Benoît Belley, mon rédacteur en chef du *Matin,* tout ce que Pierre Lambert m'avait confié la veille. Je n'aurais peut-être pas dû: «Écris-moi ça, Linda! Tout de suite! Le monde va se jeter là-dessus comme des veaux dans du lait chaud!» Il était cramoisi d'excitation.

Je ne trouvais pas ça très correct. «Écoute! Si tu n'avais pas voulu que ça sorte, tu ne m'en aurais pas parlé!» J'ai cru bon prétendre qu'il s'agissait d'une conversation privée. L'argument s'est reviré contre moi: «Pour soulager ta conscience, aimerais-tu mieux qu'on parle de ton aventure avec Marc Gagnon, à la place ? »

Je savais tout ce que Benoît Belley avait fait pour me sortir du trou quand je suis devenue la maîtresse de Marc et que les choses ont mal tourné pour nous. Sans Belley, j'étais foutue. *Le Matin* est venu à deux doigts de me mettre à la porte.

J'ai accepté d'écrire le papier. « Torche-moi ça pour cinq heures, Linda, et mets-en ! »

Ce matin, après la pratique, j'ai parlé à Robert Martin de ma soirée avec Linda : « Comme ça, le Chat, tu es sorti avec Linda Hébert ? » Oui, que j'ai répondu, on est allés prendre quelques verres ensemble. C'était très relax . . . Elle m'a parlé de son travail, de sa vie . . . « Je suppose qu'elle t'a demandé de parler de la tienne ? » Martin m'a surpris : « Comment ça se fait que tu sais ça, toi ? — Le coup de la soirée avec Linda Hébert, le Chat, il y en a d'autres qui sont passés par là avant toi . . . J'en connais quatre ou cinq qui sont tombés dans le panneau ! Tu ne lui as pas fait de confidences au moins ? » J'ai nié. Une crampe m'a saisi au ventre. Ma chienne était de retour . . .

Je me suis habillé le plus vite que j'ai pu. Linda devait se trouver encore dans le Colisée. Dans le hall, j'ai pu la rattraper. Elle n'était plus la même. La femme d'hier s'était évanouie, ne restait plus que la journaliste qui me regardait froidement, en jetant de temps à autre un coup d'oeil à sa montre. J'ai dit : « Ce que j'ai raconté hier soir, Linda, c'était entre nous, il ne faut pas que ça sorte, hein ? »

Elle m'a dévisagé : « Voyons Pierre ! Jamais on a convenu que la soirée était *off the record !* Je ne t'ai jamais dit qu'on mettrait le sceau du secret là-dessus ! De toute façon, mon texte est déjà écrit... Bon, si tu veux m'excuser, je suis pressée... »

Elle m'a abandonné là, entre deux portes, plus mort que vif.

TEMPÊTE À LA UNE

Nous dormions encore Pierre et moi quand le téléphone a sonné. Un samedi matin à cette heure-là, d'habitude, personne n'ose nous réveiller. Pierre a répondu. Sa voix s'est cassée. Tout de suite j'ai compris que quelque chose n'allait pas. J'ai pensé à mon père, mais c'était manifestement autre chose : « C'est quoi cette histoire de fou là ? a-t-il grogné, non, je n'ai pas lu *Le Matin !* À sept heures, le samedi, moi je dors ! »

Il s'est rendu à la salle de bains, le téléphone a sonné de nouveau. C'était André Simon. En direct des studios de CKLT ! Pierre a bondi sur l'appareil : « J'ai pas lu l'article et je ne fais pas de commentaires tout de suite ! On est en ondes ? Ça ne change rien ! Aucun commentaire. » Il a raccroché sec.

J'ai vite enfilé un chandail et un jeans. Le téléphone a sonné encore comme je venais de chausser mes bottes (la première neige tombait abondamment dehors). Pierre a décroché. Sa voix s'est adoucie : « Oui, monsieur Guilbault ! Oui ! À dix heures, à votre bureau, compris ! »

Pierre était blanc comme du plâtre. Je lui ai dit,

en me glissant un foulard autour du cou: «Je sors chercher le journal!»

De la fenêtre du salon, je regarde la neige tomber. Dans la cuisine, Francis et Marie-France se chamaillent, pendant que le téléphone sonne. Le dixième coup. Marc fait les cent pas devant un journal ouvert sur la table. Douzième coup. Francis tire les cheveux de sa soeur. Des cris de jeu plus que de douleur. Les flocons tombent. Quatorzième coup. Quinzième. Marc me dévisage: «Nicole! Réponds, sacrament!»

Les enfants s'interrompent.

Je ne bronche pas. Seizième coup. Un dix-septième, puis le silence se fait. La neige tombe maintenant à gros sanglots.

Sur la table du salon, *Le Matin,* sous la signature de Linda Hébert, proclame en gros caractères: «Pierre Lambert accuse!»

La réunion de la coopérative doit avoir lieu aujourd'hui. Depuis huit heures ce matin, Hugo s'affaire à cuire des petits gâteaux et à préparer des sandwiches. Il est parfait mon Hugo. Moi, je tripote encore mes chiffres et je m'arrache les cheveux. À mes côtés, Albert Simard revoit mes calculs tout en buvant café sur café.

«M'man! me crie Hugo, le nez dans la farine, voudrais-tu allumer la radio?» J'allonge le bras jusqu'à l'appareil sans quitter mes papiers des yeux et j'obéis.

La voix nasillarde d'André Simon envahit la cuisine: «Une bombe secoue le National ce matin! (Nous avons levé la tête, Albert et moi, Hugo s'est interrompu.) Sortie fracassante de Pierre Lambert en première page du *Matin!* (Nous nous sommes regardés tous les trois sans comprendre.) La journaliste Linda Hébert écrit que Pierre Lambert aurait déclaré que Jacques Mercier, influencé certainement par Marc Gagnon qui ne jouait pas assez à son goût, aurait miné sa confiance volontairement pour donner une chance à son vétéran. Lambert soutiendrait que si Mercier continue de cette façon, sa saison pourrait être compromise. De plus, le jeune joueur du National aurait révélé que les problèmes de Marc Gagnon en début de saison seraient directement liés à des écarts de conduite!»

Je suis restée sans voix. Hugo n'a pas été long à réagir: «Pierre a raison! Mercier, c'est un baveux! Un maudit sale!» Je l'ai fait taire. Albert était catastrophé: «Maroussia! C'est de la bien mauvaise publicité pour nous ça! À six semaines de l'ouverture de la nouvelle boutique!» J'ai répondu assez sèchement: «La publicité, je m'en fiche! C'est Pierre qui me préoccupe! Ce qu'il doit être malheureux... Il faut que je lui parle!»

Depuis dix minutes, j'appelle à son appartement, pas moyen d'avoir la communication, la ligne est toujours occupée!

Je me suis précipité au bureau de Gilles Guilbault, littéralement hors de moi! Il a essayé de me calmer, de me raconter que Lambert s'était fait embarquer par la Hébert, qu'il était encore jeune, qu'il fallait simplement lui faire peur pour ne plus que ça se reproduise, et le reste et le reste...

J'ai dit : «Minute Gilles ! Ça ne marche pas comme ça ! Si un ti-cul de vingt ans peut réussir à planter Jacques Mercier en première page du plus gros journal de la ville, dans le vestiaire ce soir, ils vont être vingt à m'attendre pour voir s'ils peuvent maintenant se permettre de me chier dans la face ! — T'exagères ! qu'a lancé Guilbault. »

J'ai bondi : «On voit bien que ce n'est pas toi qui les surveilles pendant les voyages ! Ce n'est pas toi qui t'occupes du couvre-feu, qui dois obliger vingt vedettes de vingt-cinq, trente ans, à se coucher à onze heures ! Ce n'est pas toi qui dois les envoyer sur la glace avec des poignets foulés, des genoux tordus et des épaules à moitié disloquées ! — Arrête, je vais pleurer ! a rétorqué Guilbault en s'allumant un cigare. — Je ne fais pas des farces, Gilles ! Un petit baveux de vingt ans qui n'a pas encore joué vingt parties avec le National va venir m'accuser de gâcher sa carrière au profit de Marc Gagnon ? Aïe ! Ça ne marche pas ! Faut que ça se règle et vite ! »

Guilbault s'est levé : «Je te comprends Jacques. Tu es un homme de coeur. Mais il ne faut pas perdre la tête non plus ! J'ai fait venir Lambert … »

Je l'ai coupé : «T'es mieux d'avoir de la colonne vertébrale, Gilles … Tu me soutiens ou je sacre le camp ! — Je vais parler à Lambert, je vais lui faire peur, t'en fais pas ! — Parle à Lambert tant que tu voudras, Gilles, mais le problème, moi, c'est ce soir que je vais le régler ! Je te garantis qu'il ne fera pas beau tout à l'heure dans le vestiaire du National ! »

Je suis sorti chauffé à blanc.

«Heureusement que la Hébert n'a pas mentionné mon nom! Tu vois ça d'ici, Marilou? Suzie Lambert, la nouvelle flamme de Marc Gagnon! Un membre de la famille dans la merde, ça suffit!» Elle se fait du sang de punaise, la Suzie, pendant que je m'habille. Quelqu'un d'autre m'inquiète, moi...

«Où tu vas?» m'a-t-elle demandé, comme je sortais de l'appartement. J'ai écarquillé les yeux en esquissant un geste de profond mystère. Elle a fait la moue.

J'ai refermé la porte.

Marc est sorti rencontrer son agent. J'ai poussé Marie-France et Francis dehors (ils ne se sont pas fait prier: la première neige!) De ma chambre, j'appelle à l'appartement de Pierre, j'essaie de joindre Ginette Létourneau. J'ai envie de parler. Ça doit brasser dur pour elle aussi. À la deuxième tentative, enfin, c'est elle qui répond. (—...) Allô? Ginette? Nicole Gagnon au bout de la ligne! (—...) J'imagine que le téléphone ne doit pas dérougir chez vous? C'est la même chose ici... moi, je laisse sonner! (—...) Les journalistes? Tu dis "pas de commentaires", c'est tout. C'est vrai que tu n'as pas l'habitude... (—...) Tu as parlé à Pierre? (—...) Il est tout croche? Ça se comprend! (—...) Tu dis qu'il n'aurait pas dû parler de Marc comme ça? Oui je suis d'accord, mais tu sais, Ginette, tous les torts ne sont pas forcément du même côté... Marc aussi a les siens... (—...) Ah! Je connais mon mari, je t'assure! (—...) Voyons donc! Tout ça serait arrivé quand même, que tu aies passé tes vacances à Shawinigan ou pas! C'est le merveilleux monde du sport, ça, ma petite fille! (—...) Non, ce n'est pas d'abord la faute de Linda Hébert, Ginette! C'est la faute du système! Il est plus fort que nous! Tu sais, dans cet univers-là, les blondes ou les

femmes des joueurs, ça passe bien loin derrière. (— ...)
Comment ? Si on va se voir au Colisée ce soir ? Même
avant ça si tu veux ! Écoute ... si ça ne te dérange pas, je
passe chez vous, tout de suite ! D'accord ? (— ...) Non,
non ! Ça me fait plaisir ! J'ai justement une petite bouteille de cognac que je conservais pour les moments difficiles ... Le temps de me trouver une gardienne et j'arrive ! (— ...) Je pense qu'à deux, Ginette, on ne sera pas
de trop pour passer à travers la tempête !»

     Je n'ai jamais vu un ouragan pareil ! Un cy-
clone ! Un cataclysme ! Tout Québec est sens dessus dessous !

     Mon téléphone n'arrêtait pas de sonner. Alors,
j'ai branché le répondeur. Je me suis plongée dans un
bain chaud parfumé d'une mousse à l'huile d'oranger et,
de là, j'écoute des voix étrangères tour à tour me parler.

     Depuis une heure, j'ai reçu plusieurs appels
hargneux, tout pleins d'injures : «T'es rien qu'une maudite vache ! T'es jalouse de Marc Gagnon ! Si tu veux
savoir ce que c'est qu'un homme ...» Et le reste, et le
reste. Je ne peux pas dire que cela me laisse indifférente.
Non. Je ne pleure pas pour rien non plus.

     Je suis sortie du bain. Dans le salon, mon cher
Aristote me regarde, silencieux, ses yeux vifs et ronds
suspendus à ma présence.

     Le téléphone a sonné un coup, le répondeur a
pris la communication : «Linda ! Réponds ! Je le sais que
tu es là ! C'est Belley ! Écoute ... Tu as fait du travail de
pro, ma grande ! Bravo ! Tu es notre meilleure ! Toute la
ville est ameutée ! Les gars du *Québec-Métro,* Boivin en

tête, en bavent de jalousie ! Viens-t'en au bureau tout de suite ! En quatrième ! Fais ça vite, je t'attends !»

Je me suis approchée d'Aristote et j'ai éclaté en sanglots. Il a penché la tête, comme attendri, et m'a fixée tristement de son regard de perroquet...

PAS DE CHANCE
POUR LE TREIZE

Quand je suis entré dans le bureau de Gilles Guilbault, j'avais la chienne rare. Il s'est allumé un cigare. Puis l'orage est tombé. Il était blanc de rage.

J'ai dit pour me défendre : «Je ne savais pas... À Trois-Rivières, avec Bourgouin, dans des affaires comme ça, on pouvait toujours s'arranger, mais là, avec Linda Hébert, je ne savais pas... — T'aurais dû le savoir ! qu'il m'a crié. Il y a une ligne d'autorité, ici ! La mienne ! En contestant Jacques Mercier, c'est moi que tu contestes ! Faudra que tu saches, Pierre Lambert, que tu n'es qu'un numéro dans l'équipe et que l'équipe, c'est la seule chose qui compte ici ! Aujourd'hui, le National reçoit une claque dans la face à cause d'un ti-cul incapable de se fermer la trappe ! Quand le club mange une claque, tu sauras que c'est Gilles Guilbault qui rougit ! Ce que tu as fait là, je ne le prendrais de personne. Jamais de Marc Gagnon, ni de Gordie Howe ni même de Maurice Richard ou de Jean Béliveau !»

J'avais envie de brailler comme un enfant de maternelle. Il a ajouté : «Il faut que je parle à Mercier avant de t'apprendre le sort qui t'attend. Quant à moi, laisse-moi te dire que tu l'aurais bien vite ton ticket sans escale pour les mineures!»

Ça m'a donné un choc dans les tripes. Il s'est levé: «Je vais te donner un dernier conseil. Ferme ta grande gueule tant que tu n'auras pas vu Mercier! Surtout, pousse-toi des journalistes! Tu peux t'en aller.»

Je suis sorti du Colisée les jambes comme du Jello...

Marilou m'attendait: «J'ai pensé que tu aurais envie de voir quelqu'un qui n'a rien à te reprocher...»

Je l'ai étreinte à la faire fondre, les yeux pleins d'eau.

Nous étions sûrement une dizaine, réunis au salon. Hugo avait servi ses sandwiches et j'essayais d'expliquer à mes immigrantes (avec des phrases en russe parfois) les principes de notre entente: un travail de confection de modèles originaux de vêtements, investissement de temps et partage des profits, bref, tout ce qui avait guidé la fondation de la coopérative.

Albert m'écoutait et ajoutait, à ma demande, des explications. L'atmosphère était à la fois chaleureuse et tendue. J'avais l'impression de parler dans le vide.

J'ai demandé si quelqu'un avait des questions et Martha Simonovitch a levé la main: «Excusez-moi, madame Lambert, je sais qu'on ne devrait pas parler de ça ici ce matin mais la question nous brûle toutes depuis tout à l'heure: qu'est-ce qui arrive à votre fils Pierre, voulez-vous bien nous dire?»

Hugo, Albert et moi nous nous sommes regardés en éclatant de rire !

☆

En sortant de l'ascenseur, je me suis dirigée
tout droit vers le bureau de Benoît Belley. Il m'attendait
à la porte, en manches de chemise, radieux comme au
jour de ses noces !

Il s'est écrié : « Ouais ! Linda... maintenant
qu'on a déterré notre os, on ne laissera pas la compétition le gruger à notre place ! À l'heure qu'il est, je suis sûr
qu'on est pas tout seuls sur l'affaire ! Boivin et sa gang du
Québec-Métro doivent remuer terre et ciel ! (Il m'a fait
entrer, asseoir, m'a servi un verre, que je n'ai pas pris.)

« Tu vas me sortir tout le reste de l'histoire, ma
fille ! Je veux tout savoir, comprends-tu ? Tout ! Torche-
moi un bon papier genre : "Crise chez le National,
l'équipe perturbée par le conflit Mercier-Gagnon-
Lambert !" Je ne sais pas, moi ! Mets le maximum ! Une
nouvelle pareille, ça ne reviendra pas de sitôt !

« Ça nous prend les réactions de Guilbault, Gagnon, Mercier, quelques joueurs, sa famille, sa femme,
sa blonde, je veux tout savoir ! Je veux son père, tiens ! Il
doit être furieux ! »

J'ai précisé que son père était mort.

« C'est encore mieux ! Sa mère ! Je veux sa
mère ! Elle doit être folle d'angoisse ! Appelle-la ! Je te
garde un petit coin en première page ! »

Jamais je n'avais trouvé mon rédacteur aussi

dégueulasse, aussi pervers. À la porte, je lui ai dit : «Tu me donnes mal au coeur, Benoît Belley!»

Et je suis sortie.

Marc m'avait convoqué au Saint-Germain. C'est son quartier général, en temps de crise. C'est un endroit sûr pour traiter des questions graves. Il y a des places discrètes, à l'abri des journalistes, que Richard Saint-Germain tient toujours à la disposition des gens du National. Du reste, à l'entrée trône un agrandissement laminé de toute l'équipe, souriante, autour de la coupe Stanley, ce qui dissipe les doutes sur les allégeances du patron...

Marc n'a pas touché à sa bière (moi non plus) tant il est en furie! Il gesticule comme une marionnette : «Luc, tu vas te débarrasser de cet enfant de chienne-là! Je ne veux pas que mon agent soit le même que le sien! Tu as le choix entre huit pour cent d'un demi-million ou dix pour cent de cent mille!»

J'ai suggéré à Marc de se calmer et d'analyser la situation froidement pour essayer de s'en tirer sans trop de mal. Je lui ai rappelé que Linda Hébert ne lâcherait sûrement pas le morceau aussi facilement. J'ai dit qu'il allait devoir s'expliquer.

«La crottée à Hébert! Je vais lui montrer c'est quoi un homme, moi! Un vrai! Elle va les perdre ses allures de lesbienne!»

J'ai souri. Linda Hébert, lesbienne? Aïe, Marc Gagnon! Après tout ce qui s'est passé entre elle et toi?

Je lui ai promis de rencontrer Lambert et Guilbault, de parler à Mercier, mais qu'il fallait me laisser faire. Je lui ai recommandé de répondre toujours la même chose aux questions des journalistes: «C'est une gaffe de junior qui s'imagine des choses à partir de rien... — Devant les autres gars, a-t-il rugi, je suppose qu'il faut que je lui baise le cul?» J'ai répondu: «Pas un mot à Lambert, tu ne le regardes même pas! Laisse-moi travailler... Je vais t'arranger ça.»

Il s'est calmé. J'ai pu enfin goûter à ma bière. Lui aussi.

Le pauvre Pierre était à ramasser à la petite cuillère tant il était défait à sa sortie du Colisée! En m'apercevant, il s'est écrié: «Ah, Marilou!» Il avait l'air d'un chien battu! Sa rencontre avec Guilbault n'a pas dû être facile. Je ne l'avais jamais vu les traits aussi tirés, la mine aussi basse. Plus le même homme.

Je me suis dit qu'il fallait l'aider à recharger ses batteries. Je lui ai donc proposé d'aller à la Pyramide. «C'est quoi ça?» (Il m'entraînait déjà vers la voiture.)

«C'est un édifice en forme de pyramide, son nom l'indique, dans lequel on prend des bains pour recharger son corps en énergie cosmique!» ai-je répondu, citant presque mot à mot la leçon de mon dernier cours de yoga.

Ma science l'a vaguement tiré de sa torpeur.

Une heure plus tard, il sortait du bain l'air résolu. J'étais ravie des effets de la cure.

«Comment je vais faire, moi, pour regarder tout ce monde-là en face?» a-t-il demandé, sur le chemin du retour. Je lui ai suggéré de les imaginer tout nus! Il a souri.

À un feu rouge, à deux pas de chez moi, je lui ai conseillé d'aller vitement rejoindre Ginette... Cette proposition a eu l'air de le surprendre.

«Comment? lui ai-je dit, on ne t'a jamais parlé de la solidarité féminine?»

Il me regardait comme si je venais d'exécuter devant lui le plus brillant des tours de passe-passe!

Je suis descendue de voiture en riant aux éclats.

J'ai jeté un coup d'oeil à la bouteille de cognac que Nicole avait apportée avec elle: à demi-vide! (demi-pleine, c'est selon). «Bon, ma chère Ginette, expire Nicole, un dernier verre et je rentre à la maison! Il faut que j'aille accueillir mon héros déchu! Je ne sais pas dans quel état je vais le ramasser! La star brillait pas très fort ce matin, je t'assure! Pauvre Marc! J'aurais pu le faire mettre à genoux dans un coin. Il filait comme un enfant surpris à faire un mauvais coup!»

Nous avons souri. Tristement. J'ai parlé de la fin de mes vacances (je dois retourner à Shawinigan, vendre mes collants, oui! Au «People», oui!)... Tout à coup, on a frappé à la porte.

J'ai failli faire une crise cardiaque en la voyant! Je lui ai lancé toutes les injures qui me sont venues à la bouche! Je l'aurais tuée! Avoir le front de venir ici!

M'être écoutée, c'est simple, je lui crevais les yeux de mes ongles, la garce à Linda Hébert !

Elle voulait parler à Pierre.

J'ai claqué si fort la porte, qu'elle n'a pu retenir un cri !

Tout plein de journalistes m'attendaient à la porte du Colisée. C'était à prévoir ! Ils se sont jetés sur moi comme la misère sur le pauvre monde !

« Pierre Lambert, avez-vous rencontré Jacques Mercier et Marc Gagnon aujourd'hui ? Pierre Lambert, avez-vous été mal interprété par la journaliste Linda Hébert ? Pierre Lambert... »

J'ai réussi à me taire. Du moins, à ne dire que trois mots : « Pas de commentaires ».

Je me suis réfugié dans le vestiaire. Un salon funéraire ! Des bruits étouffés ; des gars qui lisent, d'autres qui s'habillent. On dirait que personne ne me voit ou ne veut me voir. Je salue. Le silence me répond.

Je me déshabille. Au même moment, Jacques Mercier entre. Tous les bruits cessent.

Mes jambes soudain fléchissent. Je m'asseois. « Comme ça, commence Mercier, il y en a qui trouvent que je suis un enfant de chienne ? Un jaloux ? Un plein de marde ? »

J'ai failli m'écraser par terre tant le coup au

coeur a été fort. Mon pouls tonnait à mes oreilles. Les idées tournaient en folie dans ma tête, un vrai carrousel. J'entendais des mots, des phrases que Mercier crachait à voix forte, dans ma direction, sans me regarder:

«Comme ça, il y en a qui trouvent que je ne connais pas ma job? On sait bien, ils ont déjà joué seize parties avec le National! On rit pas! Ils connaissent ça le hockey! (La sueur me coulait dans le dos.) Comme ça, il y en a qui se sentent assez bons pour venir me dire quoi faire ici? Venir me dire que je manque de couilles? Il y a un petit salaud qui n'était même pas capable de faire un interurbain la première fois qu'il est sorti de Québec (j'ai fermé les yeux malgré moi) et ça vient salir la réputation d'un vétéran qui a donné son sang pour l'équipe, qui a gagné cinq fois la Coupe, qui a plus de cicatrices dans la face que certains ont de poils au menton! Il faudrait que je ferme ma gueule! Que je me taise? Quand un couillon va vendre la vie privée d'un coéquipier à une journaliste pour avoir sa binette de salaud en première page! Des gars de même, ça n'a pas de place dans mon équipe! Ça ne mérite pas d'avoir un uniforme! Nounou! (Mon sang tambourinait à mes oreilles.) Nounou! (Il avait gueulé de toutes ses forces.) Le treize, là... (J'ai frémi de la tête aux pieds. En ouvrant les yeux, j'ai vu Nounou tout près de moi, dépité.) Le treize, il me fatigue! Il me fend la face! Décroche-moi donc ça! De toute façon, personne ne va avoir à le porter pour la partie de ce soir!»

Nounou s'est emparé de mon chandail, sans me regarder, et s'est éclipsé. (Je voyais tout embrouillé.)

Mercier m'a tourné le dos. Il a poursuivi, d'une voix tremblante, à l'intention de toute l'équipe: «S'il y a une partie que vous devez gagner, c'est ce soir ou jamais! Préparez-vous bande de sans-coeur, parce que New York va être prêt! Eux autres, ils n'ont pas de petites charognes dans leur club!»

Je suis resté pétrifié. Tous les gars s'habillaient en silence. Chacun son chandail.

Moi qui croyais que le treize me porterait chance...

CINQUIÈME CHAPITRE

TRISTES RÉALITÉS

UNE VISITE AU PURGATOIRE

Un peu avant midi, je suis allée tirer Pierre de son lit : «Marilou, a-t-il gémi, je me suis couché à quatre heures du matin... j'ai mal à la tête ! Laisse-moi dormir ! »

L'état du salon et de la cuisine révélait la source de sa migraine : des dizaines de bouteilles de bière vides encombraient les lieux.

Depuis quelques jours, Pierre penche fort du côté de l'alcool. Après le départ de Ginette, il s'est laissé envahir par la déprime. Je me suis dit qu'il était temps de le remettre sur la bonne voie. J'éprouve de la peine à le voir dans une situation aussi déplorable, non pas que j'en sois amoureuse, mais je l'aime bien. Aimer bien, quelle différence avec aimer tout court ? Un adverbe en plus peut en dire moins ! Je ne voudrais pas qu'il se fasse du tort. Un tel talent mérite un coup de pouce.

Je me suis mise en tête, par mille ruses et beaucoup de patience, de le conduire à nouveau à la Pyramide. Un bain chaud dans le rayonnement cosmique amplifié ne peut que lui faire du bien et l'aider à se recharger d'ondes positives. C'est le traitement idéal dans les circonstances.

Il proteste. Il grogne : « Tu vas finir par me détraquer complètement ! » J'insiste. « Ça va me donner le mal de mer ! » J'y reviens, il se fâche : « Tu ne trouves pas, Marilou, qu'avec tout ce qui m'arrive, ce que tu pourrais faire de mieux, ce serait de me laisser tranquille ? Je ne veux voir personne, c'est clair ? » Il s'est levé.

Je n'ai pas lâché prise (la ténacité est ma vertu première). J'ai ouvert sa robe de chambre et me suis collée contre lui. Il m'a prise par les épaules et m'a secouée en criant : « Je ne veux pas me retrouver dans les mineures, Marilou ! Je ne veux pas rebondir à Pittsburg, tu m'entends ? Je ne veux pas ! » Il tremblait. Je l'ai embrassé. Il s'est détendu.

Je l'ai aidé à s'habiller, puis finalement, nous nous sommes dirigés vers la Pyramide...

Les événements m'ont perturbée au point de déclencher mes menstruations, dix jours à l'avance !

Ma forme morale est aussi moche que ma forme physique...

En apercevant la mine réjouie de Benoît Belley au journal, ce midi, mes nerfs ont failli : « Tu es content, là, hein ? Tu vas pouvoir dire que grâce à toi le tirage du *Matin* a grimpé en flèche ! — Je suis là pour ça, Linda ! qu'il m'a rétorqué, tu as fait ta job, j'ai fait la mienne ! »

Je lui ai dit que je ne savais pas, après tout ça, comment affronter le National. Est-ce que tu t'imagines (lui ai-je dit) ce que ça va être quand je vais entrer dans le vestiaire tantôt ?

Il a souri cyniquement: «Que veux-tu, je suis obligé de me coller aux événements, moi! Si tu ne te sens pas capable de continuer, tu sais, je peux confier le crayon à quelqu'un d'autre? Un gars...» Il avait insisté sur le mot «gars» en fronçant du sourcil.

J'ai senti ses narines enfler et mes ongles s'allonger tout net.

C'est justement pour pas qu'on envoie un «gars» que je suis là! lui ai-je sifflé entre mes dents. Il a souri.

Je l'aurais griffé.

Allan Goldman est entré dans mon bureau en furie. «Me semble que j'avais été clair, Gilles! Tu le sais que j'ai été obligé de donner le National en garantie pour boucher des trous dans mes finances! On dirait que tu le fais exprès pour me mettre en faillite!»

J'ai allumé mon cigare. Il a baissé le ton: «Qu'est-ce qu'ils me disent mes investisseurs quand ils me voient arriver?: "Ça marche pas fort le National!" Je t'avais demandé de t'arranger pour que ça marche fort et proprement, Gilles! Es-tu capable de mener le club, oui ou non?»

J'ai répondu que Mercier était en train de finir de casser Lambert, que tout allait rentrer dans l'ordre, juré!

Il s'est écrié: «Non! Non! Gilles Guilbault! Lambert, c'est *out*! Je veux que tu l'échanges, et vite à part de ça!»

J'ai éteint mon cigare.

Je n'ai jamais été aussi malheureuse de toute ma vie qu'en entrant, tout à l'heure, dans le vestiaire du National ! L'exercice allait commencer, tous les joueurs étaient habillés, prêts à dévorer la patinoire.

Prêts à me dévorer aussi ! Ah, sentir des dizaines de regards chargés de reproches peser sur mon dos ! L'atmosphère est devenue plus dense que du ciment.

Je me suis avancée au milieu de la place, carnet en main, essayant de cacher l'orage qui me dévastait. Marc Gagnon s'est redressé (il était en train de lacer ses patins). Ses yeux verts m'ont foudroyée. D'un ton rasoir, il m'a crié : «Tu as le coeur de mettre les pieds ici, toi, Linda Hébert ?»

Il s'est vidé le coeur, m'a chanté des bêtises, m'a même traité de «maudite lesbienne» (lui qui m'a baisée sous toutes les coutures et dans toutes les postures !)

Ensuite, il a décoché quelques flèches à l'intention de Lambert, qui n'avait pas cessé de contempler le plancher. Moi, je suis restée calme, silencieuse.

Il le fallait. Je craignais de recevoir, ne fut-ce qu'en entrouvrant les lèvres, un coup de poing sur la gueule !

Un peu après, Gilles Champagne a essayé de faire le drôle en inventant une histoire de cul entre Nounou et Gagnon, mais il n'y a eu que lui pour rire de sa farce plate.

Finalement, Robert Martin avec son autorité de capitaine a calmé les esprits. La fièvre a baissé.

J'ai eu chaud. J'ai eu vraiment peur pour ma peau !

Pour la première fois de ma vie, dans ce monde d'hommes et à mon corps défendant (pour ainsi dire), j'ai cru devoir remercier le ciel d'être une femme !

Je n'ai pu éviter le téléphone de Gilles Guilbault : « Qu'est-ce que tu veux au juste, Benoît Belley ? Nous mettre dans la merde ? » Je lui ai répondu que *Le Matin* pas plus que moi-même n'étions responsables de ce que racontaient les joueurs du National ! « Fais-moi pas brailler ! a-t-il repris, le souffle court, ta poudrée, tu ne me feras pas croire qu'elle a rencontré Lambert par hasard ! (Il parlait bas, sa colère était froide.) Toi, tu l'as lu l'article avant de le publier ? Tu aurais pu me prévenir ! » Je lui ai dit qu'il n'était pas mon boss et que je n'avais pas de comptes à lui rendre : « Mes vrais boss, Gilles, tout ce qui les intéresse, c'est de voir le journal se vendre le plus possible pour attirer (à prix très concurrentiel) le plus d'annonceurs possible ! Tout ça en économisant, bien sûr, sur les coûts de production, c'est-à-dire, en fin de compte, sur mon salaire ! »

Il a fait une pause au bout de la ligne, puis en riant, il m'a dit : « Tes boss ressemblent pas mal aux miens, Ben ! » J'ai ri moi aussi. Il a ajouté : « La prochaine fois, essaie donc de frapper sur quelqu'un d'autre, hein, veux-tu ? »

À minuit, mon père est entré d'urgence à l'hôpital. Une crise cardiaque! Sa troisième en autant d'années...

Il est aux soins intensifs. J'ai passé la nuit à son chevet. Ce soir, je suis morte de fatigue.

Maman somnambulait. Elle est allée prendre une couple d'heures de repos. Moi, je dors éveillée.

Papa, lui, est bien réveillé, malgré le fait qu'il parle avec difficulté. Il trouve encore l'énergie de me reprocher de rester auprès de lui: «Ginette, ma petite fille, tu devrais être avec ton Pierre! Un joueur de hockey c'est plus important qu'un père!»

Alfred Létourneau est amoureux du hockey. Il en mange! Toute sa vie, il a rêvé d'avoir un joueur dans la famille. Il me disait: «Ah! Ginette, si seulement tu étais un garçon!»

Par chance, j'ai échappé à la damnation éternelle en devenant la blonde d'un joueur de hockey! À partir du jour où j'ai amené Pierre à la maison, son amour pour moi a plus que doublé! Déjà qu'il m'adorait! Dès lors, j'ai été haussée au rang des déesses!

Mon père se passionne de hockey comme un enfant, avec ses haines féroces, ses anathèmes et ses soudains pardons.

Il m'ordonne, la voix cassée: «Ginette, ouvre la télé... on va regarder le match...» J'essaie de lui faire comprendre que tout ce qui l'excite n'est pas bon pour son coeur. Rien à faire. Il insiste. S'agite. Finalement (et parce que j'en meurs d'envie, moi aussi), j'allume le téléviseur juché au-dessus de son lit parmi des appareils et des tubes. Dès qu'il aperçoit à l'écran la patinoire du Colisée, il reprend des couleurs. Sa voix s'assure. Manifestement, la fébrilité du jeu qui s'annonce lui redonne vie.

Tout à l'heure, en mettant le pied sur la passerelle des journalistes pour la partie contre Boston, j'ai senti passer un vent d'envie, de reproche et de respect mêlés, de la part de Lulu et des autres collègues. Indispensables retombées de mon coup d'éclat !

Je ne voulais pas faire mentir ma réputation de femme froide («Comme un glacier d'Alaska, la Linda ! Pincée comme une nonne !»), aussi me suis-je tenue bien droite dans mon coin, murée dans mon mutisme.

J'écoutais la clameur des partisans chauffés à blanc, émoustillés par le croustillant d'un scandale dont les acteurs étaient là, devant eux, en chair et en os. Quand Gagnon s'est présenté sur la glace, la clameur est devenue ovation, puis délire. Le tabernacle leur était tout grand ouvert. Enfin, ils pouvaient contempler, face à face, leur divinité bafouée !

Depuis longtemps, je n'avais pas entendu au Colisée de Québec un accueil pareil de la part des fans du National ! Dans mon for intérieur, j'ai soupiré de fierté. N'étais-je pas, en quelque sorte, responsable d'une si soudaine et exceptionnelle unanimité ?

J'ai découvert un local parfait pour loger ma nouvelle boutique Maroussia Lambert ! Assez grand, bien éclairé, pas trop cher. La perle rare ! Ce soir, en plein match de hockey (quel sacrilège), plusieurs des membres de la coopérative sont venues (toutes des femmes) m'aider à mettre les lieux en état.

Nous en sommes à la peinture. Pour joindre l'utile à l'agréable (au nécessaire même, Dieu que Noël vient vite!), j'ai branché un téléviseur. Entre deux coups de pinceau, nous suivons la performance enlevante du National, de Marc Gagnon surtout.

On dirait que les déclarations de Pierre (qui s'en mord encore les doigts, m'a-t-il dit au téléphone) ont fouetté la vedette du National. Il joue superbement. Du Marc Gagnon des grands soirs!

Hugo est morose. Il ne participe pas à l'hystérie collective. Il ne m'a pas l'air dans son assiette. Je m'en inquiète: «Tout est correct, m'man!» Je n'en crois rien.

À la fin d'un jeu remarquable, je l'observe, toujours silencieux, peinturant presque par distraction. Je réitère ma question: «Ça ne va pas, mon Hugo?» Il va parler, puis se retient. J'insiste. Il finit par me dire: «C'est juste les gars à l'école, m'man... — Qu'est-ce qu'ils te font les gars à l'école, mon Hugo? — À cause de Pierre... Rien!»

Ça m'a surprise. J'ai exigé des détails, mais il n'a pas voulu en dire davantage.

Le jeu est bon, vif, sec, volontaire. Lulu me crie dans sa joie: «Tu as vu Gagnon se faire aller, Linda? Il te doit une fière chandelle!»

Oui, Gagnon joue bien, comme jamais. Je sais, rien de mieux qu'un drame pour ressaisir son homme. Mercier en sourit de satisfaction.

Lambert, déguisé en civil, nerveux, dépité, jette de temps à autre des regards meurtriers en direction de Mercier qui a dû passer une douzaine de paquets de gommes depuis le début de la partie !

Je devine que Pierre se demande quel sort l'attend maintenant... L'échange ? Le retour dans les mineures ? Entre temps, il sèche debout, derrière le banc des siens...

J'ai eu beau m'égorger à hurler le nom de Marc toute la soirée (pour me contredire, Marilou scandait celui de Pierre), le National a perdu quand même ! Mais, c'est une belle défaite ! Un échec qui ne fait pas trop mal à l'ego ! Toute l'équipe a été tellement extraordinaire ! Sauf mon frère Pierre qui n'a pas joué, laissé en civil derrière le banc des joueurs par Mercier qui n'a pas l'air (et pour cause) de le porter dans son coeur par les temps qui courent...

La sanction de l'entraîneur a rendu Pierre agressif.

En sortant du Colisée, il vient vers moi et me demande sèchement : « Où est Marilou ? (Comme si je l'avais mise dans ma poche !) Elle savait que je devais venir vous retrouver ici ! Elle est avec un autre gars ? Hein, c'est ça ! Dis-le-moi, Suzie, je n'en ferai pas un drame ! »

Pour éviter les drames, justement, j'ai préféré lui dire tout de suite la vérité : « Oui, Marilou est partie avec un autre gars, un ami, tout simplement. »

Son inquiétude s'est alors tournée vers moi : « T'attends quelqu'un ? Pas Marc Gagnon au moins ? » (Je l'ai dévisagé.) — Oui, Marc Gagnon ! On va souper en ville ! Ça te regarde ? »

Il a répliqué, les narines frémissantes : «Es-tu en train de devenir folle ? Gagnon a le double de ton âge ! Tout ce qu'il veut, c'est te baiser ! Sur la route, si tu voyais toutes les poulettes dans ton genre qui lui passent entre les pattes ! — Pierre Lambert ! lui ai-je crié, si tu n'étais pas mon frère, tu aurais ma main en pleine face ! Tu veux le savoir, espèce de mémère ? Eh bien, sache que Marc ne m'a jamais touchée ! Jamais ! C'est un homme, lui, capable de voir dans une fille autre chose que son cul !»

J'étais hors de moi. Il m'a regardée bouche bée. J'ai ajouté (méchamment, je dois dire) : «Pas surprenant que Marilou ne t'ait pas attendu ! On se tanne de jouer avec des enfants !»

Et je l'ai planté là.

EN RONGEANT SON FREIN

Les gars ont fait ce qu'ils ont pu hier soir, mais Boston a gagné tout de même ! «On peut se promener la tête haute, Jacques !» m'a dit Gilles Guilbault.

Ils ont bien joué. Gagnon surtout, Martin aussi. Je dois admettre, par contre, que l'absence d'un joueur de centre comme Lambert se fait cruellement sentir.

Lambert... Il fallait bien le casser celui-là !

(Trop de talent gâte la sauce.) Lui apprendre à se servir de sa tête et de sa langue!

Après deux semaines à poireauter sur le banc, je pense qu'il a dû tirer profit de la leçon...

Je me suis levé fatigué, mais pas mécontent. Judy m'attendait à la cuisine avec Jimmy. «Jacques, me dit ma femme, Jimmy a une belle surprise pour toi!»

J'ai pris une gorgée du café qu'elle me tendait et j'ai demandé à mon fils, installé dans sa chaise roulante au milieu de la place, de quoi il s'agissait. Judy s'est approché de lui et l'a aidé à poser ses pieds par terre. Elle l'a saisi par les mains. Avec effort, Jimmy s'est levé. Lentement, ma femme s'est reculée, l'abandonnant peu à peu à lui-même.

Pendant une minute, tout au plus, mais une minute plus intense que l'instant de la création du monde, mon fils Jimmy s'est tenu tout seul, debout sur ses jambes!

Un gros sanglot m'étreint maintenant la poitrine. Je suis si étonné, si ému, si heureux, que mes yeux se mouillent et j'en renverse ma tasse de café!

Après souper, je suis allé rencontrer Luc Sigouin au Saint-Germain. J'avais une chose sérieuse à discuter.

«Un café, mon Pierre?» qu'il m'a demandé comme je m'attablais devant lui.

J'ai accepté le café et suis passé tout de suite à l'essentiel. «Avant, lui ai-je dit, j'avais Marc Gagnon sur le dos. Maintenant, c'est tout le club, avec Mercier, Guilbault et puis Goldman par-dessus! Ça fait quinze jours que ça dure! S'ils ne veulent plus me faire jouer, qu'ils m'échangent! — Il y a longtemps que ça serait fait, s'ils ne tenaient pas à toi, voyons! — J'ai répliqué que je ne pouvais plus supporter la situation, que je me sentais aussi à l'aise dans le vestiaire que sur les bancs de l'école, en première année!»

J'ai dit: «Si ça continue, je monte dans le bureau de Guilbault! Ça donnera ce que ça donnera! — Fais jamais ça! qu'il m'a répondu, prends ton trou! C'est le seul conseil que je peux te donner; et le conseil d'un agent, c'est de l'argent, n'oublie pas! Fais-toi oublier, Pierre Lambert, si tu veux que le National se souvienne de toi!»

J'ai ravalé ma salive et j'ai bu mon café (froid).

Je suis très inquiète: six heures et mon fils Hugo n'est pas encore rentré de l'école! Lui si ponctuel, si responsable. J'ai téléphoné chez ses copains, chez Wilka (la fille d'une Polonaise de la coopérative), personne ne l'a vu. Avec toutes ces histoires d'enlèvements d'enfants, j'ai peur. J'ai eu l'idée d'appeler la police, mais j'ai préféré demander l'aide d'Albert d'abord.

«J'arrive Maroussia! Tout de suite!»

En stationnant ma Mazda devant le Colisée (l'exercice allait débuter), je suis tombé sur Paul Couture, celui que tout le monde appelle le Curé, à cause de la bible qu'il traîne toujours avec lui comme une mascotte.

Je n'étais pas de très bonne humeur. J'appréhendais les immanquables sermons de Couture. Je craignais de voir mes nerfs craquer.

En m'apercevant, il s'est précipité vers moi, son sourire de Noces de Cana accroché au visage.

«Je voulais juste te souhaiter de la patience, Pierre! Tu sais, c'est dans l'épreuve qu'on grandit! Christ sauve par la souffrance! Le Seigneur dit, au chapitre treize, verset...»

Il a ouvert son livre (l'agacement m'échauffait les oreilles) et, avec onction, m'a cité un passage. Au deuxième mot, je n'écoutais déjà plus. J'avais juste envie (après l'avoir assommé!) de fuir au bout du monde!

Mais j'ai préféré suivre le conseil de Luc Sigouin et prendre simplement mon trou! Me faire oublier. Me rendre invisible. Je suis donc resté un bon moment, à l'écouter prêcher, affichant le plus idiot de mes sourires.

À la fin de l'homélie, et pour mettre un terme à mon martyre, je l'ai accompagné vers le vestiaire.

Après la pratique du National, cet après-midi, je suis allée trouver Pierre. «Pas de commentaires, Linda.» J'ai eu beau lui dire qu'après deux semaines, la plaie devait être cicatrisée. Il n'a pas desserré les dents.

J'ai risqué une confidence: «Tu sais, Pierre,

Mercier m'a confié que tu avais de bonnes chances de recommencer à jouer très bientôt!»

Il m'a carrément tourné le dos.

La plaie suinte encore un peu, je pense...

Comble de malchance, au sortir de la douche après l'exercice, la Hébert est venue me faire son numéro de charme: «Pierre, c'est une histoire vieille de deux semaines, arrête de bouder!»

Je ne voulais rien entendre et ne rien dire. J'ai continué à m'habiller en faisant le sourd. Elle s'est éloignée. Ensuite, Paul Couture est revenu à la charge en m'invitant à manger.

Heureusement, Templeton m'a sauvé à temps du déluge: «Eh! Cat! Let's have a beer! I've got some friends waiting for me at Gino's!»

J'ai sauté sur l'occasion. Une bière chez Gino, c'est autrement plus réjouissant qu'un verre d'eau (même bénite) chez Couture!

J'ai crié à Templeton: «O.K. Mac! Let's go!»

Albert est arrivé dix minutes plus tard: «Maroussia, viens! On va aller voir en voiture du côté du centre-ville! Hugo doit traîner dans ce coin-là, c'est le rendez-vous des jeunes de son âge. Les Arcades les attirent!»

J'étais muette d'angoisse.

Je ne sais pas ce qui s'est passé, mais au bout de quelques bières, chez Gino où l'humeur était bonne pourtant («Pierre! You're my best!» ne cessait de me répéter Mac), le ton a soudainement monté et Templeton a cogné. Des bouteilles cassées, du bruit, des cris...

Jo Pariseau, le propriétaire du bar, s'est tout de suite énervé. Il est allé téléphoner à Gilles Guilbault...

Le nouveau cyclone qui s'annonce est en train de me dégriser tout net!

Nous avons roulé sur la rue principale au pas de sénateur. «Ouvre bien l'oeil, Maroussia! Hugo devrait être dans le secteur!» Albert est presque aussi énervé que moi.

J'inspecte tout autour, chaque passant, chaque enfant.

Soudain, face à la devanture aux néons hypnotiques d'une Arcade, j'aperçois Hugo, sans ses lunettes (dont il a pourtant bien besoin, myope comme il est!), les mains dans les poches, manifestement attiré par les écrans charmeurs des jeux vidéos.

Je pousse un eurêka! de joie. Albert stationne, je me précipite.

J'empoigne Hugo, je l'embrasse, je le presse contre moi!

J'ai eu si peur! (je sais, c'est ridicule, Hugo n'est quand même plus un enfant, il s'en va sur sa douzième année!) C'est plus fort que moi, j'en ai les larmes aux yeux!

Les joueurs de l'Arcade se sont tournés vers nous, soudain devenus l'écran le plus captivant de la place. Mais l'attrait de la nouveauté ne dure pas. Deux secondes plus tard, ils sont tous retournés à leurs bolides à détruire, indifférents à nos rires et à nos embrassades.

Albert est ému et passe sa main dans les cheveux d'Hugo à qui j'ai demandé d'expliquer sa fugue.

En sortant de classe, nous raconte-t-il, la bagarre a éclaté entre des compagnons et lui. On a cassé ses lunettes. Sa fuite l'a conduit jusqu'ici...

Sur le chemin du retour, je questionne : « À propos de quoi, Hugo, cette bataille? — À cause de Pierre! gémit-il, les yeux noyés. Ils ont dit que j'étais comme lui, un sale et un maudit menteur! »

Je me tourne vers Albert : « Dès demain, lui dis-je, je demande à rencontrer la direction de l'école! »

Guilbault m'a dit au téléphone, avec sa voix de catastrophe : « Robert! J'ai besoin de toi! Tu connais le bar Chez Gino? Pariseau vient de m'appeler, il paraît que Templeton et Lambert viennent de geler un client! Va voir ce qui se passe! En douce! C'est une job de capitaine que je te demande là, mon Bob! Ça va aller? » J'ai dit que j'irais.

J'y suis.

Le capitaine, c'est un peu l'ange-gardien d'une équipe. La nounou des marins débarqués de leur navire, partis voguer de bar en bar...

J'accoste donc au bar Chez Gino et ce que je vois m'étonne. Je m'attendais à des cadavres démembrés, gisant sur des monceaux de gravats, et je trouve trois lurons morts de rire : Templeton accroché au cou d'un type à l'oeil gauche bien beurré de noir et Lambert chantant à l'unisson, à pleins poumons, le *Nah Nah Nah eh good bye!*

Le client amoché n'arrêtait pas de répéter : « Quand je vais conter ça à mes chums, ils ne me croiront jamais ! Aïe ! Knockouté par Mac Templeton, c'est tout un honneur ! »

UN MALHEUR NE VIENT JAMAIS SEUL

Il y a tout près d'un mois maintenant que je suis à Chicoutimi avec les Saints. Mon épaule est guérie et je reprends petit à petit ma forme d'avant.

L'autobus qui amène l'équipe à Rochester, Maine (nous y jouons demain soir), vient d'entrer dans le parking du motel Mado, à Québec, où l'organisation des Saints nous loge pour ce soir.

Une soirée à Québec, avant de filer cette nuit vers Rochester, Maine.

Tout va à merveille à Chicoutimi ! Je me suis

fait des connaissances, je mange comme un roi, je dors comme un prince et je joue au hockey comme un fou, mais je m'ennuie affreusement de Suzie. J'ai bien eu quelques flirts par-ci, par-là, avec des Saguenéennes (pas piquées des vers...), mais Suzie me reste accrochée à la tête et au coeur comme jamais.

Un mois qu'on ne s'est pas vus! Au téléphone, on se parle bien un peu, mais ce ne sera jamais comme de se regarder en chair et en os, se toucher, se palper, se frotter l'un contre l'autre... J'ai envie d'elle comme c'est pas possible.

Je l'ai appelée avant de partir de Chicoutimi, ce midi. Elle doit venir me rejoindre à sept heures, ici, au motel. Depuis ce temps, je me meurs d'impatience.

En sortant mon équipement de l'autobus, j'ai eu la surprise de voir arriver Linda Hébert! «As-tu une petite demi-heure à me consacrer, Denis?»

Depuis le camp d'entraînement du National en septembre, je ne l'avais pas revue. Physiquement, rien de changé. Toujours la même fille, pas laide, l'air un peu sèche, en apparence seulement.

On s'est installés devant un café (infect) à la salle à manger du motel. On a parlé de choses et d'autres; elle m'a paru moins à pic qu'avant, comme ramollie du coeur. Des retombées de sa grande histoire autour de Pierre et Marc Gagnon, je suppose?

Au deuxième café (meilleur), la Linda Hébert journaliste est remontée à la surface. Elle a voulu ressasser mon histoire à moi, avec Pierre, mon épaule et le reste. Flairant le piège, je me suis empressé d'enterrer le sujet.

160

J'aurais tellement voulu passer la soirée avec Suzie : «J'aimerais ça, Marc ! Je te jure que c'est vrai ! Ce soir, je serais prête, mais j'ai déjà un rendez-vous...»

Avec son gars de Trois-Rivières exilé à Chicoutimi, son Denis Mercure.

Ce soir, j'avais le goût de me vider le coeur... J'avais besoin de quelqu'un pour m'écouter. Une oreille capable de comprendre que je me sens fatigué, comme à bout de peau...

La partie d'hier soir contre Pittsburg a été difficile et, ce matin, avant de reprendre l'avion pour Québec, Mercier nous a fait le coup de l'exercice-torture. Je suis crevé.

Plus que jamais, j'entends sonner mes trente-trois ans !

Au café, je suis allé voir Gilles Guilbault qui mangeait pas loin, dans un autre coin discret du Saint-Germain. Il a levé le nez de son assiette en tranchant sec : «Rien de nouveau pour toi, Luc !»

Je me suis assis. Pendant quelques minutes, j'ai déroulé, au fil des banalités, le tapis de la conversation et j'ai fait glisser le nom de Pierre Lambert.

Guilbault s'est rembruni : «Je pensais que ton protégé avait compris de filer doux un bout de temps !»

J'ai répliqué que Lambert n'avait pas dit un traître mot depuis presque trois semaines !

« Pendant ce temps-là, me répond Guilbault du tac au tac, il va se paqueter la fraise chez Gino avec Templeton ! Il a fallu que j'envoie Robert Martin les chercher ! »

Je suis resté un moment sans voix. En me levant, j'ai soufflé : « Que c'est donc de valeur !... »

Il a ajouté : « Écoute-moi bien, Luc Sigouin, si tu veux sauver les meubles (entendre sauver la commission que je tire des contrats de mes clients), il serait temps que tu fasses comprendre à Lambert que s'il continue comme ça, sa carrière avec le National pourrait être courte ! »

Je suis retourné à ma table, terriblement contrarié.

☆

Je joue à la poupée avec Pierre. Je l'ai habillé en arbre de Noël. Sur ses bras en croix, j'ai suspendu des guirlandes partout, des glaçons. J'ai pris une photo. Nous avons bien ri.

Ces petites folies le détendent un peu. Il en a bien besoin : un vrai lion en cage, le Pierre Lambert ! Il ne tient plus en place. Il n'arrête pas de dire : « Je veux de la glace Marilou ! Je veux jouer au hockey, tu comprends ? Au hockey ! »

Le disque est accroché...

J'ai essayé de lui faire comprendre qu'il disperse ses énergies pour rien. Je lui répète de rester calme, de se concentrer sur ses forces positives, rien à faire ! Il ne m'écoute même pas. Je prêche dans le désert, comme d'habitude (peut-être est-ce normal, le désert, pour une Tunisienne...)

Je n'ai jamais été aussi malheureux de toute ma vie. Pourtant, la soirée avait si bien commencé. Suzie est arrivée, nous sommes allés dans une chambre du motel et nous avons fait l'amour...

Déjà, les choses me semblaient différentes mais j'en attribuais la faute à ce long mois, passé loin l'un de l'autre, écartelés entre les deux extrémités du Parc des Laurentides...

Je pensais qu'on avait simplement perdu l'habitude. Elle restait silencieuse, l'esprit ailleurs. Ça n'allait pas. J'ai questionné.

Elle m'a longuement regardé : «Denis... tu as été mon premier. Tu sais, je t'aime encore, mais pas comme tu le voudrais. Tu sais (j'appréhendais le pire, déjà), toi et moi... ça ne peut plus marcher. C'est fini ! (une décharge de cent mille volts au coeur !) Vois-tu, tu ne me manques pas quand tu n'es pas là ! Moi, le gars que j'aime, pour l'aimer vraiment, il faut qu'il me manque ! C'est comme ça !»

J'ai répondu que je l'aimais, moi, comme un damné, que j'avais besoin d'elle, qu'elle ne pouvait pas me laisser tomber comme ça, après ces deux années passées ensemble à rêver notre vie !

Elle a répété que c'était bel et bien mort entre nous, que je ne pouvais pas la comprendre et elle est allée se réfugier dans les toilettes.

J'ai eu beau supplier, brailler, gémir, elle ne m'a pas rouvert ni son coeur ni la porte.

Pendant qu'elle fait couler son bain, je frappe ma tête contre le mur et laisse aller mes larmes.

Je venais juste de me débarrasser des boules de Noël que Marilou m'avait suspendues aux oreilles, quand le téléphone a sonné. À l'autre bout du salon, elle a décroché : « Pierre, c'est pour toi ! »

En traversant la pièce, j'ai écrabouillé un jeu de lumières (Marilou a poussé un cri, mais trop tard) avant de répondre à maman qui m'attendait au bout de la ligne : « Pierre ? J'ai une mauvaise nouvelle à t'annoncer : le père de Ginette vient de mourir ! »

J'ai dû pâlir, car Marilou, l'air grave, s'est vivement approchée.

J'ai simplement répondu à maman : « Ça ne sera pas long, j'arrive tout de suite ! »

D'AUTRES ÉPREUVES

Pauvre Ginette ! Elle est à ramasser à la petite cuillère.

« Pierre… il ne me reste plus que toi… » qu'elle me dit. Je la couvre de tendresse. Elle pleure. Je l'embrasse. Elle se console.

Finalement, je lui dis : « Ginou... tu vas t'en venir rester à Québec avec moi ! »

Elle m'a regardé sans répondre, les yeux rougis.

Pendant la pratique, ce matin, j'en ai profité pour glisser un mot du Chat à Jacques Mercier : « On a pas vu Lambert, qu'est-ce qui se passe ? — Robert ! qu'il m'a sèchement répondu, tu es son capitaine, pas son père ! Contente-toi de le sortir des bars, veux-tu ? »

Il s'est aussitôt ravisé : « Tout ce que je peux te dire, Bob, c'est que je pense le faire jouer à Toronto, samedi qui vient... »

Sans même me donner le temps de laisser fleurir mon sourire, il ajoute : « Fais-moi donc cinq tours de patinoire, mon Bob ! »

Je lui en ai fait douze.

Après la visite au salon funéraire, où Monsieur Létourneau est exposé, j'ai invité mon monde à venir manger à la maison, à Trois-Rivières-Ouest.

« Ce n'est pas nécessaire, madame Lambert ! » s'est écriée Annette Létourneau, confuse.

Nous étions loin du dîner de gala : des mets chinois rapaillés par Hugo, et l'atmosphère était plutôt tendue.

Ginette et sa mère parlaient peu, claquemurées dans leur peine, et Hugo n'arrêtait pas de critiquer la cuisson du riz et le goût des côtes levées.

Suzie est arrivée sur les entrefaites, très mécontente que son frère ne l'ait pas attendue avant de quitter Québec et d'avoir, par conséquent, été obligée de prendre l'autobus.

Pierre a rétorqué : «J'ai téléphoné à ton appartement, ça ne répondait pas. J'ai rappelé avant de prendre la Quarante. Toujours pas de réponse. Ce n'est tout de même pas de ma faute, si tu n'es jamais chez toi !» Le ton a monté. Il a fallu que j'intervienne. Je ne sais pas ce qui se passe entre ces deux-là, mais depuis quelque temps, le torchon brûle.

J'ai offert du café. Ç'a été le signal du départ : Ginette et sa mère devaient retourner à Shawinigan et Pierre rentrait à Québec à l'instant. Suzie semblait hésiter.

Après le départ des Létourneau, son frère lui demande : «Tu descends avec moi ou tu couches ici ? Décide, je suis pressé !» Suzie a rougi : «Tant qu'à voir ta face à claques de Trois-Rivières à Québec, lui a-t-elle sifflé entre les dents, j'aime encore mieux me faire enfumer dans l'autobus !»

Pierre a tourné les talons, en me faisant la bise. «Salut, m'man ! Je te donne des nouvelles !» Suzie a ajouté, à son intention : «J'aime mieux monter demain, comme ça, Marilou sera toute seule à l'appartement !»

J'ai vu Pierre frémir.

Il a haussé les épaules et refermé la porte derrière lui.

Je suis restée la tête pleine d'idées contradictoires et tordues...

Depuis quelques jours, tout le monde s'inquiète de Lambert : « Il était absent ce matin, demande Lucien Boivin, fais-nous pas croire, Jacques, qu'il s'est blessé à la dernière partie... »

Linda Hébert a renchéri : « Maintenant que Rick Harvey est blessé, Jacques, as-tu pensé de faire jouer Lambert à Toronto ? »

Une chaleur me chatouillait la colonne. J'ai répondu : « Lambert est aux funérailles du père de sa blonde ! »

Dans le silence qui a suivi, j'en ai profité pour remercier tout le monde et j'ai couru rejoindre Judy à l'hôpital, pour la séance de physiothérapie de Jimmy.

À peine arrivé, lui aussi (décidément, on s'est passé le mot !) me demande ce que je vais faire de Pierre Lambert. Tu vois, Jimmy, une équipe de hockey, c'est comme un corps humain. Chaque joueur, c'est un membre, un bras, une jambe, la tête. Ce corps-là, pour être en bonne santé, il faut que toutes ses parties fonctionnent bien, chacune selon son rôle.

Quand un membre (un joueur) ne va pas, le corps (l'équipe) ne va pas. C'est pour faire mieux aller l'équipe que, souvent, on envoie réfléchir un joueur sur le banc ! Tu comprends ? On appelle ça le forcer à retrouver sa motivation... La preuve que ça marche, tout le monde disait que Marc Gagnon était fini. Tu vois? Depuis qu'il est motivé, il joue à deux cents pour cent!

Jimmy me regarde à la fois pacifié et admiratif.

J'avais dragué Normand au cinéma. Sa mèche verte dressée sur sa tête blonde et ses vêtements si bien déchirés, son côté punk chromé, m'ont attirée. Il a relevé le menton et m'a dit: «C'est quoi ton nom? — Marie-Louise, que j'ai répondu, mais tu peux m'appeler Marilou!»

Il m'a suivie à l'appartement (Suzie n'était toujours pas revenue de Trois-Rivières).

J'aime les maigres dans son genre. Muscles nerveux, malhabiles, peau tiède. J'avais surtout le goût de faire l'amour...

Malheureusement, le petit Normand manquait nettement d'expérience. L'aventure n'a pas été aussi riche en gain d'ondes positives que je l'espérais. Un peu court aussi. Enfin, on ne peut pas faire mouche à tout coup!

Puis le drame (c'est-à-dire Pierre) est arrivé.

Je ne l'attendais pas, il va sans dire! Le petit Normand non plus (sans slip, encore tout rouge de son orgasme). Pierre a frappé, s'est énervé (j'étais empêtrée dans ma robe de chambre). Finalement, j'ai ouvert. Il a failli sauter à la gorge de l'autre, l'apostrophant de verte façon. Une vraie crise de jalousie! (le pauvre ne savait plus où se mettre).

Ensuite, Pierre s'est tourné vers moi et m'a abreuvée d'injures!

Je n'ai pas eu le temps de répliquer qu'il avait déjà claqué la porte en blasphémant comme un diable!

Quand Gilles Guilbault m'a dit au téléphone: «Jacques? Qu'est-ce que tu fais de Pierre Lambert? On se prive d'un bon joueur, tu sais?» j'ai failli me fâcher.

J'en avais assez entendu sur le compte de Lambert aujourd'hui! J'ai répondu à Guilbault: «Gilles, ne va pas plus loin! N'ajoute rien! Je vais te le dire, Lambert revient au jeu demain, à Toronto!»

J'ai précisé: «Ce n'est pas parce que tu le demandes, mais parce que le temps est venu et, surtout, parce que je viens de le décider! As-tu autre chose à me dire?»

Il a raccroché en bafouillant des remerciements et des salutations.

ENFIN UNE BONNE NOUVELLE

Je n'ai pas fermé l'oeil de la nuit. Villeneuve, le capitaine de l'équipe, ouvre le sien (morne) et me demande, la voix rauque: «Denis... dis-moi donc quelle heure qu'il est?» Je réponds: «Six heures et vingt.» Il se rencoigne dans sa banquette en bougonnant: «Maudite organisation! Nous faire voyager toute la nuit pour sauver un motel!»

Le jour se lève. À côté de la route, entre cahots et courbes, un fossé se déroule à toute vitesse. Au loin, dans une lumière tiède, le frimas cristallise les collines. De la brume dort au pied des arbres qui n'ont pas l'air d'avoir chaud, effeuillés, presque nus, figés dans le grand matin frais.

Décembre dans le Maine.

Aujourd'hui, avec les Saints, un match nous attend à Rochester. Je n'ai pas envie de jouer. Juste le goût de m'en aller, n'importe où! M'écouter, je m'en irais au bout du monde pour ne plus jamais revenir! Pour toujours... À quoi bon vivre comme avant, si Suzie n'est plus là?

Ce matin, l'avion pour Toronto nous attendait sur la piste de l'aéroport de Québec. Toute l'équipe était là, bien pomponnée, cravatée, vestonnée, bagage en main.

Mercier s'est approché de moi et m'a demandé: «Pierre (c'était la première fois qu'il m'appelait autrement que "Lambert"), j'espère que ta blonde prend pas trop mal ça, la mort de son père!»

J'ai d'abord été surpris qu'il m'adresse la parole. Je l'ai été davantage par la suite: «Pierre, a-t-il répété, tu remplaces Rick Harvey demain soir! Il est sur le carreau pour deux semaines au moins. Je compte sur toi, comme au début de l'année!»

Je me confondais en remerciements en gesticulant. Il a ajouté : «Et puis, fais comme tout le monde, arrête donc de me dire "vous"...»

J'ai failli m'évanouir! Moi, le petit gars de Trois-Rivières, moi le «flot» de vingt ans, tutoyer Jacques Mercier? Je sais, ça peut avoir l'air niaiseux, mais ça m'a fait autant plaisir que le jour où j'ai porté, en public, mon premier pantalon!

En montant à bord de l'appareil, par des cris d'Indien, j'ai annoncé à Linda Hébert mon retour au jeu.

Elle m'a répondu en souriant : «Si tu avais lu *Le Matin* d'aujourd'hui, Pierre, tu l'aurais su en te levant!»

J'ai tout raconté à maman. Enfin, presque tout. Ma rupture avec Denis et mon histoire avec un homme marié de trente-trois ans.

«Tu veux dire, Suzie, que tu es amoureuse d'un homme marié, deux fois plus vieux que toi?»

Elle n'avait l'air ni scandalisée, ni fâchée. Elle me regardait, incrédule. «Je le connais?»

J'ai répondu : «D'une certaine manière oui! Mais Pierre le connaît bien, lui; c'est même pour ça qu'il est toujours sur mon dos!»

Maman a tiré vers moi *Le Nouvelliste* qui traînait sur la table, l'a ouvert à la page des sports : «C'est lui?» a-t-elle dit en désignant du doigt une photo de Marc Gagnon.

J'ai éclaté en sanglots dans ses bras.

Une fois en vol, je me suis plongé le nez dans l'article de Linda.

Décidément, c'était ma journée de fête! Elle me couvrait de fleurs et d'enthousiasmantes prédictions. Je suis allé la remercier.

« Je pense vraiment tout ce que j'ai écrit, Pierre! » qu'elle m'a dit.

On s'est serré la main pour enterrer notre chicane. Dans la folie du moment, je lui ai même promis, si je comptais un but demain soir dans les filets du Maple Leaf, une entrevue exclusive!

Les gars nous écoutaient des sièges voisins. On s'est moqué. Les réconciliations ont un petit côté gênant qui les rend drôles.

Nous avons ri.

Pour le déjeuner, l'autobus s'est arrêté dans un snack-bar. J'en profite pour téléphoner à Québec. Marilou m'annonce la mort du père de Ginette. « Suzie est chez sa mère, Denis! » J'appelle aussitôt à Trois-Rivières.

« Allô? Suzie? Je t'appelle du Maine . . . Je suis dans une cabine . . . Comment ça va? — Ça va bien, mais j'aurais aimé mieux que tu ne m'appelles pas tout de suite ! Denis, laisse-moi tranquille pour un petit bout de temps, O.K. ? »

Je lui ai demandé pardon pour ma crise de l'autre soir à Québec. Je l'ai suppliée de ne pas me laisser tomber comme ça... J'ai haussé le ton.

Elle m'a crié par la tête : « Laisse-moi tranquille, Denis ! Laisse-moi tranquille ! »

Fini. C'est fini.

Elle a raccroché...

J'avais décidé d'être sage ce soir et de respecter le couvre-feu. La partie de demain contre Toronto, c'est très important pour moi. Je reviens sur la glace. Mercier me fait confiance. Il ne faut pas que je gaspille ma chance.

À notre descente d'avion, on nous a conduits à l'hôtel. J'ai soupé, ensuite je me suis rendu au bar avec quelques gars : Michel Matthieu, Broadshaw, Champagne. Nous sirotions nos bières en jasant, jetant de temps à autre un oeil au téléviseur, quand, vers minuit, Marc Gagnon est arrivé en traînant avec lui une poulette blond platiné et quelques verres dans le nez.

Il s'est approché de moi : « Lambert ! Je te présente Belinda ! (L'autre a miaulé du "Hi".) Elle n'a pas beaucoup de cervelle, mais regarde-lui les boules ! Ça ne sera jamais ta soeur Suzie, hein le beau-frère ? Mais, elle, elle suce ! »

En un éclair, j'ai vu rouge. Mon poing est de

lui-même allé frapper Marc Gagnon en plein sur la gueule !

Il s'est écrasé sur le tapis, abasourdi. À ses côtés, Belinda caquetait d'affolement.

Il y a eu un moment de brouhaha autour, mais Champagne a tout arrangé.

Le calme revenu, nous sommes sortis pendant que Gagnon se remettait sur pied.

Je suis rentré à ma chambre pas mal malheureux.

Si Mercier venait à apprendre ce qui s'est passé . . .

Si les journalistes . . .

J'en ai la chienne au ventre !

SIXIÈME CHAPITRE

LE COMMENCEMENT
DE LA FIN

LE NATIONAL S'AFFAISSE

À une heure et demie du matin, j'ai réuni dans ma chambre d'hôtel les joueurs qui avaient été témoins de l'accrochage entre Lambert et Gagnon: Gilles Champagne, Gary Bennett, Steve Broadshaw.

Champagne s'est écrié: «Robert! La meilleure manière de régler ce problème-là, c'est de s'arranger pour que Lambert ou Gagnon parte!»

J'ai répondu que si on voulait se rendre à la Coupe, on avait besoin des deux! On a encore la moitié de la saison à faire. Si le club va de travers, on risque de se retrouver les derniers de la division. Guilbault et Mercier vont nous juger. Tous autant que nous sommes, toi Gilles, toi aussi Steve, toi Gary, moi aussi, il ne nous reste plus beaucoup d'années à jouer. Est-ce qu'il y en a qui veulent gâcher la fin de leur carrière avec le National?

Les gars sont restés silencieux. Puis, Champagne a repris: «Bob, c'est pas bête ce que tu nous proposes là! Il faut essayer d'arranger nos affaires nous-mêmes. Surtout, ne pas laisser les journalistes patauger là-dedans!»

On s'est donc entendus pour une stratégie commune.

Chacun est ensuite retourné dans sa chambre. Tel que convenu, je suis allé trouver Linda Hébert et Lucien Boivin. Je leur ai raconté tout ce qui s'était passé. Puis j'ai exigé leur silence. Je les ai suppliés de laisser la vie privée de Lambert et de Gagnon tranquille un petit bout de temps.

«Tu veux nous empêcher de faire notre travail, Robert Martin? C'est bien beau de se taire, mais qu'est-ce que tu nous offres en échange?» m'a lancé Linda.

Tout ce que j'avais à offrir, c'était ma parole d'honneur que jamais aucun autre journaliste n'apprendrait quoi que ce soit sur l'affaire.

Linda s'est promenée de long en large, hésitante, fascinée par la belle occasion de pondre un papier incendiaire.

Finalement, elle m'a dit: «Tu as ma parole! (J'étais soulagé!) Mais souviens-toi, Robert Martin, que s'il fallait que ça sorte d'une autre source que nous trois ici, j'écris un article qui va mettre fin à ta carrière! Compte sur moi!»

Ses yeux flambaient.

J'ai répondu: «Ça ne sortira pas, Linda! Juré, craché!»

Depuis que je suis levé, mon altercation avec Marc Gagnon m'obsède. Mercier doit tout savoir à l'heure qu'il est, les journalistes aussi ... J'ai des papillons dans l'estomac.

Je suis descendu à la salle à manger de l'hôtel. En passant la porte, Robert Martin m'entraîne vivement dans un coin : « Pierre ! Je veux te parler une minute ! » Une seconde plus tard, Marc Gagnon, l'oeil gauche bien amoché, fait son entrée. Aussitôt Robert Martin l'attire vers nous. Comme deux chevaux rétifs, il nous force à rester à ses côtés : « Votre vie privée, nous siffle-t-il entre ses dents (plus loin, à leur table, les journalistes nous observent), ça vous regarde ! Mais là, c'est l'existence de l'équipe que vous êtes en train de mettre en danger ! Ça fait que votre linge sale, arrangez-vous donc pour le laver en famille ! Hier soir, il ne s'est rien passé, O.K. ? Les joueurs sont d'accord. Les journalistes aussi. Il ne reste que vous deux. Je veux votre parole ... »

Gagnon n'osait pas me regarder. Moi non plus. Robert Martin a insisté : « C'est d'accord ? » J'ai fait oui de la tête et Gagnon a grogné. Martin lui a demandé : « Compris Marc ? » Après un moment d'hésitation, il a acquiescé en bougonnant.

André Simon est venu vers nous, Lulu et moi, tout énervé : « Veux-tu me dire ce qui se passe, Linda ? Tout le monde a une face de carême, ici dedans ! »

Je ne savais pas quoi répondre. Lulu est venu à ma rescousse : « Toujours la même chose, André, quand le National traîne de la patte, on porte le deuil ... »

André Simon a écarquillé les yeux : « Tu as vu l'oeil de Marc Gagnon ? Tu veux rire de moi, Lulu ? »

Lucien a paru très embarrassé. Il a rougi. J'ai

vivement ajouté à sa place: «Ne t'en fais pas, hier soir Marc Gagnon est entré dans une porte!»

André Simon m'a dévisagée. J'ai ajouté, en rougissant malgré moi à mon tour: «Je t'assure, André, c'est bien vrai! Marc Gagnon s'est cogné le nez contre une porte...»

Il a fait la moue: «Deuil mon oeil!» Il s'est éloigné, visiblement incrédule et très mécontent.

Guilbault et moi avions regardé la partie contre les Leafs de Toronto, à la télévision.

«Sacrament, Luc! Sacrament!» ne cessait de répéter Gilles, effondré, devant les commentaires de l'analyste: «Comment expliquer cette humiliante défaite, six à un, contre l'une des pires équipes du circuit? Franchement, je pense que les joueurs du National auraient mieux fait de rester chez eux! Ils n'avaient pas de vie, pas de coeur, pas d'âme... Le retour au jeu de Pierre Lambert n'a pas changé grand-chose! J'ai l'impression que les révélations qui ont filtré dans les journaux, récemment, concernant les problèmes internes de l'équipe, peuvent expliquer en partie une tenue aussi lamentable...»

Guilbault a fini par se choquer: «Luc, sacrament! Ça ne peut plus continuer comme ça! Ces gars-là arrivent à Montréal demain matin. Ils ont une grosse partie à jouer demain soir contre le Tricolore, et une autre contre Boston à Québec dans quelques jours. Il faut que tu leur parles. C'est toi leur agent...»

J'ai répondu que j'étais leur agent, oui, mais pas leur mère!

« Laisse-moi te dire que si on perd demain soir, c'est toi qui vas brailler après ta mère ! »

J'ai essayé de le calmer en lui disant que ce n'était pas la première fois que des problèmes comme ceux-là surgissaient, qu'on s'en était toujours bien tirés et le reste...

Il n'a rien voulu savoir : « Une de trop, Luc ! Sais-tu ce qu'il est en train de faire, ton ti-cul de Trois-Rivières ? Il est en train de couler sa carrière ! J'ai déjà été assez patient comme ça ! »

Il a éteint son cigare.

Ginette est venue me rejoindre à Québec et, de là, nous avons pris l'autobus pour Montréal. À trois heures, Marc nous a recueillies au terminus.

« Suzie, as-tu vu ton Marc avec ses verres fumés ? On dirait qu'il a peur d'être reconnu... — Marc n'a pourtant pas l'habitude de se cacher de ses fans, ai-je dit, surprise. »

Nous avons couru vers lui. Je l'ai embrassé en soulevant ses lunettes. Son oeil gauche était tuméfié, tout noir. J'ai demandé ce qui lui était arrivé.

« Je suis rentré dans une porte ! » m'a-t-il répondu sèchement. J'ai voulu savoir où, mais mon insistance a paru l'embarrasser. Au même moment, un admirateur est venu vers nous, quémander un autographe : « Moi, le National, ce n'est pas mon club, mais toi, Marc Gagnon, je te trouve bon pareil ! Lâche pas ! »

Marc a souri faiblement en signant, puis l'autre s'est éloigné. Nous nous sommes dirigés rapidement vers le stationnement.

Parvenus à la voiture, Marc s'est exclamé, à l'intention de Ginette: «Comme ça, je suis pris pour transporter la blonde de Pierre Lambert?»

Ginette a enchaîné joyeusement: «J'ai toute une nouvelle à lui annoncer à part de ça! — Après la volée que vous avez mangée hier soir, ai-je ajouté, ça va lui faire du bien!»

Il n'y a eu que Ginette et moi pour nous trouver drôles...

«Moi, je ne peux plus rien faire, Gilles, me dit Jacques Mercier, le regard vide, au bout de son rouleau, il faut qu'il y en ait un qui parte! — Échanger Gagnon? Jamais! que je lui ai dit. C'est notre plus grosse assurance! Je ne veux pas me faire crucifier!» Mercier s'est tu et m'a regardé: «Fais sauter Lambert!»

À mon tour, je me suis tu, puis j'ai repris: «Voyons, Jacques! Penses-y! C'est pas mieux! Gagnon tire à sa fin, tu le sais comme moi; Lambert, c'est la relève!»

Il ne fallait quand même pas brûler ses vaisseaux!

«On a une partie à gagner ce soir contre Montréal! a-t-il répliqué en se levant. Une autre à Québec, samedi, contre Boston! L'atmosphère est pourrie! Les gars sont divisés, les pro-Lambert, les pro-Gagnon... Si on se fait planter ce soir à Montréal et à Québec demain, je ne vois pas comment on va se relever. Si tu avais agi il y a deux semaines, aussi!» Il arpentait la pièce.

J'ai encaissé le coup, le temps d'allumer un cigare: «Toujours des histoires de femmes, Jacques! ai-je soupiré. Pour Lambert, je vais faire certains téléphones... À moins que les mineures... Chicoutimi, peut-être... c'est pas mal bon pour remettre un gars sur le piton! — Fais comme tu voudras Gilles, mais fais ça vite! a-t-il répliqué derrière mon écran de fumée.»

La moutarde m'est carrément montée au nez: «Toi aussi, il faut que tu fasses vite! Pas question de perdre ce soir! Arrange-toi comme tu voudras! Sors tes livres de psychologie! Pour le reste, donne-moi donc trente-six heures, veux-tu!»

Il est sorti en grognant.

Je venais d'annoncer à Pierre que j'avais décidé, après l'enterrement de papa, d'aller enfin vivre avec lui à Québec. Il ne m'avait manifesté qu'une joie très mitigée.

Autre chose, visiblement, le préoccupait. J'ai demandé à savoir.

«Je vais tout avoir encore sur le dos, Ginou, je le sens!» J'ai exigé des détails.

«Je sens que le Tricolore va nous laver ce soir et que Mercier va me mettre ça sur le dos encore une fois! — Paranoïaque! que je lui ai lancé.» Il a crié: «C'est pas de la paranoïa, c'est Marc Gagnon! C'est à cause de lui si je n'arrive plus à me concentrer, lui, et ma maudite folle de soeur!»

J'ai trouvé qu'il y allait un peu fort. Il est monté sur ses grands chevaux: «Il y a toujours un maudit bout, Ginette! Ma soeur couche avec le gars qui est en train de détruire ma carrière! Faudrait que ça ne me dérange pas?»

J'ai répliqué à bout de nerfs: «Elle l'aime, Pierre! Es-tu capable de comprendre ça? Sais-tu ce que c'est que l'amour? As-tu déjà été amoureux, toi?»

Il s'est tu.

«Tu n'as même pas remarqué que je portais une robe neuve, seulement!» ai-je rajouté.

Il m'a regardée, sidéré.

J'ai profité du silence pour laisser glisser ma robe à mes pieds. Il n'a pas bronché.

«C'est comme ça que tu traites Marilou? lui ai-je lancé comme une flèche. (Il a froncé les sourcils.) — Qu'est-ce que tu veux dire? Sa voix tremblait légèrement.»

Je lui ai raconté ce que Suzie m'avait appris à leur sujet: «Je ne suis pas folle, tu sais, Pierre! (je n'avais aucune aigreur dans la voix). Je comprends bien des choses ... Je veux juste savoir si tu l'aimes encore, Marilou?»

Pour toute réponse, il m'a prise dans ses bras.

J'ai dit: «Je vais te laisser, va prendre ta marche! Il faut que tu sois en forme pour gagner ce soir, c'est très important!»

Nous nous sommes embrassés et il est sorti.

Marc a fait une folie: nous voici dans la plus luxueuse des suites du Ritz. Immense. Insensée de confort, d'or, de cristal et d'argenterie. Devant nous, le champagne est ouvert. Nous avons bu.

Il m'embrasse. «Je suis fou de toi, Suzie! Fou à lier! — Ah! lui dis-je, j'aimerais tellement que vous gagniez ce soir pour faire taire toutes les mauvaises langues qui sifflent comme des serpents après vous autres! — Tu te souviens du but que j'ai compté pour toi, la dernière fois? Ce soir, je t'en promets deux, peut-être trois!» Il m'embrasse. Je tremble comme une feuille au vent. Ses mains glissent sous mon chandail, ma jupe se défait; mes mains le désirent, sa chemise s'ouvre, son pantalon tombe... Je lui souffle à l'oreille, entre deux caresses: «Je t'aime, Marc! Je t'aime. Je t'aime tellement que ça fait mal!»

Dans la mer d'un lit à baldaquin, nous sombrons.

LE REPOS DU GUERRIER

Ça fait dix minutes que j'essaie de rejoindre Émile à Los Angeles: «Sorry Mr. Guilbault, Mr. Livak is not here... Try at home.»

J'appelle à la maison, il y est. Je l'attends. J'ai une proposition à lui faire.

Suspendu au bout du fil, je regarde mon pauvre Jacques Mercier se débattre comme un diable dans l'eau bénite, devant le micro d'un interviewer, à la télévision.

«Je pense qu'il ne faut pas paniquer, Lionel. Deux défaites de suite. Six à un, contre Montréal, oui, ça fait mal... Mais la saison est encore jeune! Le National a de trop bons joueurs, qui ont du coeur, pour ne pas rebondir!... Il est certain qu'au cours des prochaines heures, nous allons réévaluer notre personnel et, sans vous donner de noms publiquement, vous pourriez avoir quelques surprises samedi à Québec...»

Enfin, Émile s'est présenté au téléphone: «Hello?» J'ai dit: «Hello Émile! Still sunny in Los Angeles?» Nous avons bavardé de choses et d'autres et je lui ai finalement demandé s'il avait eu le temps de réfléchir à mon offre d'échanger Pierre Lambert contre Mike Flynn...

Comme il n'arrivait pas à se brancher, j'ai dit que je le rappellerais de mon bureau à Québec, demain.

J'ai dit à Jacques que je ferais certains téléphones. Je tiens promesse...

On venait de monter à bord de l'autobus qui nous ramenait à Québec, tout de suite après la partie (perdue) contre Montréal. Nounou faisait le décompte, pour s'assurer de la présence de tout le monde : «Il m'en manque un ! s'est-il écrié, j'ai dû me tromper !» La commère à Champagne lui a tout de suite répondu : «Tu ne t'es pas trompé Nounou ! Marc Gagnon couche à Montréal. Ouais ! Regardez les gars, il ne s'ennuiera pas cette nuit !»

En jetant un coup d'oeil dehors, j'aperçois ma soeur Suzie en train d'embrasser Marc Gagnon.

Les sifflets admiratifs ont râpé mes nerfs et j'ai senti mon sang battre à mes oreilles.

«Aïe, le Chat ! lance Champagne en ma direction, c'est ta soeur ça, avec Marc ? Une belle chatte ta soeur... Toute une famille ! Un chat, une chatte... ta mère doit être une sacrée minoune !»

C'est simple, je l'aurais égorgé !

«Ferme donc ta gueule si tu n'as rien à dire !» lui ai-je lancé, hors de moi.

Jacques Mercier s'est tourné vers nous, l'air très contrarié. Je l'ai entendu dire à Phil Aubry, son adjoint : «Ils ne perdent rien pour attendre ! Je leur réserve un chien de ma chienne, moi, demain à la pratique ! Je te garantis qu'il y en a qui vont perdre du poids et des plumes !»

J'aurais voulu disparaître au creux de mon fauteuil...

☆

À neuf heures, le garçon d'étage a frappé doucement à la porte de notre suite au Ritz. Je me suis levé en essayant de me dégager de Suzie sans la réveiller et je suis allé ouvrir.

Le petit déjeuner, accompagné d'une bouteille de champagne (tel que demandé) est entré sans bruit. J'ai renvoyé le garçon. L'instant d'après, elle sortait de son sommeil, plus resplendissante qu'un soleil en pleine mer. Radieuse. Magnifique. Une déesse. Une princesse.

Elle m'a aperçu. Je l'ai embrassée sur la nuque, puis dans le cou, puis sur les lèvres (du miel sauvage).

Elle a gémi: «Déjà levé, Marc...» Je lui ai rappelé que j'avais un rendez-vous à dix heures avec mon comptable. Un nuage de déception a glissé dans ses yeux.

J'ai tiré de dessous la desserte une grosse boîte. «Pour toi!» lui ai-je murmuré en l'embrassant sur l'oreille. — Oh! Marc! Tu es fou!» Elle est vivement sortie du lit et a revêtu la robe de nuit, véritable feu d'artifice de gaze et de dentelles, que la boîte venait de lui révéler. «Marc! Oh! Marc!» ne cessait-elle de répéter.

Elle rayonnait de joie.

«Pour pas que tu aies froid», lui ai-je dit en goûtant à nouveau à ses lèvres d'abricot...

J'ai ouvert, c'était Nicole Gagnon, à la porte, encombrée d'un gros sac: «Tiens, Ginette! Des croissants, de la confiture, du fromage, de la crème et... une bouteille de champagne!»

Elle venait déjeuner à l'appartement. Je lui ai expliqué que Pierre dormait encore, que nous étions rentrés très tard.

«Le mien est resté à Montréal, a-t-elle lancé tristement. Il devait rencontrer son comptable ce matin... Mon oeil!» Elle a soupiré. Je l'ai fait entrer.

«On aurait dit que je t'attendais, Nicole! lui ai-je dit en l'invitant à s'asseoir, le café est prêt!»

Elle n'écoutait pas. Elle a débouché le champagne, en a versé dans sa tasse, et son monologue s'est poursuivi: «J'ai passé la nuit debout, Ginette... Moi, quand je suis seule dans mon lit, je trouve que ça ne vaut pas la peine de dormir... Si ce n'était pas des enfants, je pense que je partirais... Je laisserais Marc courir après sa dernière flamme... La mienne est sur le point de s'éteindre... (le ton a changé, brusquement). Des fois, Ginette, j'aurais tellement le goût de retrouver Marc comme autrefois, quand il n'était pas une vedette, quand il avait la tête de monsieur tout le monde sur les épaules... Tu sais, Ginette, ce n'est pas la première crise qu'on traverse...»

Je me tais. Nicole a les yeux pleins d'eau. Elle a vidé sa tasse, y verse du champagne à nouveau.

«Vous allez être bien ici tous les deux... (elle remplit la mienne). Michel Matthieu est déjà parti? — Non, ai-je répondu, il pensionne chez Paul Couture en attendant de se trouver un autre chez-soi...»

Elle s'interrompt, boit à grandes gorgées. Je la sens lutter avec sa douleur. Une pause, puis elle éclate: «J'ai trente-quatre ans, Ginette! Je ne me suis pas rendue là pour le laisser s'envoyer en l'air avec une petite vache de dix-sept, dix-huit ans!»

Je me suis approchée, mal à l'aise. En posant mes mains sur ses épaules, les larmes qu'elle réprimait se sont mises à couler.

«Le pire, a-t-elle repris entre deux sanglots, c'est que je fais rire de moi partout dans mon dos. Tout le monde la connaît, la petite vache! J'ai hâte qu'on me la présente!» J'ai frémi. L'image de Suzie m'est venue à l'esprit. J'ai senti mon secret plus lourd qu'un manteau de plomb.

À ce moment-là, Pierre est apparu dans l'embrasure de la porte. Nicole s'est essuyé les yeux du revers de la main.

Pour camoufler le trouble qui m'envahissait, j'ai dit à Pierre: «Tu viens boire un peu de champagne avec nous, c'est Nicole qui l'offre!»

Nicole a souri vaguement. Pierre s'est avancé. Nous avons bu tous les trois en silence.

Le petit déjeuner terminé, le téléphone a sonné. C'était Luc Sigouin qui s'annonçait. Marc m'a demandé: «Tu es certaine, Suzie, que ça ne te fait rien que Sigouin te voie ici avec moi?»

J'ai avoué que la chose m'énervait, mais que je ne pouvais tout de même pas me cacher toute ma vie! Il n'y a pas de mal à s'aimer! On s'est embrassés. «Marc, ai-je murmuré, je ne peux pas te toucher sans voir des étoiles! Je t'aime...»

On a frappé. Marc a ouvert.

«Suzie! Qu'est-ce que tu fais ici?» s'est écrié Sigouin en entrant. Ses yeux, incrédules, me détaillaient de la tête aux pieds. Malgré moi, j'ai rougi. Marc est intervenu: «Luc, où est-ce qu'il est ton fiscaliste?» L'autre a rougi à son tour, visiblement malheureux.

Nous sommes sortis, Marc et moi, suivis de Luc. Dans mon dos, je le sentais me couvrir de reproches.

☆

En apercevant Suzie avec Marc Gagnon, mon sang n'a fait qu'un tour!

Après la signature des papiers dans le bureau de maître Hébert, l'expert-fiscaliste que j'avais déniché pour régler ses problèmes d'impôt, je me suis trouvé seul avec Marc. Sa liaison avec la soeur de Pierre Lambert m'écoeurait littéralement. Je l'ai traité d'inconséquent.

Il m'a répliqué: «Je vais te dire, Luc Sigouin, pourquoi tu perds ton temps avec un inconséquent comme moi! Parce que mon contrat d'un million deux cent mille, il te rapporte cent vingt mille piastres! C'est beaucoup d'argent, ça! Surtout quand on a pas besoin de manger des coups de hockey dans la face pour le gagner!»

Il m'aurait giflé que ça ne m'aurait pas fait meilleur effet: «Cent vingt mille dollars pour ramasser tes ordures, ce n'est pas encore assez cher, Marc Gagnon! Tu es dégueulasse!» C'est ce que j'ai rétorqué, les narines frémissantes. J'ai poursuivi: «Tu peux sauter toutes les filles que tu voudras, mais pas Suzie! Pas la fille de Maroussia! Elle vient à peine d'avoir dix-huit ans!»

Marc s'est raidi : « Mêle-toi de tes oignons, Luc Sigouin! Si tu avais des couilles, il y a longtemps que tu te la serais tapée, la Maroussia! Si la mère baise comme la fille, tu ne sais pas ce que tu manques! (Je me suis retenu à deux mains pour ne pas lui sauter au visage!) Ta gueule, et écoute-moi bien, maître Sigouin! Je ne pourrai pas être à la pratique cet après-midi, compris? J'ai mieux à faire! (J'ai exigé des explications, il m'a coupé.) Tu vas téléphoner à Gilles Guilbault! Invente une excuse! Elle a besoin d'être bonne si tu veux mériter ton argent! »

Il est sorti sans entendre mes protestations.

La période de réchauffement venait de commencer au Colisée. Lucien Boivin s'amène et me demande : « Sais-tu ce qui se passe avec Gagnon, Linda? On ne l'a pas vu encore... »

Ce qu'on pouvait voir, par contre, c'était Goldman et Guilbault qui gesticulaient à qui mieux mieux, les traits tirés, auprès de Jacques Mercier, appuyé contre la rampe de la patinoire, l'air sombre.

Je me suis approchée. Guilbault disait à Mercier : « Sigouin vient de m'appeler. Un problème de char, ça a l'air... Tu voulais qu'on se débarrasse du petit Lambert, Jacques! J'ai tout annulé! Il n'y aura pas d'échange! J'ai rappelé Émile... c'est décidé! » Se rendant compte de ma présence, il a ajouté, manifestement à mon intention : « Laisse-moi lui régler son problème de char, Jacques! (Il a haussé le ton). Toi, arrange-toi donc pour que les journalistes ne posent pas trop de questions, O.K. »

Je suis allée retrouver André Simon et Lulu qui discutaient ferme dans leur coin.

Allan Goldman était en maudit! «Si un seul de mes endosseurs, tu m'entends, Gilles, si un seul apprend comment ça marche, le National, tu perds ta job et moi je me retrouve le cul sur la paille! C'est ça que tu veux?»

Je ne savais plus quoi répondre; à cause de Marc Gagnon, le sang commençait à bouillir dans mes veines... Je suis allé me renfermer dans mon bureau.

André Simon, le commentateur de CKLT, le grand-prêtre des rumeurs, docteur ès commérages, m'a regardée comme si je descendais à l'instant d'une soucoupe volante, choqué de se faire prendre pour un imbécile. «Voyons donc, Linda! une Ferrari, ça ne tombe pas en panne comme ça! Qu'est-ce que vous avez Lucien et toi, Guilbault, tout le monde, à tant protéger Marc Gagnon? Attendez que j'appelle le concessionnaire de Ferrari en ondes!»

Lulu s'est dépêché de répondre: «As-tu fini de niaiser, André Simon? Tu sais bien que c'est une histoire inventée, tout ça!... La vraie, c'est que le National est en troisième position! Une autre défaite contre Boston samedi et il tombe en quatrième. Qu'est-ce que ça nous donnerait de jeter de l'huile sur le feu, hein?»

J'ai repris, à la suite de Lulu: «C'est vrai, André, comme disent les Français, qu'est-ce que ça nous donnerait de tirer sur l'ambulance?»

Simon m'a dévisagée : «Toi, Linda Hébert, je ne te reconnais pas! — Moi non plus! ai-je soupiré.»

Au même moment, Mercier a sifflé. Tous les joueurs se sont regroupés autour de lui, au centre de la patinoire, pour le sermon quotidien.

Je suis descendue la première, suivie de Lulu et Simon qui déblatéraient encore.

«Les gars! criait Mercier, faut améliorer notre *power play*... Manque de nerfs! Lambert! (Pierre a lancé un "qu'est-ce qu'il y a?" soucieux.) Nos attaques massives manquent de punch. À partir de demain, c'est toi qui vas jouer à l'aile!»

Lulu et Simon se sont tus, intéressés par les propos de Mercier. Lambert a demandé : «À la place de Steve? — Non... a dit Mercier avec une hésitation dans la voix. À la place de Marc Gagnon!»

Nous sommes restés tous trois figés sur place!

LA LUNE DE MIEL

Étendu à mes côtés sur notre lit de satin, dans notre suite au Ritz, Marc m'a dit : «Suzie, je viens de passer les deux plus belles journées de ma vie!» J'ai éclaté en sanglots, tellement ça m'a émue.

«Tu sais, c'est la première pratique de hockey que je manque de toute ma carrière! Pour toi!» Et c'est reparti de plus belle ! J'ai pleuré comme une Madeleine. Ensuite, on a ri.

On a fini la dernière bouteille de champagne.

Je me suis souvenue que maman inaugurait sa nouvelle boutique ce soir, alors j'ai invité Marc ; je lui ai même offert d'investir de l'argent dans l'affaire. Un nuage est passé dans le vert de ses yeux. Je pense qu'il a eu peur, pendant un moment, que maman nous voie ensemble.

Je lui ai dit qu'elle était au courant de notre relation depuis quinze jours. Ça l'a rendu nerveux.

Notre liaison n'est pas chose facile, c'est vrai. Il y a Nicole, sa femme, ses enfants, sa carrière, son nom, son image . . . et la mienne en plus.

Il a paru tout à coup fatigué et s'est mis à parler de retraite !

« Voyons Marc ! À trente-trois ans, tu es encore dans la fleur de l'âge ! » que je lui ai dit. Je sais ce que c'est que « la fleur de l'âge », j'ai pu le vérifier la nuit dernière !

« En tout cas, une chose est sûre (il m'enlaçait), tu n'es pas allé à la pratique au Colisée ce matin, d'accord, mais je peux garantir que tu as fait tous tes exercices, et même plus, quand même ! »

Nous avons ri en nous dévorant de baisers.

À nouveau, nous avons sombré dans le plaisir . . . profond, profond.

☆

Nous étions une vingtaine d'invités (Madame Lambert et Albert Simard, bien sûr, Pierre, Hugo, Marilou, plusieurs membres de la coopérative et leurs enfants dont Wilka — la première flamme d'Hugo — et sa mère Martha Simonovitch, tous réunis à Québec dans la nouvelle boutique Maroussia Lambert, fraîchement peinte, décorée, aménagée, remplie de robes, de jupes, de blouses, de tailleurs et de manteaux. Il ne manquait plus que Suzie qui venait de prévenir de son retard.

«Ginette! me dit Madame Lambert, voudrais-tu sortir le vin, s'il te plaît...»

Je suis allée au fond du local où Pierre et Luc Sigouin argumentaient. Au bout de quelques phrases, j'ai compris qu'ils dressaient des plans pour contrecarrer les amours de Suzie et de Marc (ils voulaient mettre Madame Lambert sur un pied de guerre). J'ai senti mes nerfs piqués à vif!

Je me suis écriée: «Une affaire de coeur ça ne se traite pas comme un contrat d'avocat! Les affaires de Marc et Suzie ne regardent qu'eux seuls. Personne n'a le droit de s'en mêler! Au début, quand j'ai commencé à sortir avec Pierre (avant d'apprendre qu'il jouait au hockey), mon propre père ne voulait pas en entendre parler! Tu vois ce que ça a changé! — Nous autres, au moins, a rétorqué Pierre, on était du même âge!»

J'ai bondi: «Non mais! Entendez-vous ça? Vous autres les hommes, vous êtes toujours prêts à régler à leur place les affaires des autres! Laissez donc le monde tranquille! Vous avez le don d'inventer des prisons et des chaînes avec votre morale et votre bon droit! Fichez-nous donc la paix une fois pour toutes! Mêlez-vous de vos oignons!»

196

J'ai ramassé mes deux bouteilles de Codorniu et j'ai filé en coup de vent.

En arrivant à Québec, j'ai laissé Suzie à quelques pas de la nouvelle boutique de sa mère et j'ai atterri au Saint-Germain, dans mon coin discret.

«Ça fait longtemps qu'on ne t'a pas vu, Marc? s'est écrié Richard Saint-Germain, le propriétaire des lieux. Es-tu déménagé chez l'Italien d'en face? Comment?»

Il s'est inquiété de ma Ferrari. Je lui ai demandé d'où il tenait le renseignement: «D'André Simon, ce midi, à CKLT!» J'ai admis que ma Ferrari roulait comme une neuve. «C'est moi qui me sens essoufflé comme un vieux!» lui ai-je avoué.

L'envie de parler de Suzie me démangeait comme une piqûre de maringouin. J'ai ajouté: «Toi, Richard, qu'est-ce que tu ferais si tu t'apercevais que tu es en train de tomber amoureux d'une fille de dix-huit ans? — Je la baiserais une couple de fois et je me sauverais le plus loin possible!»

J'ai soupiré.

«Bien, justement, Richard (ai-je repris), c'est ça mon problème. Je n'ai pas le goût de me sauver! Pas du tout!»

Saint-Germain m'a regardé droit dans les yeux: «Tu joues avec le feu, Marc! — Apporte-moi donc une bière, veux-tu? que j'ai répliqué.»

Pierre a profité d'un moment d'accalmie pour me faire des confidences sur les amours de sa soeur.

«Crois-moi, maman, Marc, c'est le plus bel écoeurant que la terre ait porté!»

Il s'est vidé le coeur. D'après lui, Marc se moque de Suzie. Elle ne serait, pour la grosse vedette du National, qu'un trophée comme les autres.

Je lui ai conseillé d'oublier Marc Gagnon et de songer au bonheur de sa soeur et surtout, en priorité, de penser d'abord à lui. De se préparer, justement, à prendre la place que Marc ne tardera pas à laisser d'ici deux ou trois ans, tout au plus. De s'occuper de son avenir en laissant les amours des autres tranquilles.

Il n'a pas eu le temps de me répondre. Des voix insistaient depuis quelques instants pour que je fasse un petit discours à l'assemblée.

Je me suis laissé convaincre et j'ai abandonné mon fils Pierre à lui même.

Le *party* chez maman s'est terminé vers deux heures du matin. Pierre et Ginette m'ont offert de me reconduire chez moi.

«La place est mince, Suzie! avait dit Ginette. Mais comme tu es mince toi aussi, ça devrait aller!»

Je me suis donc retrouvée coincée sur la banquette arrière de la Mazda de mon frère, prise en sandwich entre des bagages oubliés et les banquettes avant.

Par le rétroviseur, Pierre me jetait de temps à autre des coups d'oeil furtifs.

Après deux journées de paradis avec Marc, je voulais un bonheur total ; les reproches de sa part que j'avais si souvent ressentis, me pesaient. J'ai profité d'un moment de silence pour dire : « Pierre, je voudrais que tu m'excuses, je le sais que je te crée bien des problèmes, mais inquiète-toi pas pour moi ! Tout va bien... »

Il a levé les yeux vers le rétroviseur. À mon image, il a promis qu'il ne se mêlerait plus jamais de mes affaires, qu'il me laisserait tranquille, qu'il comprenait maintenant mes sentiments.

J'ai été touchée. Il a rajouté : « Tu sais, Suzie ! Je veux que tu saches : je t'aime bien gros ! »

Il m'a fait un clin d'oeil plein de complicité et d'affection. J'ai souri de soulagement. Ginette m'a serré le bras.

Une attisée de joie m'a réchauffé le coeur.

UNE SEMAINE CHARGÉE

J'ai passé la nuit blanche à pleurer et à boire mon cognac ; depuis la veille, il gelait dur dehors, les enfants se chamaillaient avant d'aller prendre leur autobus scolaire qui les attendait déjà depuis quelques minutes, je n'avais pas encore bu mon café, j'étais menstruée, bref, je n'étais pas de bonne humeur...

Quand Marc est entré dans la cuisine : « Nicole, câlisse, tu vas t'en occuper de ces enfants-là ? » J'ai serré les dents et j'ai gardé silence.

J'ai mis les enfants dehors, puis je lui ai lancé tout ce que j'avais sur le coeur.

« Penses-tu, lui ai-je dit, que je vais laisser toute la ville de Québec, toute la province même, rire de Nicole Gagnon dans son dos ? J'ai enduré tes folies assez longtemps, Marc Gagnon ! J'espérais toujours que tu t'assagirais, mais non ! Tes histoires de char et de comptable, ça ne prend plus avec moi ! Tu ne rentres plus le soir ! Tu ne me fais plus l'amour (comme si je te donnais mal au coeur), quand tu es deux heures à la maison, c'est pour crier après les enfants ou passer ton temps dans la lune ! J'en ai assez ! Assez ! Tu as une fille en tête, j'en mettrais ma main au feu ! Tout ton visage le crie, Marc Gagnon ! Je te donne une semaine, tu m'entends ?, une semaine, pour renvoyer ta petite vache à sa mère ! »

Il a pâli.

Je suis allée me réfugier dans ma chambre. Dehors, la tempête commençait à souffler. En moi. elle faisait rage...

Il y a des moments où je ne comprends rien aux femmes. Ce matin, comme ça, sans prévenir, Ginette a éclaté en sanglots. Un vrai déluge.

J'ai essayé de savoir si j'étais la cause de sa peine. «Ce n'est pas toi, Pierre! Pas toi!» J'ai demandé pourquoi alors toutes ces larmes? Pour rien. C'était comme ça, parce que ça lui faisait du bien!

Moi quand je pleure, c'est pour quelque chose, il me semble!

Je me suis creusé les méninges pour comprendre ce qui lui arrivait! J'ai eu beau fouiller, je ne suis pas parvenu à toucher le fond de la raison, le bout de la queue de l'explication de tant de douleur!

J'en ai conclu qu'être femme, c'est peut-être ça: pleurer parfois pour rien?

Je l'ai invitée à venir prendre un bain à la Pyramide, avec Marilou et moi. Elle a refusé.

Suzie est arrivée porteuse d'une invitation au restaurant de la part de maman (pour l'anniversaire d'Hugo). Ginette a séché ses larmes. J'ai renouvelé ma proposition d'aller se plonger tous ensemble dans la chaleur d'un bain salé. Ginette a réitéré son refus: «Arrête de m'achaler avec ton histoire d'ondes cosmiques!»

Suzie m'a glissé, comme je m'habillais: «Vas-y si tu veux, Pierre! Moi, je vais rester avec elle!»

J'ai retrouvé Marilou à la Pyramide. C'est curieux, à chaque fois que j'ai mis les pieds à cet endroit, j'en suis ressorti avec le goût de baiser. Cette fois-ci, tout ce que j'avais en tête, c'était la partie contre Boston!

« Il n'y aurait pas moyen, ai-je demandé à Marilou, d'envoyer des ondes négatives aux Bruins, jusque dans leur vestiaire à Boston? »

Elle a ri: «Pierre! Tu es ici pour relaxer! Essaie de penser à rien! Tiens, pense à moi! — Non, que j'ai répliqué en souriant, il faut qu'à partir de maintenant je ne pense qu'au hockey! J'ai trop traîné la patte ces derniers temps! Il faut que je me redresse si je veux rester avec le National! — Tu n'as vraiment que ça en tête le hockey, hein? s'est écriée Marilou, dépitée. »

L'heure de l'entraînement était arrivée, je me trouvais encore dans mon bureau au Colisée avec mon adjoint Phil Aubry et je filais un très mauvais coton! Les défaites des derniers matchs m'avaient littéralement brûlé.

« S'être fait planter comme ça deux fois de suite, Jacques, ça devrait fouetter les gars un peu, penses-tu? »

J'ai répondu que je ne le savais plus. «C'est l'esprit d'équipe qui fait défaut, Phil! L'esprit d'équipe! Gagnon, on n'en parle pas ... Lambert, on ne sait jamais ce qu'il va faire ... Champagne n'est même plus drôle ... Robert Martin est tellement occupé à régler les problèmes des autres qu'il en oublie de jouer! Et Gilles Guilbault qui ne fait rien! Je ne serais pas surpris de me retrouver au fin fond des États-Unis, moi ... Es-tu prêt à prendre la relève, Phil? »

Il a sursauté: «Jamais de la vie! Les entraîneurs passent, Jacques, mais les assistants restent! »

Nous nous sommes dirigés vers la patinoire, aussi songeurs l'un que l'autre...

J'allais entrer dans le vestiaire quand Phil Aubry est accouru vers moi : «Marc ! Guilbault voudrait te voir avant la pratique !»

J'ai froncé les sourcils et je suis allé me présenter au bureau du directeur général, qui m'attendait, auréolé de la fumée de son éternel cigare.

«Tu as fait réparer ta Ferrari, Marc ? qu'il m'a lancé à peine assis devant lui. — Ouais, ai-je répondu en regardant par la fenêtre la neige souffler en rafale, ça a été long, il n'y avait pas de pièces... — Niaise-moi pas, Marc Gagnon ! a-t-il crié en déposant son cigare. Tu sais aussi bien que moi que sauter une pratique dans notre métier, c'est très grave. Mais faire téléphoner son agent pour se couvrir, c'est couillon ! Je vais te dire une chose : je n'aime pas les couillons !»

J'ai répliqué qu'il ne fallait pas exagérer, que je n'avais quand même pas manqué une partie !

Il s'est levé.

«Non, mais après tout le trouble que tu nous as causé au début de la saison, on ne s'attendait pas à ce que tu nous fasses faux bond ! Mercier ne le prend pas, Goldman ne le prend pas et, moi, je ne le prends pas du tout ! Ça va te coûter une coche ! Une journée de paye plus une amende !»

J'ai répondu en levant le menton : «Tu veux un chèque ou bien tu prends la carte American Express ?»

Il a pâli.

«Écoute, Marc, a-t-il dit en faisant manifestement des efforts pour contenir sa colère, je vais te dire entre quatre murs ce que je pense. Goldman voulait signer un autre contrat de trois ans avec toi. Je lui ai dit d'attendre encore un peu. Vois-tu, moi, j'hésite... Tu n'es pas fini, mais entre toi et moi, tu achèves! Tu courailles trop! Tu ne travailles pas assez!»

J'ai protesté: «Aïe, Gilles! J'ai compté presque autant de buts que la saison passée!»

Il a bondi: «Après? Tu as compté quinze buts, mais tu es pourri en défensive! Tu n'as plus de jambes, Marc! Il faudrait que tu t'entraînes deux fois plus fort et surtout que tu lâches les filles!»

À mon tour, j'ai bondi: «Sacre-moi patience avec tes histoires de filles, c'est ma vie privée, ça! — Tant que tu voudras! Mais c'est pas toi qui vas venir couler le National avec tes folies cette année! C'est clair? Je te donne une semaine pour régler tes problèmes et te remettre en forme!»

Je me suis dirigé vers la sortie.

«Une semaine, Gilles? Ça ne prendra jamais autant que ça, voyons!» ai-je laissé tomber en franchissant la porte.

UNE VRAIE MALCHANCE

On a déposé le gâteau d'anniversaire sur la table avec toutes ses chandelles, treize !

«Tu les souffles avec moi, Pierre?» m'a demandé mon petit frère Hugo en se penchant vers la masse illuminée de glaçage blanc et bleu (aux couleurs du National). Nous avons compté «un, deux, trois !» et d'une seule rafale, nous les avons toutes éteintes.

C'est au Saint-Germain que tout cela se passait, parmi les habitués de la place qui ont entonné avec nous le «C'est à ton tour, mon cher Hugo, de te laisser parler d'amour ! Bonne fête !» Il y avait, outre Hugo et moi, maman (c'est elle qui nous invitait), Ginette, Suzie, l'indispensable Albert Simard et Luc Sigouin, mon agent.

Nous avons trinqué au champagne (Hugo a eu droit à son premier verre de vin !) et maman s'est levée :

«Je vous ai tous invités pour célébrer l'anniversaire de notre cher Hugo (qui rougissait) et aussi pour vous remercier de ce que vous avez fait à l'inauguration de la deuxième boutique Maroussia Lambert. (J'ai poussé un cri de ralliement, les autres ont suivi.) Ce n'est pas tout ! J'ai des billets pour tout le monde pour le match de ce soir contre Boston, derrière le banc du National ! Ce sera la première fois que nous serons tous ensemble pour supporter Pierre !»

Cette fois, c'est Hugo qui a déclenché les cris : «Tu es mieux de nous faire honneur, Pierre !» a-t-il lancé pendant que tous les autres répétaient le même refrain.

J'ai promis de rapporter une rondelle. Les applaudissements et les rires ont fusé.

Sous la table, discrètement, je me suis croisé les doigts . . .

☆

Phil Aubry disait à notre gardien de but, Gary Bennett, que nous avions à jouer la plus grosse partie de l'année (It's the biggest game of the year. We need a big effort. The guys count on you!) et que toute l'équipe comptait sur lui pour la gagner. Le pauvre Gary a pâli, il s'est tourné vers moi pendant qu'Aubry s'éloignait.

«Gee! Pierre . . . I'm already nervous!» Il était blême comme un drap.

À l'instant, Jacques Mercier est entré, des journaux entre les mains. Le silence est tombé brusquement. Il nous a balayés de son regard.

«Les gars, vous savez ce qu'on dit du National ces derniers jours dans les journaux? Il y a un certain Jimmy Thompson (quelques "chous" retentissent) qui parle des "jaunes" de Québec . . . de Gagnon qui se transforme en courant d'air quand il joue à Boston (Marc grogne), de Templeton qui pourrait jouer avec deux douzaines d'oeufs dans ses poches sans en casser un seul . . . (Templeton grimace). Il y a Linda Hébert qui écrit que le National est un club sans âme, sans fierté, déchiré par les divisions internes . . . que Marc Gagnon et Pierre Lambert n'ont visiblement pas la tête au jeu (je fixe le plancher) . . . que Steve Broadshaw fait du patinage de fantaisie et que Robert Martin pompe l'huile . . . Il y a même André Simon qui a parlé d'une bagarre entre des joueurs (je rougis) . . . »

Mercier a fait une pause. Il a lancé les journaux

sur la table devant lui et a poursuivi : « Il y a les journaux et puis il y a Jacques Mercier qui parle, lui, d'une bande d'égoïstes incapables de former une équipe ! Un club de perdants qui est en train d'apprendre à perdre avec le sourire ! Laissez-moi vous dire, les gars, qu'il y a plusieurs jobs qui se jouent ici ce soir ! Si vous ne voulez pas que le plafond vous tombe sur la tête, vous êtes mieux d'aller la gagner, celle-là ! »

On se serait crus dans un salon funéraire tant le silence était chargé d'émotion.

Gary Bennett, livide, s'est précipité vers les toilettes. On l'a entendu dégobiller.

Il a reparu, les traits défaits et les yeux dans l'eau : « I'm sorry guys... Now, I feel better ! » a-t-il laissé tomber.

Robert Martin a simplement dit en se levant : « Let's go les boys ! » Tout le monde l'a suivi.

À la porte du vestiaire, Gilles Guilbault nous a distribué à chacun, comme à une communion solennelle, sa rituelle tape d'encouragement.

En sautant sur la patinoire, ma chienne est revenue...

« C'est vrai que les Bruins sont forts, hein Linda ? » me lance Lucien Boivin à huit minutes de la première période. Boston vient de marquer son premier but, la foule du Colisée gémit et moi je fais la moue.

Gagnon est resté sur le banc depuis le début de

la partie. Lambert, qui le remplace sur la ligne d'attaque avec Templeton et Broadshaw, joue très bien. On dirait qu'il est le seul à faire des efforts. Le National est rouillé, ça se voit. La mécanique grince.

Quelques minutes plus tard, Stan Brainburg, l'entraîneur des Bruins, envoie sur la glace Jimmy Thompson, le plus gros et le plus dangereux de ses pithécanthropes. En l'apercevant, la foule mugit à pleins poumons. Thompson est un joueur ou plutôt un tueur que les partisans du National (et moi aussi du reste) détestent profondément. Un de ces gars qui ne sont là que pour la bagarre, la mise en échec, l'obstruction systématique et l'intimidation.

Il fallait s'y attendre. À peine Thompson est-il sur la patinoire que la bataille éclate entre Mac Templeton et lui. Un combat furieux. Les autres joueurs laissent tomber leurs gants. La clameur de la foule les encourage. C'est le Colisée de Rome au moment de jeter des chrétiens aux lions. On crie. On applaudit. On invective.

Ce n'est plus du hockey, c'est de la lutte amateur. Je hais ces moments-là. Je ferme les yeux et j'essaie d'imaginer un bord de mer calme et ensoleillé...

La voix de l'annonceur se fait entendre dans mon bord de mer imaginaire: «Les punitions: à Jimmy Thompson et Mac Templeton, deux minutes pour double échec, cinq minutes pour s'être battus et dix minutes de mauvaise conduite. À Pierre Lavoie du National: punition de match pour avoir été le troisième homme dans la bagarre.»

J'ouvre les yeux pour apercevoir Jacques Mercier, rouge comme un coq, les poings dressés, les yeux sortis de la tête, un pied sur la glace, qui crie, gueule, invective violemment l'arbitre qui s'approche, tout aussi rouge. La foule s'est levée, on applaudit, on crie. Finalement, l'arbitre s'éloigne et Mercier se calme un peu.

L'annonceur se fait entendre à nouveau : « Punition de deux minutes au banc du National pour conduite antisportive. »

La foule s'époumonne en protestations. Le toit du Colisée va s'entrouvrir tant la clameur est grande. Je frémis. Lulu me regarde en hochant la tête.

Finalement, le jeu reprend et, après quelques secondes seulement, Boston compte sous les huées de la foule déçue.

Je me plaignais du sort du National, Suzie me répond : « Deux à zéro pour Boston, maman, ce n'est pas encore catastrophique ! Si Mercier peut se décider à faire jouer Marc un peu, tu vas voir que les Bruins vont en manger toute une ! — Tout ce que j'espère, moi, que je lui réponds, c'est qu'ils se réveillent à temps ! Pierre fait déjà l'impossible, mais il ne faut tout de même pas trop lui en demander ! Si Champagne peut se dégourdir un peu ! Et Martin, hein ? — On va gagner ! affirme Ginette, un éclair dans les yeux. »

Je n'ose pas lui dire que je n'y crois pas.

« Bon, c'est parti ! Encore un autre comme ça, Linda, et le National va les avoir ! » s'écrie Lulu, rouge de plaisir. Lambert venait de compter le premier but du National. Deux à un ! Enfin !

« Ils vont au moins éviter le blanchissage ! » que

je réponds à Lulu. Il hausse les épaules. Je me replonge dans mon bord de mer blanc de sable et de soleil, les yeux clos.

Le jeu s'est arrêté, a repris. Je quitte la mer et je retombe sur la glace où Mercier venait d'envoyer au jeu Marc Gagnon sous les cris de joie et de trompettes des partisans.

«Ils vont passer à travers, je te le jure, Linda! clame Lulu, les yeux brillants. — Si Marc et Pierre se mettent à jouer comme ils en sont capables, oui! que je réponds à Lulu. »

Il me sert sa plus belle grimace.

«Mon Dieu!» ai-je crié en apercevant Pierre se faire plaquer sauvagement par ce macaque de Thompson (que les Bruins avaient renvoyé au jeu) juste au moment où Marc Gagnon comptait un but!

«Il n'arrive pas à se lever! On dirait qu'il est blessé, madame Lambert!» me dit Ginette, la voix tremblante.

Je me suis levée en même temps qu'elle. Suzie et Hugo hurlaient de joie, tandis que l'inquiétude s'emparait de nous. J'ai empoigné le bras de Ginette.

«J'espère que ce n'est pas grave!» ai-je laissé tomber. Elle m'a regardée, affolée.

Nous nous sommes pressées l'une contre l'autre.

«Voyons donc, Maroussia! Combien ça fait de fois qu'on voit Pierre sortir de la patinoire comme ça? Il est solide ton gars!» a sentencieusement répliqué Albert en me prenant le bras.

Mon inquiétude enfle de seconde en seconde. On vient de conduire Pierre au vestiaire.

«Ça craque dans le genou! Pour moi, ce sont tes ligaments. Bouge pas! que j'ai dit à Pierre, étendu sur la table du vestiaire, grimaçant de douleur, je vais chercher le docteur Bergeron! — Reste ici, Nounou! qu'il m'a commandé. Mets-moi de la glace, gèle-moi le genou, fais n'importe quoi, mais il faut que je retourne au jeu tout de suite!»

J'ai répondu que je ne voulais pas prendre de risques. Je ne suis pas médecin, moi, juste soigneur!

«Envoye! Fais-moi un bandage! La partie m'attend! Fais ça vite!»

J'ai obéi et il s'est précipité vers le banc de l'équipe, la face blanche comme neige.

«Qu'est-ce que je t'avais dit, hein Maroussia?» me crie Albert, triomphant. Pierre vient de sauter sur la patinoire avec Broadshaw et Marc Gagnon.

Je suis à demi rassurée.

Je lui souris faiblement. Il me décroche un clin d'oeil de satisfaction.

Le jeu est devenu si intense que j'ai abandonné à lui-même mon bord de mer imaginaire.

Soudain, une échappée de Gagnon et Lambert fouette la foule et me donne des frissons. Pierre est devant, Marc fait une passe, mais la rondelle glisse entre les patins de Lambert qui tombe en se tordant un genou.

Le Colisée fait silence. L'arbitre siffle.

Lulu, indigné, me lance: «Jériboire, Linda! On dirait que Gagnon l'a fait exprès pour lui faire sa passe dans les patins! As-tu vu?»

Le soigneur s'est précipité. Ses aides sont venus à la rescousse. Une civière est amenée. Une clameur, chargée d'appréhension, accompagne Pierre qu'on transporte, grimaçant et pleurant, hors de la patinoire.

Je dis à Lulu: «Je vais voir...»

Quand je suis arrivée au vestiaire, le docteur Bergeron était auprès de lui. Pierre sacrait de douleur.

«Nounou! a lancé le docteur, appelle une ambulance et préviens l'hôpital! Rupture probable des ligaments du genou! Pierre, a-t-il ajouté, ça se peut que tu sois obligé de passer au bistouri... mais ne t'inquiète pas... tu sais, de nos jours, on fait des miracles!»

Quand je suis revenue à la passerelle des journalistes, Lulu s'est jeté sur moi: «Puis?» J'ai raconté.

Il a eu l'air catastrophé.

«Dire que tout ça, c'est de la faute à Gagnon! Hein, Linda? Tu l'as vu comme moi! Dans les patins, la rondelle! Il aurait voulu se débarrasser de Lambert qu'il n'aurait pas fait autrement! — Es-tu prêt à écrire ce que tu viens de dire, dans ton journal, Lucien Boivin? lui ai-je demandé, le fixant droit dans les yeux.»

Il a hoché la tête en soupirant.

Le jeu reprenait.

Aux bruits de la foule, la sirène lointaine d'une ambulance s'est ajoutée.

SEPTIÈME CHAPITRE

À L'HÔPITAL

LES RACONTARS
D'ANDRÉ SIMON

«Jean-Pierre, on t'amène de la compagnie!» m'a soufflé à l'oreille l'infirmière de service. J'ai grogné pour indiquer que j'avais compris.

Je ne peux pas parler (mes lèvres ont fondu sous la chaleur de l'explosion), je ne peux pas bouger et je n'arrive plus à dormir, malgré les calmants et les sédatifs. Comme j'ai le visage couvert de bandages, on me prend pour l'homme invisible. Heureusement, par la fente qu'on a pratiquée dans mes pansements, je vois un peu ce qui se passe autour de moi, j'écoute et je jongle surtout. Cloué dans mon lit de grand brûlé, ce sont, en fait, mes seules activités.

Le nouveau patient qu'on a installé à côté de moi hier soir, c'est Pierre Lambert, le fameux joueur du National. De la grande visite!

Ce matin (il est plus de sept heures), il dort toujours, la jambe droite suspendue, coincée dans un appareil.

☆

«Gilles! me disait Jacques Mercier assis devant moi dans mon bureau, un café à la main, on est vraiment pas chanceux! Les histoires de genou, c'est toujours long!»

Je lui ai raconté que je venais de parler au docteur Bergeron et qu'il m'avait dit ne pouvoir se prononcer tout de suite sur la blessure de Pierre; il y a encore trop de sang dans le genou.

«Si on a gagné contre Boston, s'est écrié Jacques, c'est grâce à Gagnon et lui! Sans eux autres, on était cuits...»

Moi, je trouvais qu'on l'avait payée bien cher cette victoire-là, et surtout dans des conditions pas très catholiques. Jacques m'a demandé ce que je voulais dire.

«Tu sais, ai-je dit, en trente ans de hockey, j'ai appris deux ou trois choses... Quand tu veux planter un gars, tu lui fais une passe dans les patins... moi, c'est ce que j'ai vu Gagnon faire à Lambert hier soir! — Je ne te crois pas, Gilles! m'a rétorqué Mercier, ces deux-là étaient trop bien repartis ensemble! Impossible!»

Je n'ai pas insisté. Je n'étais plus sûr de ce que j'avais vu.

Jacques s'est levé: «En attendant, il faut faire quelque chose!... On fait monter Mercure? Depuis quinze jours, ça ne va pas très bien pour lui à Chicoutimi (des histoires de femmes, ai-je glissé), mais Giroux m'assure qu'il a marché très fort les semaines d'avant... On l'essaie?»

J'ai dit oui comme Goldman entrait, un magnétophone à la main, l'air furieux.

«Gilles, Jacques! Écoutez bien ça!» qu'il nous a lancé.

Il a mis le petit appareil en marche et la voix nasillarde d'André Simon s'est fait entendre: «Je suis fatigué de voir le duo Guilbault-Mercier mentir aux journalistes et aux partisans du National! Ça fait un mois que nous sentons que ça va mal entre Gagnon et Lambert! Les rumeurs veulent même que les deux joueurs se soient battus après un match à Toronto. Si tel était le cas, qu'y aurait-il d'invraisemblable dans le fait que Marc Gagnon ait volontairement fait une passe-suicide, hier, à Pierre Lambert? Qu'est-ce qui nous empêche de penser que Marc Gagnon aurait, peut-être bien, choisi ce moyen pour se débarrasser d'un coéquipier encombrant?»

Goldman a éteint l'appareil et nous a balayés d'un regard incrédule et choqué.

«Encore une autre histoire de journaliste!» a simplement répondu Jacques Mercier.

Resté seul, j'ai demandé à Martine, ma secrétaire, de me mettre en communication avec maître Luc Sigouin. L'heure est venue de parler contrat.

Quand nous sommes arrivés à la chambre de Pierre, sa mère, Hugo et moi, il sortait du sommeil artificiel que la piqûre du docteur Bergeron lui avait procuré.

«Ça fait mal, Ginou!» m'a-t-il dit la bouche pâteuse et les yeux huileux. Je l'ai pressé contre moi avec chaleur, comme on cajole un enfant.

«Ça va aller, mon Pierrot! ai-je répondu. Tu as dormi comme un bébé!»

«Vous n'êtes pas retournés à Trois-Rivières?»
a-t-il demandé à l'intention de Maroussia et d'Hugo qui
se tenaient au pied du lit, souriant avec inquiétude.

Hugo s'est approché: «C'est vrai, Pierre, que
Marc Gagnon a voulu te blesser?» Pierre est resté surpris: «Pourquoi demandes-tu ça, Hugo?»

Maroussia a répondu: «Ils ne parlent que de ça
à la radio!»

Pierre s'est mordu la lèvre: «Ça ne serait pas
arrivé si j'avais gardé la tête haute!» a-t-il lancé pour
toute réponse.

Je trouvais son explication un peu courte. À
mon tour, j'ai ajouté: «Minute, Pierre! On a vu ce qui
s'est passé hier soir, tu sais!»

Il a serré les dents et repris: «J'aurais dû garder
la tête haute, c'est tout!» comme pour se cacher quelque
chose à lui-même.

L'atmosphère s'est tendue. Madame Lambert
lui a caressé le front: «Tu ne te sens pas trop amoché au
moins? — Ça tire dans le genou! a-t-il vivement répondu
en grimaçant. Je sens que je ne pourrai plus jamais patiner. J'en suis certain! Je ne veux pas que ça m'arrive,
maman, tu m'entends, je ne veux pas!»

Elle a soupiré.

Je lui ai dit qu'il s'inquiétait pour rien. J'ai eu le
malheur d'ajouter: «Puis, même si tu ne pouvais plus
patiner, ce ne serait pas la fin du monde!»

Il m'a littéralement fusillée du regard.

Derrière Benoît Belley qui fulminait, j'ai traversé la salle de rédaction du *Matin* au pas militaire et l'ai suivi dans son bureau : « Tu t'es fait avoir comme une enfant, Linda ! Tu la tenais la vraie raison de l'oeil au beurre noir de Gagnon ! Pourquoi l'avoir gardé pour toi ? Aller donner ta parole à Robert Martin ! Je ne te reconnais plus ! La pression est trop forte ? Tu ne te sens plus d'attaque, peut-être ? »

Il m'échauffait les oreilles. Je lui ai demandé s'il était infaillible, lui ?

Il m'a répliqué : « Non ! mais nos lecteurs le sont eux autres ! Ils sentent où est la nouvelle et, pour l'instant, c'est André Simon qu'ils écoutent au lieu de nous lire ! Je veux que tu ailles me fouiller tout ça au plus vite ! Il me faut une grosse histoire ! Es-tu capable de me décrocher ça ? »

Une idée m'est passée par la tête. Je l'ai gardée pour moi.

« Me comprends-tu, Linda ? » a-t-il insisté en ayant l'air de se demander ce qu'un sourire, apparu soudain sur mes lèvres, pouvait bien cacher.

J'ai simplement laissé tomber : « Tu vas l'avoir, Ben, tu vas l'avoir... »

Et je suis sortie.

Depuis le milieu de la semaine, je garde Marie-France à la maison.

Aujourd'hui, dimanche midi, je dois conduire Francis à la patinoire, mais je voudrais d'abord parler à Marc.

Mon pauvre Francis a toutes les peines du monde à trimballer son équipement de hockey. Le voilà coincé dans la porte de la cuisine (je venais de lui dire d'aller m'attendre dans la voiture).

«Maman, viens m'aider!»

J'accours à sa rescousse. Le dépêtre, referme.

Je vais rejoindre Marc assis au salon, prostré, l'air plus glacial que le vingt-trois sous zéro que prévoit la météo!

J'ai pris une grande décision.

Déjà, tous les événements m'y amenaient, mais ce que j'ai entendu à CKLT, tout à l'heure, de la bouche d'André Simon, a fini de me convaincre.

J'ai d'abord demandé à Marc si le coup dans les patins de Lambert était voulu ou non. Il m'a répondu: «Il n'avait qu'à garder la tête haute! C'est le premier conseil que je lui ai donné en arrivant! — Si seulement je pouvais encore te croire! ai-je répliqué.»

Il a haussé les épaules.

C'est alors que je lui ai annoncé mon intention

d'entreprendre les procédures de divorce, aujourd'hui même !

Il n'a pas bronché. Seuls ses yeux verts ont pâli.

« As-tu pensé aux enfants, Nicole ? a-t-il demandé au bout d'un moment (j'ai traduit : as-tu pensé à moi, Nicole ?). — C'est toi qui parles des enfants, ai-je lancé, excédée. Eux aussi, ils savent ce qui s'écrit dans les journaux et se dit à la radio ! Ils ne sont pas fous ! Sais-tu à quel point ils souffrent d'entendre raconter toutes ces histoires sur ton compte ? Je passe mes journées à les rassurer ! Tu ne t'es même pas aperçu que Marie-France fait de la fièvre depuis deux jours ! Qu'elle ne veut plus aller à l'école ! As-tu une idée du pourquoi de la chose, Marc Gagnon ? — Comment veux-tu, Nicole, que je le sache ? m'a t-il répondu en élevant le ton. Tu le sais comme moi, je ne suis jamais là ! — Justement ! que j'ai lancé. Aussi bien l'officialiser ! »

J'ai enfilé mon manteau et suis allée retrouver Francis à la voiture.

Je ne comprends rien là-dedans : Gilles Guilbault me fait venir à son bureau et me dit : « Mon vieux Sigouin, je suis prêt à signer le contrat de Marc Gagnon ! » Les deux bras m'en sont tombés ! J'ai tout de suite trouvé ça louche, alors je lui ai demandé à quelle condition ?

J'ai failli m'étouffer : « Aucune ! » qu'il m'a répondu. Je ne l'ai pas cru. J'ai prétendu qu'il devait me cacher quelque chose.

«Pourtant non, affirme-t-il; après avoir parlé entre quat'z-yeux avec Marc tout est maintenant clair, la confiance règne, le National est prêt à signer, et le reste et le reste. C'est une belle commission pour toi, ça! Hein? me lance-t-il en s'allumant un cigare. — Avec les dépenses que j'ai, ai-je soupiré. — Arrête! a-t-il repris, moqueusement geignard, tu vas encore me faire brailler! Non... la seule chose qui me chicote encore pas mal, c'est son histoire avec la petite Lambert... Mais je suis sûr que tu peux arranger ça vite! Je te connais! — Pas tant que tu penses, Gilles, ai-je répliqué, moi, les histoires de coeur, tu sais... — C'est beaucoup d'argent, Luc, penses-y!»

La fumée gonflait ses volutes au-dessus de sa tête.

Tu ne sais pas ce que tu me demandes là! ai-je songé en tournant les talons. Avec Marc, soulever le voile de ses histoires d'amour, c'est manipuler de la nitroglycérine. Un geste et boum!

Et j'ai peur que ce soit Luc Sigouin qui saute.

Au cégep, j'ai connu une fille extraordinaire: Geneviève Gunmar, une Allemande tout ce qu'il y a de peppé, de joli et d'intelligent.

Elle trouve le temps de faire mille choses à la fois. En plus de suivre ses cours au collège (en éducation physique), elle joue dans une équipe de hockey (eh oui!) et travaille comme monitrice dans un centre de conditionnement physique!

Elle mange littéralement du sport. Pour achever le bouquet, elle s'est pointée, cet après-midi, à l'appartement, avec armes et bagages, c'est-à-dire ses poids et haltères, et nous voilà entraînées, Marilou et moi, dans une ronde d'exercices de *bodybuilding* carrément infernale !

Il y a une heure que nous rions comme des folles en suant comme des bonnes sur des cassettes de Jimmy Hendrix hurlant (fournies par Geneviève).

J'ai cru entendre sonner à la porte : j'ai déposé mes haltères d'un kilo et suis allée répondre.

« Allô Suzie ! » Je me suis épanouie comme une fleur. Je lui ai sauté au cou : « Marc ! ai-je soufflé sur ses lèvres, qu'est-ce que tu fais ici ? — Suzie, il faut que je te parle ! »

Il n'a pas eu le temps d'aller plus loin, les filles sont apparues. Elles ont sauté dessus comme la misère sur le pauvre monde ! « Mais, c'est Marc Gagnon ! » s'est écriée Geneviève. Marilou a précisé que c'était mon ami (qui ne savait déjà plus où donner de la tête, du reste). « On peut toucher ? a roucoulé Geneviève. — Le magasin est ouvert ! » s'est exclamé Marc, les yeux pétillants, en s'avançant vers elles. Je l'ai empoigné par le bras et l'ai dirigé vers la cuisine, forçant mes deux sangsues à retourner à leurs petits poids.

« Qu'est-ce que tu voulais tant me dire ? lui ai-je aussitôt demandé. — Tu as écouté la radio ? m'a-t-il demandé la voix tremblante (j'ai fait oui de la tête), j'espère que tu ne crois pas André Simon, hein Suzie ? »

J'ai répondu que je n'y croyais pas, moi, mais qu'il y avait pas mal de monde pour y croire. « S'ils sont assez idiots pour avaler des bêtises pareilles . . . » a repris Marc, le visage dur comme je ne l'avais jamais vu.

225

Je lui ai fait comprendre que si je ne le connaissais pas, je penserais peut-être comme ces gens-là, moi aussi, qu'il ne fallait pas les juger, et le reste.

«De toute façon, ai-je conclu, tout ça, c'est de la fiction inventée par les journalistes! — Personne n'est jamais venu à bout d'eux autres! a-t-il laissé tomber les dents serrées. — Moi j'ai une idée! ai-je lancé en me prenant un air mystérieux (je n'ai pas avoué d'où cette idée m'était venue). Je connais un moyen bien simple de leur fermer la trappe aux journalistes... (je prenais bien soin de ne pas vendre la mèche). Une manière infaillible...»

Il a écarquillé les yeux de soulagement et de joie. En m'embrassant, il a demandé: «J'aimerais bien ça la connaître, ta manière.»

J'ai souri.

Ça élance en sacrifice! J'ai l'impression que quelqu'un joue sous la rotule de mon genou droit avec un tournevis!

On m'a transporté dans une chambre privée, ce midi, avec ma jambe en suspension. Le docteur Gravel (le médecin traitant) est arrivé, m'a examiné.

«Vous au moins, lui ai-je dit, vous pouvez me dire ce que j'ai! — Je ne peux pas, mon gars! Ton genou est encore plein de sang! (J'ai grimacé; une vision des douleurs futures m'est apparue.) Nous allons faire une autre ponction demain (aïe!), pour le drainer. Tu devrais passer d'autres rayons X dans la journée. Si le résultat n'est pas clair, il faudra faire une arthroscopie!»

J'ai demandé ce que c'était.

«Écoute, Pierre! a-t-il repris, mon collègue le docteur Bergeron m'a parlé de toi; il m'a dit que tu pouvais encaisser la vérité ... (J'ai frémi; mon coeur s'est emballé.) Si c'est le ligament antérieur droit croisé qui est déchiré, ça veut dire l'opération et je ne peux garantir les résultats. Par contre, si c'est la rotule, dans un mois, tu es de retour sur la glace!»

Un sursaut d'espoir m'a fait gonfler la poitrine, j'ai demandé: «Vous ne pouvez pas me le dire aujourd'hui, docteur? — Il faut attendre trois ou quatre jours avant de faire l'arthroscopie, Pierre! On va aller voir dans ton genou, et alors on saura la nature exacte de ta blessure. En attendant, ça ne donne rien de t'énerver. On ne peut rien faire.»

J'étais dans tous mes états. Je le suis toujours.

Pour le ligament antérieur droit croisé qui me brûle, je touche du bois et garde tous mes doigts croisés.

J'avais mon manteau sur le dos quand Nicole m'a supplié de passer par la chambre de Marie-France. («Fais un effort Marc! Après tout, tu es son père, non?») Suzie m'attendait pour deux heures, je risquais d'être en retard, mais comme je ne voulais pas non plus jeter de l'huile sur le feu de mes relations avec ma femme, j'ai préféré aller parler une seconde à ma fille avant de partir.

Elle brûlait de fièvre. En m'apercevant, elle s'est retournée face au mur. Je me suis assis sur le bord de son lit et j'ai offert de lui rapporter un cadeau. J'ai promis un gros ourson en peluche et elle a dit non, boudeusement. J'ai réitéré mon offre. Même refus. J'ai proposé une belle poupée, avec toute sa garde-robe, une maison aussi. Rien à faire. Marie-France ne voulait rien. Je lui ai demandé si elle avait faim. Pas davantage.

Je l'entendais pleurnicher.

«Il y a quelqu'un qui t'a fait de la peine, Marie-France, hein? Dis-le à papa...» Je me suis penché vers elle. Elle s'est jetée dans mes bras en éclatant en sanglots. Je suis resté un peu saisi. Je me suis retourné vers Nicole qui m'avait suivi et se tenait à la porte, mais elle venait de disparaître. J'ai murmuré: «C'est à cause de moi que tu as de la peine?»

Elle a hoché la tête en se serrant fort contre moi. J'ai ajouté: «Il ne faut pas croire tout ce qu'on raconte, tu sais mon chou...»

Beaucoup d'eau m'est venue aux yeux.

LA SOUPE EST CHAUDE

J'écoutais de la musique avec mon walkman, bien étendu sur mon lit dans ma chambre, à Chicoutimi (rue Marquette), quand on m'a demandé au téléphone. C'était mon entraîneur, Charley Giroux, qui voulait que je passe le voir à son bureau, tout de suite.

En me voyant apparaître à la porte, il a déposé son *Quotidien*, qu'il tenait ouvert sur ses jambes allongées sur son pupitre (sale et encombré), et m'a fait signe de m'asseoir (la chaise craquait).

«Denis, j'ai une mauvaise nouvelle pour toi!»

J'ai dû blêmir. Giroux m'a regardé, étonné.

Je savais que mes dernières semaines avec les Saints n'avaient pas été fameuses. Je traînais un peu la patte. Aussi, je m'attendais au pire.

«Aussi bien que tu te remettes à jouer comme du monde, mon gars! Tu sais que Pierre Lambert est blessé? — Oui, je l'ai appris, que j'ai répondu. J'ai téléphoné à Madame Lambert, tout à l'heure. On ne sait pas trop si c'est grave ou non. — Je viens de recevoir un téléphone du National, a-t-il laissé tomber en se râclant la gorge. Ils veulent t'avoir cet après-midi!»

J'ai failli m'écraser par terre de surprise!

«Fais tes petits et décolle! (comme je restais cloué d'étonnement). Veux-tu que je te montre Québec sur la carte?»

Je suis sorti du bureau crasseux de Giroux en coup de vent, fou comme un jeune chien. J'ai entendu Charley qui criait: «Hé! Va pas à Québec de même, habillé en rocker, mon Denis! Tu vas nous faire honte!»

Je n'écoutais plus que des cloches qui carillonnaient dans ma tête!

À la fin de l'après-midi, je n'en pouvais plus. Je me suis dégagé la jambe et me suis assis sur le bord de mon lit. Il n'est pas question, que je me disais, de passer trois mois couché dans un lit d'hôpital! Tout ce que je veux, c'est retourner sur la patinoire le plus vite possible !

J'ai posé ma jambe par terre et je me suis levé. En appuyant dessus, c'est comme si je venais de m'électrocuter ! Une douleur effroyable m'a fait glisser du lit et je suis allé m'étendre de tout mon long sur la table de chevet ! J'ai râlé je ne sais quoi, pendant que les fioles, les médicaments, le pot à eau et mille autres choses allaient se briser par terre dans un fracas infernal !

Comme c'était l'heure de la ronde médicale, le docteur Gravel, qui n'était pas loin, est accouru, suivi d'une Noire, mince, jeune et belle, en sarrau blanc, que je n'avais jamais vue.

Je souffrais le martyre. Ils m'ont aidé à me remettre au lit. Le docteur Gravel m'a dit, l'air contrarié : «Si tu ne fais pas trop le fou, Pierre, tu vas pouvoir marcher avec des béquilles en attendant l'arthroscopie.»

Puis il s'est adressé à la Noire : «C'est Pierre Lambert, dont je vous ai parlé docteur Baptiste, le fameux croisé antérieur . . . »

Il a bien vu que je ne lâchais pas la Noire du regard. Le blanc de ses yeux éclatants comme le soleil, m'étourdissait. Je n'arrivais pas à m'en détacher.

«Pierre, a repris le docteur Gravel, je te présente le docteur Lucie Baptiste, résidente en orthopédie de L'Enfant-Jésus de Québec !»

Nous nous sommes salués en nous tutoyant tout de suite. Elle a souri. J'ai bien aimé la tiède chaleur de sa peau moite.

Bien aimé...

« Fais ça vite, Luc, j'ai dix minutes, pas plus, j'ai du monde qui m'attend. Qu'est-ce que tu veux ? »

Marc n'avait pas l'air dans son assiette ; je le sentais très nerveux. Ce n'était pas l'heure (à peine au début de l'après-midi), ni le lieu (dans un bar de motel, pas loin de l'hôpital L'Enfant-Jésus) pour parler d'affaires. Je lui ai simplement rapporté l'offre faite par Gilles Guilbault : un contrat de trois ans, comme il le souhaitait : « C'est quoi l'attrape ? » m'a-t-il demandé, suspicieux. J'ai répondu qu'il n'y en avait pas.

J'hésitais à parler de l'autre condition de Guilbault (concernant Suzie), mais il le fallait. J'en suis devenu aussi nerveux que lui.

« Pourquoi tu voulais me voir, si tout est correct ? »

J'ai bégayé : « Ils veulent seulement être bien sûrs que tu vas avoir toute ta tête rien qu'au hockey... »

Il a éclaté comme je le craignais.

« Tu commences à me taper sur les nerfs ! Je te vois venir ! Va donc plutôt poursuivre André Simon pour toute la charogne qu'il répand sur mon dos, tu serais plus utile ! Il va falloir qu'un jour ou l'autre tu me dises de quel bord tu penches, maître Luc Sigouin ! Sinon, c'est maître Dan Patterson qui va hériter de ta commission ! »

Il m'a laissé, figé sur place, en ayant eu soin de glisser, au préalable, sa note de bar sous la mienne.

Le plan m'était venu comme un éclair de génie! J'avais trouvé la manière infaillible de faire taire André Simon et Benoît Belley en même temps! Tout un exploit! J'étais fière de moi: Linda, me disais-je, tu es brillante!

Après avoir prévenu le photographe du journal, j'ai téléphoné ensuite à Suzie Lambert (pour mes dernières vérifications), puis je me suis rendue chez Marc Gagnon.

Il venait de quitter la maison dix minutes plus tôt. Nicole, que je connais (toujours des suites de mon aventure avec son mari), m'a invitée à entrer. («Fais-moi plaisir, Linda!») Je sentais que malgré ses réticences envers moi, elle souhaitait la présence d'une oreille attentive.

Je l'ai suivie au salon.

Autour d'un cognac, après quelques levées de coude, Marc est devenu le sujet de notre conversation.

«Cette fois-ci, Linda, il est allé trop loin! Toute la ville la connaît sa nouvelle poulette! Je veux savoir qui c'est! Tu la connais sûrement, toi?»

Je n'ai pas eu le courage de lui cacher la vérité. J'ai dit: «C'est Suzie Lambert, la soeur de Pierre Lambert du National!»

Elle est restée sans voix.

J'ai poursuivi: «Ce n'est pas de sa faute, Nicole! C'est Marc qui l'a embobinée, elle ne voit plus clair!»

232

Elle regardait fixement devant elle.

«J'ai entrepris les procédures de divorce ce matin! a-t-elle laissé tomber comme un glas. — Nicole! ai-je aussitôt répliqué, tu n'y penses pas? Il reste à peine à Marc encore deux ans à jouer!»

Elle s'est mordu la lèvre.

J'ai ajouté: «Tu ne peux pas lui faire ça? C'est peut-être même sa dernière année!»

Je ne voulais pas insister davantage. Je ne savais plus quoi lui dire. D'ailleurs, je n'avais plus le temps.

Il fallait que je sois à l'hôpital L'Enfant-Jésus pour deux heures et quart. Deux heures déjà!

J'ai laissé Nicole Gagnon à son cognac (délicieux) en lui promettant de reparler de tout ça plus tard...

À l'hôpital, aujourd'hui, Pierre est d'humeur massacrante. J'ai simplement demandé s'il en savait plus long qu'hier sur son état. Il a tout de suite haussé le ton: «Je ne le sais pas, Ginette! Je ne sais plus ce qui va m'arriver! Mais je sais, par exemple, que tout va être à recommencer! Pourquoi est-ce que tu me poses toujours les mêmes questions?»

La tristesse m'est montée aux yeux. Je lui ai répondu que je m'inquiétais pour lui, c'est tout.

C'est normal quand on aime quelqu'un, non?

« On dirait, a-t-il repris en enflant la voix, que tu ne veux pas comprendre que si je ne suis pas sur la patinoire pour me battre, je perds ma place, moi! Il n'y a pas de syndicat pour me défendre! Il y a juste moi! Sans mes genoux, aussi bien dire que je suis infirme! »

Des larmes me sont venues. Madame Lambert, qui le regardait en fronçant le front, s'est levée: « Allons, Pierre! Ce n'est tout de même pas la faute de Ginette si tu es blessé! — M'man! a-t-il crié, ne te mêle pas de ça, O.K.? Je t'aime bien gros, mais je n'ai pas envie de me retrouver gérant de tes boutiques de chiffons non plus! Je veux jouer au hockey, moi! C'est clair? »

J'ai voulu m'expliquer, Maroussia le calmer. Il s'est raidi: « Fichez-moi la paix! »

Nous nous sommes rassises.

Au même moment, après avoir frappé à la porte entrouverte de la chambre du revers de la main, est entré un beau monsieur, grisonnant, moustachu.

Pierre a changé d'expression d'un coup. Il s'est redressé. « Monsieur Guilbault . . . » a-t-il bégayé.

Il a fait les présentations.

Tout de suite, le patron du National s'est intéressé à Madame Lambert (elle-même avait l'air ravie). Il m'a bien salué, mais c'est la main de Maroussia qu'il a prise avec le plus de chaleur: « Je suis enchanté de faire enfin votre connaissance, madame Lambert. (Il a rougi légèrement.) Un de vos amis, Luc Sigouin, m'a souvent parlé de vous. Je vois que pour une fois, il n'exagérait pas!»

Le regard de Pierre oscillait de sa mère à son patron.

«Luc est un vieux copain! a répondu Maroussia de sa voix chaude. Savez-vous que je suis rassurée de voir qu'un patron s'intéresse autant à ses employés!»

Guilbault roucoulait, les yeux de Maroussia papillonnaient. J'ai souri. Le patron a expliqué: «Dans le hockey, vous le savez comme moi, il n'y a pas d'employés, seulement des investissements! Et on prend toujours bien soin de nos investissements! (Il s'est tourné vers Pierre.) Ça va mieux, mon gars?»

La conversation s'est poursuivie sur un ton aimable. On a parlé des accidents, de l'imprévisible, du hasard aveugle et malheureux qui les gouverne.

Le patron de Pierre a conclu en déclarant: «Je veux que tu guérisses tranquille, mon Pierre! Si ça prend un mois, ça prendra un mois, si tu as besoin d'un an, tu prendras un an! En attendant, on t'a trouvé un excellent remplaçant!»

Tous trois, d'une seule voix, avons lancé: «Qui? — Un de tes anciens coéquipiers. Denis Mercure! a laissé tomber, l'oeil rieur, Monsieur Guilbault.»

Nous avons éclaté en rires et en applaudissements. «Denis! Quelle bonne nouvelle!»

Monsieur Guilbault a jeté un coup d'oeil à sa montre, a parlé d'un lunch qu'il n'avait pas encore pris, d'une petite faim qui le tenaillait, d'une heure qu'il pouvait consacrer à la satisfaire. Finalement (son numéro avait un but), il a invité Maroussia à prendre un café avec lui à la cafétéria de l'hôpital. Madame Lambert s'épanouissait en sourires. Elle n'a pas hésité un instant et s'est laissé entraîner hors de la chambre par un patron rouge de plaisir.

Pierre me fixait, suffoqué.

À peine descendu de l'autobus qui m'avait mené de Chicoutimi à Québec, je me suis précipité chez Suzie.

Elle n'y était pas, mais sa copine Marilou m'a ouvert : « Ah ? Bonjour Denis ! »

Je suis entré. Elle m'a vite fait comprendre que ma visite n'était pas souhaitée : « Elle est sortie prendre l'air, Denis... Pour être franche, elle ne t'attendait pas ! »

J'ai répondu que je ne venais pas pour l'achaler, mais simplement lui dire que je voulais qu'on reste amis, elle et moi. Des « chums ».

Mais la question qui me trottait en tête est venue quand même au bout de quelques phrases banales : « L'autre gars, ai-je questionné, je le connais ? Dis-moi c'est qui Marilou... — Viens que je te présente ! m'a-t-elle donné pour toute réponse, en m'entraînant vers la cuisine. — Geneviève, je te présente Denis Mercure, joueur de hockey ! »

La jolie fille (avec un drôle d'accent étranger) a répondu : « Un autre ! Décidément, vous les collectionnez ! »

J'ai révélé la raison de ma présence à Québec (le National), elles se sont excitées et m'ont invité à m'asseoir. J'ai compris que je n'apprendrais plus rien à propos de Suzie. Je n'avais plus le temps de jaser. Il fallait que je rejoigne le reste de l'équipe, à l'aéroport de Loretteville, une heure plus tard.

Le goût amer de Suzie me gâtait la hâte de prendre l'avion pour la première fois et de découvrir New York.

J'ai remercié, salué et suis sorti.

Mon plan était parfait.

À l'heure convenue, je suis montée à la chambre de Pierre Lambert, à l'hôpital L'Enfant-Jésus, accompagnée d'un photographe du journal qui ne cessait de se plaindre: «Veux-tu me dire, Linda Hébert, où est-ce que tu m'emmènes? — Tu vas voir, Yvan, tu vas voir! que je lui répondais. Ton appareil est chargé au moins?»

Il me regardait, découragé.

Parvenus devant la porte 621, j'ai reconnu la voix de Marc Gagnon. Nous sommes entrés sans frapper.

Pierre Lambert (sa soeur Suzie à son cou), assis dans son lit, pâle d'étonnement, serrait la main de Marc Gagnon, plus blanc encore mais souriant!

J'ai lancé en me dirigeant vers eux: «Ah! la bonne surprise! (Ils ont souri timidement). Vas-y Yvan!»

Marc et Pierre ont figé sur place, tandis que Suzie me décochait un clin d'oeil complice.

Les flashes du photographe ont mitraillé la scène. «Rapprochez-vous un peu! Encore... Parfait!» a crié Yvan en déclenchant une nouvelle mitraille.

En sortant mon carnet, j'ai demandé à Marc et à Pierre ce qu'ils pensaient des déclarations d'André Simon...

«Tu vois bien, Linda (a répondu aussitôt Marc en jetant un coup d'oeil vers Pierre, encore un peu mal à l'aise), on est ensemble! — Il y a des rumeurs qui laissent entendre que tu divorcerais, Marc? ai-je ajouté. — Comme tu peux le voir, Linda, on n'en est pas à une rumeur près!...»

J'ai refermé mon carnet.

En reprenant l'ascenseur avec Yvan, je me demandais bien quelle tête allait pouvoir faire André Simon en voyant nos photos, demain, en première page du *Matin* de Québec...

J'en riais d'avance.

UNE BIEN BELLE SURPRISE

Quand j'ai vu arriver le docteur Gravel avec une seringue munie d'une longue aiguille, je n'ai pu m'empêcher de crier : « Ah ! non ! pas encore ça ? » (Je me souvenais de la douleur ressentie, le truc du tournevis qu'on fait jouer sous la peau, j'en ai eu un frisson d'horreur !)

« Il faut ponctionner le sang, Pierre, si on veut savoir à quoi s'en tenir ! »

J'ai grimaçé.

Il m'a gelé le genou.

Je me suis plaint.

« Après l'arthroscopie, tu devrais avoir un beau genou neuf, pour le mois prochain ! — À moins, ai-je répliqué les dents serrées, que vous ne m'annonciez que je suis fini ! — Ça se peut aussi. (L'infirmière venait de lui passer la seringue.) Ne bouge pas, ça va pincer ! »

J'ai poussé un cri sourd comme je l'avais fait la fois d'avant.

Je suis arrivée à la boutique à neuf heures pile comme à l'accoutumée, tous les jours de la semaine et, plus spécialement, le lundi.

Madame Lambert m'a lancé : « Mon Dieu Suzanne, tu es bien tôt ce matin ! » Je lui ai dit l'heure. Elle n'en croyait pas ses oreilles. Elle pensait qu'il n'était que sept heures ! Levée à cinq, elle brassait des papiers depuis six heures. L'inventaire. Les commandes. Tout ce qu'il faut faire quand une boutique ouvre ses portes. Elle n'avait pas vu le temps passer.

Je suis fière de dire que Maroussia Lambert est une patronne fantastique ! Toujours gentille, souriante, pleine d'humour. Nous nous entendons à merveille.

Dix minutes plus tard, j'ai compris que je n'étais pas la seule à la trouver gentille. Un fleuriste s'est présenté avec une boîte gigantesque, surmontée d'un chou spectaculaire.

Elle a eu l'air amusée et très émue. J'ai cru comprendre qu'elle devinait qui pouvait être l'auteur de cette fantaisie. Elle a lancé : « Non, mais quel macho ! Où est-ce que je vais les mettre ? A-t-on idée, deux douzaines de roses rouges ! Tu as une suggestion, toi, Suzanne ? — Aucune, madame Lambert ! ai-je répondu en me dirigeant vers une cliente qui venait d'entrer. Aucune ! »

On était en train de les lessiver jusqu'aux os, les Islanders de New York ! Le National menait par quatre buts, à douze minutes de la fin !

Un grand ménage ! Devant le téléviseur, je donnais des coups de poings à mon lit d'hôpital en sacrant de plaisir : « Allez-y les gars, sacrement ! Défoncez-les ! »

Une chose me chicotait et embrumait ma bonne humeur : pourquoi Mercier garde-t-il Denis sur le banc, sacrifice ? C'est lui qui l'a fait monter de Chicoutimi !

Soudain, j'ai entendu une voix derrière moi:
«C'est quoi le score, Pierre?»

Je me suis retourné. C'était la Noire, le docteur
Lucie Baptiste. J'ai répondu, les yeux exorbités: «Cinq
à un, pour nous autres! On est en train de leur en donner
une maudite!»

Je me suis demandé ce qu'elle pouvait
comprendre d'un sport de glace, elle une fille du soleil.

J'ai haussé les épaules lui disant: «Qu'est-ce
que tu peux bien connaître dans le hockey, toi? — Mon
Dieu! s'il fallait que la fille de Joseph Baptiste ne soit pas
une fervente partisane du Tricolore, a-t-elle répliqué, je
me demande comment j'aurais pu survivre dans la famille!»

Les deux bras m'en sont tombés: le Tricolore!
Des Noirs amateurs de hockey? Je n'en revenais pas.
J'étais certain qu'elle inventait ça pour me faire oublier
sa couleur.

«Je suppose que ton père est chauffeur de
taxi?» ai-je demandé en riant.

Le blanc de ses yeux s'est terni. Elle a baissé la
tête, puis m'a regardé en pleine face: «Oui, Joseph Baptiste est chauffeur de taxi! Il travaille encore soixante
heures par semaine pour faire vivre sa famille!»

Mon sourire s'est brisé.

«Je voulais juste faire une blague! ai-je dit en
m'excusant. — Je ne trouve pas ça drôle du tout! Tu
veux peut-être les entendre les autres blagues racistes,

Pierre Lambert? Oui! Tous mes frères sont des assistés sociaux! Mes nièces ont éventré leurs maris et mes oncles sont tous porteurs du Sida! Tu veux les autres? Je te les épargne! Je te pensais au-dessus de ça! Je vois que je m'étais trompée...»

J'étais désolé, mais le mal était fait. Elle s'en allait. J'ai voulu la retenir.

«D'habitude, je ne m'emporte pas. Mais toi, j'aurais souhaité que tu sois moins con que les autres... Bonne nuit!»

Elle est sortie.

J'ai administré un bon coup de poing à mon oreiller.

Cet après-midi, je suis allé visiter (en m'appuyant sur des béquilles) le centre de physiothérapie de l'hôpital.

Il y avait pas mal de patients en train de rééduquer leurs muscles sur des appareils. D'autres, plongés dans la piscine, essayaient de battre des pieds ou des mains, aidés par le personnel.

Je me suis approché d'un petit gars qui ne me laissait pas des yeux, tout en agitant faiblement les jambes sous la surveillance d'une femme. Il m'a lancé: «Je te connais, toi? Tu es Pierre Lambert!»

Je suis resté surpris. J'ai demandé son nom: «Jimmy! a-t-il claironné, mon père dit que tu as beaucoup de talent! (Je l'ai remercié.) Il dit aussi que tu as une saprée tête de cochon!»

J'ai rougi.

«Jimmy! a coupé la femme, tu déranges le monsieur!» Elle l'a excusé.

«Il fait quoi ton père? ai-je demandé à Jimmy. — Mon père, c'est Jacques Mercier, l'entraîneur du National!»

J'ai éclaté de rire! La femme et l'enfant ont suivi.

La partie contre Philadelphie de ce soir, je ne suis pas pris pour la regarder tout fin seul dans mon lit d'hôpital! Que non!

J'ai de la visite.

Marilou et Geneviève, une copine de Suzie (partie je ne sais où). Une fille formidable! Surprenante! Une Allemande d'origine qui parle français comme tout le monde avec un petit accent cassé pas désagréable du tout.

Martin vient de compter. Elles hurlent plus fort que moi: «Tu te souviens, dit Geneviève à Marilou, du but de Marc Gagnon dans les finales contre Edmonton, l'an passé?»

Je suis resté bouche bée.

Marilou a remarqué ma surprise. Elle s'écrie,

en pointant Geneviève du menton : «Pierre... Attends de la voir jouer au hockey ! — Elle ? ai-je sifflé, les yeux comme des oeufs. — À vrai dire, a laissé tomber Geneviève, je préfère le football !»

Je n'en revenais pas. Le match à la télé m'a tiré de mon étonnement. Denis (que Mercier laissait enfin jouer ce soir) venait de faire trébucher MacMahon, un ailier des Flyers. L'arbitre avait sifflé. Une punition de cinq minutes ! Je rage ! Je sacre ! (Les filles en font autant.)

«Voir si c'est le temps de perdre un homme, sacrifice ! me suis-je écrié. Damné Denis ! Ce n'était donc pas le temps de faire le fou ! — C'est beau ! C'est comme ça qu'on impose le respect ! a lancé Geneviève, en applaudissant juste comme Ginette faisait son entrée. — Approche Ginou ! que je lui ai dit. On gagne, deux à un ! Trois minutes de la fin !»

À l'instant précis, les Flyers ont compté.

J'ai repris, en grimaçant : «On gagnait...»

«Je suis allée me chercher du travail, Pierre !» me dit à brûle-pourpoint Ginette, en m'embrassant.

Je ne sais pas trop quelle mouche m'a piqué, mais le simple mot «travail» m'a échauffé les oreilles. J'ai demandé pourquoi.

«Pierre, si tu ne joues pas quarante matchs avec le National, il va falloir que je fasse ma part ! Si on veut payer le loyer... (Elle avait l'air indignée.) — On dirait que tu me prends déjà pour un infirme ! lui ai-je crié par la tête. Tu es encourageante !»

Marilou s'en est mêlée : « Allons Ginette ! a-t-elle gémi, il faut garder le moral ! »

Ginou lui a rétorqué de se mêler de ses affaires ! Elle a tourné les talons et quitté la chambre en pleurant, sourde à mes appels.

Marilou est allée la chercher.

Geneviève se tait. Je fixe sans regarder l'écran du téléviseur.

J'entends, dans une brume, la voix du commentateur : « Encore une fois, voici les résultats de ce soir : Match nul entre les Flyers de Philadelphie et le National de Québec au compte de deux à deux. Et maintenant, Mesdames et Messieurs ... »

J'aurais donné un million pour être à Philadelphie ce soir, un million ! Si j'avais été là, on l'aurait gagnée celle-là ! J'en suis sûr !

Si Denis n'avait pas fait le cave, aussi ! On l'avait !

À Philadelphie, je partageais ma chambre avec Marc Gagnon. C'est ainsi que Jacques Mercier en avait décidé.

Vers minuit, pour nous reposer d'une partie nulle (ce soir au Spectrum) et pour fêter un peu (par goût), j'ai sorti de mon sac une couple de bières que je m'étais achetées. J'en ai offert une à Marc.

« Au National, Bob ! » a-t-il dit en buvant.

Après quelques rasades, il a ajouté : « Si ça n'avait pas été de la niaiserie de Mercure, Bob, on en gagnait une troisième de suite ! »

J'ai agréé.

« Ça fait quand même du bien d'en gagner deux, coup sur coup ! » ai-je déclaré.

Il a laissé tomber : « Si ça pouvait continuer ! Combien on en gagnait, il y a trois ans, hein ? au plus fort de notre vague ? Cinquante-trois ? — Juste ! ai-je dit. On marchait fort dans ce temps-là, Marc ! Personne n'arrivait à nous arrêter ! Ça c'était du jeu ! — On en couraillait un coup aussi ! m'a-t-il répliqué en éclatant de rire. »

Un peu après, il a parlé de la coupe Stanley et, tout à coup, l'atmosphère est devenue plus lourde . . . Le silence s'est glissé comme si un tabernacle venait de s'ouvrir !

« La Coupe, Bob ! La Coupe ! Penses-tu qu'on a encore de la chance ? »

J'allais lui répondre quand on a frappé à la porte. Je n'attendais personne, surtout pas à Philadelphie. Marc, peut-être ? (Je connais ses habitudes.)

On a dansé le tango de l'hésitation jusqu'au vingtième coup, avant qu'il ne se décide à ouvrir.

J'ai entendu : « Suzie ! Qu'est-ce que tu fais ici ? » Je me suis retourné et j'ai vu Marc en train d'embrasser la soeur de Pierre. Je me suis levé. Il m'a lancé des regards désespérés. J'ai compris qu'il souhaitait que je les laisse seuls.

« Non ! Pas question ! lui ai-je sifflé avant même qu'il m'en fasse la demande. — Ne vous dérangez pas ! a lancé la soeur de Pierre en s'adressant à nous deux à la fois, j'ai réservé une chambre ! Tu viens ? a-t-elle ajouté en se pressant contre lui. »

Marc m'a souri platement et ils sont sortis.

UNE BLESSURE ÉPROUVANTE

Dans l'avion qui nous ramène de Philadelphie à Québec, je m'enquiers de Gary Bennett auprès de Jacques Mercier: «Il n'a pas l'air dans son assiette, Jacques ! Depuis que tu l'as remplacé dans la partie contre Boston, il ne parle plus à personne ! Regarde-le tout seul dans son coin... »

Mercier me répond: «Phil, j'ai parlé à Gilles au téléphone hier soir. Bennett va probablement passer à Los Angeles !»

J'ai froncé les sourcils: «Quand ?»

Mercier a fait la moue: «Je ne sais pas, Phil ! Aucune idée. Je pense que ça pourrait lui faire du bien... En tout cas, moi, j'ai perdu confiance en lui !»

C'est drôle, dans mon métier d'entraîneur-adjoint, je devrais être habitué de voir le sort des joueurs se régler d'un couperet de guillotine, mais à chaque fois qu'on met un gars au rancart, ça me fait quelque chose. Comme si c'était à moi qu'on donnait le coup de grâce.

C'est enfantin, mais c'est comme ça.

La grande gueule à Gilles Champagne!

«Hé Marc! (qu'il me crie à l'autre bout de l'appareil) j'ai rêvé ou bien c'est bien la petite Lambert que j'ai vue à l'hôtel ce matin?»

Je me suis calé dans mon fauteuil.

Templeton a repris: «You're right!»

Je voyais le petit Mercure blêmir en se dressant sur son siège. Champagne a poursuivi: «Tu sais qu'elle est mordue, hein? Partir de Québec pour venir passer la nuit avec toi! Aïe! Veux-tu me dire ce que tu leur fais à toutes!»

Il a ri. Pas moi. Encore moins le petit Mercure qui s'est levé et s'est dirigé de mon côté à toute vapeur. Je ne voulais pas croiser son regard (je savais ce qui s'était passé entre Suzie et lui). Je me suis vitement plongé le nez dans un journal.

Il s'est arrêté à ma hauteur. Je pouvais sentir, à distance, la chaleur de sa rage!

Je n'ai pas bronché. Il a filé vers les toilettes, en bousculant tout sur son passage.

J'ai revu le docteur Lucie Baptiste cet après-midi. Je me suis excusé pour l'autre soir.

«Oublie ça, Pierre! Moi, c'est déjà fait! Quelles sont les nouvelles pour ton genou? Je n'ai pas eu le temps d'aller consulter les dossiers au département.»

J'ai dit que les grosses nouvelles, ce serait pour après-demain et que, pour l'instant, ça faisait bien mal.

«Ça ne veut pas dire que tes ligaments sont déchirés, Pierre! Il ne faut pas perdre confiance! Jamais! Comment penses-tu que j'aie pu me rendre où j'en suis aujourd'hui, sans une bonne dose d'espoir, hein?»

Elle a souri, avec tant de douceur et de fermeté en même temps que j'en ai été remué.

Et toujours le blanc criant de ses yeux!

Je suis revenu à ma chambre le coeur ébranlé.

J'ai su le nom du «macho» qui a fait livrer deux douzaines de roses à ma patronne, Madame Lambert!

Il s'appelle Gilles Guilbault.

Je l'ai entendu (elle ne se cache pas) lui téléphoner ce midi pour le remercier «de son avalanche de roses» comme elle a dit. Elle a été très coquette au téléphone, avec un rien d'étrange dans la voix. De ces riens qui promettent...

Il a été question d'un rendez-vous à Montréal où, du reste, ma patronne doit se rendre les jours prochains régler des histoires de fournisseurs.

Elle s'est adressée à moi après avoir raccroché : « Suzanne ! voudrais-tu annuler mon dîner de jeudi avec maître Luc Sigouin ? Dis-lui que je suis retenue à Montréal pour des commandes . . . »

Elle m'a décoché un clin d'oeil qui m'a fait rire. J'ai demandé : « Les roses ? »

Elle a hoché la tête en laissant tomber avec le sourire : « Oui, Suzanne ! Les roses ! »

Je descendais du train qui m'avait ramenée de Philadelphie, je venais de sauter d'un taxi quand, en arrivant à la maison, je tombe sur Denis.

« Comment ça va, Suzie ? » qu'il me lance.

Je lui demande ce qu'il fait là (je cachais mal ma contrariété).

« Quand tu as dit que tu voulais casser, a-t-il commencé par dire, j'ai pris mon trou. Ça faisait mal, mais je me suis effacé . . . — J'ai apprécié ce que tu as fait, Denis ! ai-je répondu. Mais pourquoi reviens-tu comme ça ? Il m'avait semblé avoir parlé clairement ! — Parce que je veux te dire que tu es en train de faire une folle de toi, Suzie ! Tout le National est au courant de ton aventure avec Marc Gagnon . . . Tu passes pour une belle dinde ! »

J'ai failli lui sauter au visage.

Je lui ai dit de me ficher la paix ! Que je n'avais pas de comptes à lui rendre !

«Si tu tiens à le savoir, ai-je crié hors de moi, c'est de Marc Gagnon dont je suis amoureuse! Oui, de lui! Je l'aime, tu m'entends? Comme je n'ai jamais aimé personne auparavant! Ça fait ton bonheur, Denis Mercure?»

Et je me suis engouffrée dans l'ascenseur toutes griffes dehors!

L'inactivité, l'incertitude quant à la nature exacte de sa blessure ont rendu Pierre d'humeur massacrante.

Ce soir, dans sa chambre à L'Enfant-Jésus, il gueule contre tout, les bonnes comme les mauvaises choses. Il dramatise la moindre vétille.

Je suis fatiguée de ses crises et, parfois, sans que je puisse les retenir, une larme ou deux me viennent.

«Tu penses que c'est de ça dont j'ai besoin, Ginette? Des pleurnichages? Penses-tu que c'est ça qui va m'aider à reprendre ma place dans l'équipe? Depuis que je suis blessé, il n'ont pas perdu une seule partie! À croire que je leur portais malheur!— Mais non, Pierre, mais non! que je réplique. — Pas un seul joueur n'est venu me voir! Personne n'a téléphoné! Je te dis, ils n'ont plus besoin de moi!»

J'ai cru alléger l'air de la conversation en avouant que je commençais demain comme serveuse dans un restaurant de la Basse-ville. Je m'étais trompée.

Il a explosé: «Il n'y a pas de doute! Tu es certaine que mon opération va mal tourner! — Ce n'est pas

ce que j'ai voulu dire, Pierre ! ai-je aussitôt répliqué.
— Je ne le sais plus du tout ce que tu veux dire, justement, Ginette !»

Tout à coup, j'en ai eu assez.

J'aurais crié.

«Si je ne fais pas ton affaire, ai-je laissé tomber
en m'emparant à la volée de mon manteau, tu n'as qu'à
le dire, Pierre Lambert !» Et j'ai quitté la chambre au pas
d'urgence.

C'est simple, j'allais hurler.

Je me plaignais que les gars du National m'a-
bandonnaient, que plus personne ne s'occupait de moi.

Vers minuit, dans ma chambre d'hôpital, je me
suis rendu compte que je m'étais trompé.

Je venais de m'assoupir quand, tout à coup, j'ai
vu apparaître, au pied de mon lit, deux infirmiers porteurs d'une civière chargée d'un patient.

Je me suis frotté les yeux pour voir si je ne
rêvais pas ! Il s'agissait bien de Gilles Champagne et de
Steve Broadshaw, vêtus de sarraus et de masques ! J'ai
failli m'étrangler. Il m'ont fait signe de me taire.

De sous la civière, ils ont tiré un magnétophone, m'ont ajusté sur les oreilles un casque d'écoute
et, d'un coup sec, une tonitruante musique disco m'a fait
quitter l'hôpital !

Au même moment, le patient sur la civière s'est mis à bouger, à soulever ses draps, en se contorsionnant comme une danseuse du ventre plus poilue et moustachue qu'un singe! J'ai facilement reconnu Robert Martin, en caleçon, portant jambières et épaulettes!

Je n'ai pu retenir l'éclat de mon rire.

Eux non plus.

De peur d'ameuter le personnel de service, ils ont fui précipitamment, emportant armes et bagages.

Le calme revenu, j'ai fermé les yeux, en pleine béatitude, goûtant cette dose imprévue d'affection.

Ma bonne humeur rentrait doucement au bercail, à mesure que le sommeil m'envahissait...

LES CHOSES SE PLACENT

Quelques jours avant Noël, la direction de l'hôpital avait organisé, pour les enfants du personnel et les jeunes patients, un dépouillement d'arbre dans la salle communautaire.

Presque tous les gars du National étaient là, dédicaçant des photos souvenirs aux enfants présents.

«Aïe les gars! s'est exclamé Jimmy (le fils de l'entraîneur) en me désignant, c'est Pierre Lambert! C'est mon "chum"!» Les autres enfants se sont précipités sur moi mais je n'avais pas ma photo comme les autres joueurs. Je commençais à me poser des questions : est-ce que je fais partie de l'équipe oui ou non ? On m'a oublié par exprès ?

Je n'ai eu le temps de trouver la réponse que Jacques Mercier s'avançait vers moi en ouvrant une grande enveloppe.

« Tu cherches tes photos, mon Pierre ? » m'a-t-il demandé en souriant. Il m'a tendu une liasse de Pierre Lambert, format cinq par sept, en uniforme et en couleurs. J'ai bafouillé des remerciements. Les enfants ont crié « Yé ! » en choeur et j'ai procédé à ma séance de signature.

Ce moment de gloire passé, je suis allé jaser avec Robert Martin.

« Denis n'est pas venu ? lui ai-je demandé — Il a pris un coup trop fort hier soir ! a répondu Robert. Son affaire ne va pas très bien ces temps-ci... »

Ça m'a fait quelque chose pour Denis. Tout à coup, j'ai trouvé les décorations de Noël tout à fait hors saison. Fades. Déplacées.

Mais l'impression n'a pas duré. Je venais de voir apparaître le docteur Lucie Baptiste à la porte de la salle ! Je suis allé à sa rencontre.

Après mille refus, elle a consenti (« Pour te faire plaisir, Pierre ! ») à se laisser prendre en polaroïd (Robert avait offert ses services), au pied de l'arbre illuminé, un bras pour Jimmy Mercier (ravi de figurer avec nous) et un bras pour moi...

Plus je vois cette femme, plus je suis troublé. J'ai bien peur de ce qui s'en vient...

En apercevant Maroussia la première fois, tout de suite j'ai senti que ça y était! Enfin, la femme que j'attendais! Belle. Élégante. Raffinée. Intelligente. Douce. Attentive. Simple. Joyeuse. Tout ce qu'il faut pour embarquer Gilles Guilbault jusqu'à la racine des os!

Ce soir jeudi, nous sommes allés manger à la russe, dans un restaurant typique (La Troïka) où la vodka a coulé tout le repas durant. Nous avons dansé, sauté et ri comme des adolescents.

Maroussia Lambert est une femme adorable! J'ai peur de ne pas être à sa hauteur.

C'est une mère aussi. Elle s'est inquiétée du sort de son fils: «Tu m'appelles tout de suite après son opération, hein Gilles? qu'elle m'a fait promettre visiblement préoccupée. — Ça va bien aller, tu vas voir, Maroussia! lui ai-je dit en me pressant contre elle, il est solide ton Pierre! Je te garantis qu'on ne prendra pas de risques avec lui! Il ne reviendra pas au jeu tant que son genou ne sera pas parfaitement guéri! Je te le jure!»

Son visage s'est éclairé.

«Encore une danse?» a-t-elle suggéré en se levant.

J'avais les pieds en compote, les reins en bouillie mais, pour elle, j'aurais escaladé l'Himalaya à genoux! Et puis, son sourire était si radieux. Je n'ai eu ni le goût ni le courage de refuser...

Ce matin, au Colisée, pendant la période de réchauffement, j'ai regretté ma cuite de l'autre jour. J'avais le souffle court et les jambes comme de la guenille.

« Mercure! m'a crié Mercier à l'autre bout de la patinoire, grouille-toi le cul! Une recrue! Est-ce possible? »

J'ai serré les dents et je suis parvenu à dépasser Marc Gagnon qui m'a lancé : « As-tu mangé de la vache enragée, le jeune? » Je l'ai fusillé de l'oeil.

Mercier a sifflé. « Envoyez, a-t-il hurlé, faites sortir le lard! Gagnon! Mercure! Vous vous conterez votre vie une autre fois! »

En donnant un coup de patin pour m'éloigner de lui, j'ai dit à Marc : « Ton histoire avec Suzie, tu sais que je suis au courant? » Il m'a crié : « Qu'est-ce que tu veux que ça me fasse? »

Il a fait la moue et j'ai filé droit devant, fouetté par mon aveu et le sifflet de Jacques Mercier.

Tout est prêt. Le docteur Gravel et le docteur Baptiste sont là, bistouris à la main. Dans quelques minutes on va m'opérer.

« Ça va aller comme sur des roulettes, Pierre! » m'a murmuré Lucie juste comme je sentais monter les premières vapeurs de l'anesthésie.

Son visage noir et ses yeux étincelants se sont embrouillés. J'ai coulé à pic.

Ça y est ! Je m'y attendais, le pire est arrivé ! Phil Aubry vient de me le révéler : la direction du National me retourne à Chicoutimi ! Après seulement trois parties ! Jacques Mercier m'attend dans son bureau pour me le confirmer. Tout un flop !

« Ne te décourage pas, Denis ! poursuit Aubry en me mettant la main sur l'épaule, tu l'as ta place avec le National ! C'est juste une question de temps ! — Facile à dire ça, ne pas se décourager ! Maudit ! Je n'arriverai donc jamais à m'en sortir ? ai-je gémi devant un Phil Aubry presque plus malheureux que moi. »

Avoir pu, c'est simple, j'aurais fait sauter le Colisée !

Nous étions à discuter depuis un bon moment déjà, Nicole et moi, quand Marc est entré dans le salon, les traits tirés.

Après avoir fait les cent pas, il a dit : « J'ai pris une décision . . . »

Il a regardé Nicole : « Tu peux annuler les procédures de divorce . . . c'est fini ! »

Je n'ai pu retenir ma satisfaction. J'ai lancé : « Là tu parles ! » en me frottant les mains.

« As-tu réglé l'autre problème, Luc ? » a poursuivi Marc en me regardant bien dans les yeux. J'ai compris qu'il parlait de Lambert. J'ai répondu : « Il devrait avoir reçu ma lettre à l'heure qu'il est! — Parfait! a-t-il laissé tomber en s'éloignant. »

J'ai voulu lui montrer le contrat que Guilbault m'avait remis, mais il a fait la moue : « Plus tard, Luc, veux-tu! Plus tard ... »

Je n'ai pas insisté.

« Pierre, papa Baptiste va être furieux! m'a lancé Lucie en entrant dans ma chambre, des papiers sous le bras. — Comment ça? ai-je demandé, intrigué. — Son cher Tricolore adoré va devoir affronter de nouveau le terrible Pierre Lambert dans un mois! »

J'ai allumé (après une anesthésie, les neurones fonctionnent plus lentement).

« Un mois! me suis-je écrié, tu veux dire que je serai de retour au jeu dans un mois? — Tout au plus! a-t-elle repris en ouvrant un dossier. Les ligaments sont un peu étirés, mais il n'y a pas de déchirure. L'hémorragie a été causée par le choc de la rotule contre l'enveloppe interne. Repos, physio, boulot et hop! sur la glace! »

J'ai poussé un énorme cri primal.

« Emmenez-les, Boston, Philadelphie, Montréal, tous! On va n'en faire qu'une bouchée! » que je me suis exclamé en martelant du poing mon oreiller.

Je ne tenais plus en place.

Lucie allait sortir. Je lui ai demandé si je la reverrais.

« Sûrement, Pierre ! J'ai un mois de stage en physio à faire ici ! Mais je ne te garantis pas de devenir un fan du National ! »

Nous avons ri. J'ai questionné : « Vas-tu venir me voir jouer ? » Elle a répondu : « Peut-être... » en s'éloignant. Puis elle est réapparue, une enveloppe à la main : « J'allais oublier, une lettre pour toi... »

Resté seul, j'ai décacheté la lettre. J'ai lu et les deux bras m'en sont tombés !

On a frappé. Sans attendre ma réponse, Denis est entré.

« Comment ça va le genou ? » a-t-il aussitôt demandé. Je lui ai appris la bonne nouvelle.

« Moi, je viens d'en apprendre une mauvaise ! a-t-il repris, en s'assoyant. — Ça tombe bien, je viens juste d'en lire une moi aussi ! ai-je enchaîné. — Toi ? a interrogé Denis, surpris. — Sigouin me laisse tomber ! Il ne veut plus être mon agent ! que j'ai dit en lui montrant le papier. — Moi, ils me renvoient à Chicoutimi ! »

Nous nous sommes regardés, aussi découragés l'un que l'autre.

Denis s'est approché.

Au bout d'un moment, j'ai parlé de notre chicane au camp d'entraînement, l'été passé. J'ai avoué que, pour son épaule, je savais...

«Oublie ça Pierre! Je t'en ai voulu pendant longtemps, mais je me suis aperçu que c'était un peu de ma faute! (Sa voix s'est enrayée.) J'ai le cœur trop mou pour faire ce métier-là!»

Il filait un mauvais coton.

«Ne te décourage pas, mon Denis! que j'ai fini par dire, le National, c'est aussi pour toi! Ensemble, on a toujours gagné, je te garantis que c'est ensemble qu'on va aller la chercher, la coupe Stanley! Ensemble!»

Il m'a pris par le cou, puis nous nous sommes frénétiquement serré les mains. Mais il a ajouté: «Maudit! que vous allez m'avoir fait mal vous autres, les Lambert!»

HUITIÈME CHAPITRE

DE LA VISITE ROUGE

LA RUPTURE

Depuis quelques jours, Marc est visiblement habité de pensées en ébullition. Il fuit du regard mes reproches silencieux.

Au sous-sol, où il se fait suer, ce matin, enchaîné à ses appareils de musculation comme un galérien à sa galère, je suis descendue.

Au bout d'un moment, je me décide à formuler la question qui me brûle la langue : « Est-ce que tu lui as enfin parlé ? dis-je. — Non ! Mais, je te l'ai dit que c'était fini, Nicole ! Je ne l'ai pas vue depuis quatre jours ! — Ah ! tu comptes les jours ! ai-je repris avec un peu de fiel dans la voix (c'était plus fort que moi). C'est long quatre jours sans nouvelle ! Elle doit se morfondre. Il va falloir que tu lui causes. Ce n'est pas tout de me répéter que c'est fini, c'est à elle qu'il faut le dire ! »

Un nuage noir est passé dans ses yeux.

« Je vais régler ça ce soir, a-t-il répliqué. Je la vois à sept heures . . . »

J'étais à demi-convaincue de sa sincérité. Mon

doute a dû paraître, il a quitté sa galère et m'a lancé, en haussant le ton : « Je ne mens pas, cette fois-ci, Nicole ! C'est fini ! Mais maudit, donne-moi donc une chance ! »

Il est monté à la cuisine, contrarié.

Je suis retournée dans ma chambre, le coeur en attente devant la fenêtre, un cognac à la main, l'oeil perdu dans la neige qui, dehors, saupoudrait les arbres . . .

À sept heures ! Marc et moi, nous nous voyons à sept heures !

Je n'ai jamais été aussi énervée de ma vie. Il a fallu que Marilou refasse mon maquillage tant mon excitation m'a rendue malhabile (un dérapage de la main en appliquant mon ombre à paupière m'avait donné l'allure d'un raton-laveur !). J'ai choisi la plus belle création de la boutique de maman et, à présent, à six heures et demie, je suis fin prête.

« Ce que tu es belle, Suzie ! me dit Marilou en me contemplant du bout du salon. Bon. Il faut que je retourne à mes valises ! »

Marilou s'en va. Elle quitte le Québec. Elle va rejoindre son père en Tunisie. Il a besoin d'elle pour ses affaires.

« Tu ne penses pas, Marilou, que tu vas un peu vite ? lui ai-je demandé en la voyant enfourner des vêtements dans une énorme malle. Ton père ne t'a pas encore téléphoné ! »

Elle lève la tête : « Si ! Cet après-midi ! Il ne me reste plus qu'à attendre la confirmation de mes billets d'avion... Tu te rends compte, Suzie ? Je m'en vais ! »

Nous nous sommes regardées, incapables d'ajouter quoi que ce soit à la terrible évidence.

« Je suis heureuse pour toi, ai-je laissé tomber, finalement, mais ça me fait un pincement au coeur. Tous nos projets, nos amis... la boutique de maman...
— Bah ! a-t-elle répondu, avec le beau Marc, tu ne t'apercevras même pas de mon départ. Et puis, Geneviève vient prendre ma place ici. Ton budget va rester le même ! »

J'ai essayé de retenir une larme, mais elle a coulé quand même.

« Ton maquillage ! » a crié Marilou, en s'essuyant les yeux, elle aussi.

J'étais partagée entre la joie de revoir Marc et la tristesse d'être bientôt séparée de Marilou. Je ne savais où donner du coeur. Nous nous sommes embrassées et j'ai enfilé mon manteau.

« Allez ! m'a-t-elle lancé à la porte. Va retrouver ton Prince Charmant, la princesse de Trois-Rivières ! »

Depuis que Pierre a quitté l'hôpital pour la maison, il est carrément insupportable.

Malgré ses béquilles, il ne tient pas en place, se promenant du frigo aux armoires en grognant sur tout et rien.

«Ginou? Tu te rends compte? Deux semaines de physiothérapie à faire! J'ai le temps de devenir fou, moi! — Si tu le prenais autrement! que je lui réponds en donnant à ma voix le ton le plus neutre possible. (Il éclate.) — Toi, tu ne peux pas comprendre! crie-t-il. Tu n'as jamais rien eu qui t'a tenu à coeur dans ta vie! — Merci! ai-je répliqué en encaissant le coup. — C'est vrai! a-t-il poursuivi, vendeuse dans un magasin à rayons, tu ne peux pas te passionner pour ça!»

C'est comme s'il m'avait poignardée. (Les blessures les plus douloureuses ne sont pas celles qui répandent le sang.)

Une bouffée de chaleur m'est montée à la tête. J'ai répondu: «Si tu me trouves trop insignifiante pour toi, je peux m'en aller, tu sais... — C'est pas de ça que je parle! a-t-il aussitôt repris. On dirait que tu prends tout pour acquis, toi! Pierre Lambert, vedette du National, ce n'est pas coulé dans le ciment ni écrit dans les étoiles! Il faut que je le mérite pour graver mon nom dans le ciel! Il faut que je joue! — Deux semaines de physio, Pierre, ai-je dit avec douceur, ce n'est pas la fin du monde!»

Il a haussé les épaules et s'est dirigé vers la sortie. «Où vas-tu? ai-je demandé. — À la physio. — Mais tu en arrives! — Je n'en ferai jamais assez! lance-t-il en s'habillant.»

Une idée me traverse l'esprit. Comme il vient d'ouvrir, je laisse tomber: «Es-tu bien certain, Pierre, que c'est à la physio que tu vas?» Il rougit: «Tu peux toujours vérifier, si tu ne me crois pas!»

Il claque la porte à la faire sortir de ses gonds, elle aussi...

Je reste clouée sur place, muette de rage, emmurée vivante dans des doutes qui m'envahissent.

Je suis arrivé avant Suzie au restaurant (un peu avant sept heures), pour me donner le temps de ramasser mes esprits, mes idées et mes mots.

Pour faire le plein de courage aussi, puisqu'il en faut pour mettre un rêve à mort...

Je ne sais plus par quel bout prendre mon crime.

Ce n'est pas facile de déraciner un amour qui a poussé trop grand, trop fort, trop vite.

Ce n'est pas aisé d'avouer à Suzie que je ne peux plus risquer ma carrière, mon nom, ma famille, pour vivre un songe éveillé.

Je lève les yeux de mon verre et je l'aperçois, là, devant moi, plus resplendissante que jamais, belle comme les fleurs d'un été finissant.

Elle se jette dans mes bras. Je sens son coeur palpiter: «Je t'aime, Marc! Je t'aime comme une folle! Je me suis ennuyée à mourir!»

Elle remarque ma gêne (mes pensées s'entrechoquent, je meurs de trac). Je dis: «Fais attention Suzie! C'est plein de monde ici! — Tu es devenu bien prudent tout à coup, Marc? qu'elle me lance en se pressant contre moi davantage. Dis-moi que tu m'aimes! — Je t'aime Suzie! Je t'aime trop... ça n'a plus de bon sens! (Je bafouille. J'ai la gorge sèche.) Suzie, il faut que

je te parle, c'est important! — Parle, je suis là...
Qu'est-ce que tu as? (son regard s'est assombri). Tu n'es
pas content de me voir? Tu ne m'aimes plus? (sa voix
faiblit). — Si c'était ça! que je lui réponds. Je t'aime,
Suzie, comme je n'ai jamais aimé une autre fille! Je
t'aime trop! Je ne suis plus capable de marcher longtemps comme ça. Je suis en train de te détruire. Tu le
sais, je ne suis pas libre. Nicole veut divorcer. Je trouve
que tu es trop jeune pour endosser mes problèmes! Il
faut casser, avant de se faire trop mal.»

Le reste de la scène s'est déroulé comme en
accéléré, devant des clients suffoqués, dans un bombar-
dement de suppliques, de cris, d'injures et de larmes.

En trois temps, trois mouvements, elle était levée et rendue dehors (en souliers, en robe, en plein hiver!). Je l'ai poursuivie (il neigeait à plein ciel), son manteau à la main.

Je suis arrivé trop tard: un taxi l'avait cueillie
au vol et tournait le coin de la rue.

Je venais de boucler ma dernière valise quand
Suzie est entrée. Livide. Défaite... Plus rien de la splen-
deur de tantôt. Déchue, la princesse!

Elle a claqué la porte en lançant, les yeux pleins
d'eau: «Marilou, c'est fini! Marc a cassé!» et s'est dirigée comme une balle vers la cuisine.

J'ai entendu du verre se briser. Je me suis précipitée. Elle était en train de vider les armoires: les tasses,
les soucoupes, les verres, les assiettes, tout volait en
éclats, pêle-mêle, contre les murs! Elle hurlait: «Non! Il
n'a pas le droit de me faire ça, l'écoeurant! Pas le droit!»

J'ai tenté de la calmer, mais elle m'a envoyée promener, en même temps que les flacons d'épices et les livres de recettes qui venaient de lui tomber sous la main.

Quand les couteaux et les casseroles ont commencé à faire du vol plané, j'ai décidé qu'il était temps d'agir.

J'ai décroché le téléphone...

Il faut que je me l'avoue : je ne retourne pas à l'hôpital, uniquement pour faire de la physiothérapie. Bien sûr, je veux me remettre sur pied le plus vite possible. C'est ma première raison, celle qui demeure quand on enlève le reste, l'autre raison : le docteur Lucie Baptiste.

« Tu guéris bien, Pierre ! Encore deux semaines et tu vas recommencer à patiner ! » qu'elle me dit en me voyant suer comme une éponge sur le maudit appareil à traction.

Je la regarde. Je n'écoute plus, je la déshabille. Parce qu'il faut le dire : cette fille m'éveille les sens. Elle m'excite. D'ordinaire, quand une fille me fait cet effet-là, ma tête est d'accord pour laisser aller les choses là où elles mènent, naturellement. Mais, avec Lucie, mes méninges s'inquiètent. Mais mon excitation me rend mal à l'aise. Je pourrais me dire que c'est du remords face à Ginette, mais ce n'est pas cela. C'est le fait que Lucie soit Noire, je pense. C'est comme si je me sentais coupable à quelque part.

« J'ai mal partout ! que je dis. Maudit que c'est dur ! (elle sourit, je devine ses seins sous son sarrau blanc). J'aurais besoin d'un bon massage... (elle écarquille les yeux. Ah! cet éclat me rend fou!) Ça ne te tenterait pas, Lucie? — Tu demanderas ça à ta petite amie! qu'elle me réplique, l'air sérieux. Elle va être ravie!»

Tout à coup, la présence de Ginette entre Lucie et moi m'apparaît de trop, déplacée, comme un chaperon agaçant qui s'interpose et gêne.

«Je n'ai plus de petite amie! que je lance, presque fâché. (Elle me regarde étonnée.) — C'est récent, Pierre?» Soudain, le dégoût de Ginette me vient comme une nausée. Je reprends: «Elle ne le sait pas encore!»

Lucie me fixe droit dans les yeux.

«Je ne suis pas capable de le lui dire! que j'ajoute. (Dans ses yeux, une lueur de reproche passe.) — Vous vous faites mal tous les deux! qu'elle me répond.» Je frémis. Je me penche un peu vers elle. Je hume, en secret, le parfum de son corps. Une envie d'elle jaillit. Je demande: «Toi? tu dois bien avoir un petit ami? (mon oeil brille, je le sais). — Je n'ai jamais eu beaucoup de temps pour m'occuper de ça! qu'elle réplique vivement, comme pour se débarrasser d'un plat brûlant. — Eh! que je m'écrie. Une belle fille comme toi! Tu dois avoir tout plein de petits Haïtiens qui te tournent autour!» Elle répond: «Non! — Ça ne te manque pas? que je demande, une idée bien évidente derrière la tête.» Elle réfléchit, pose ses yeux sur moi (des soleils): «Non.»

J'aurais voulu poursuivre, mais le téléphone a sonné. Lucie a décroché, puis, en me tendant le combiné, elle m'a dit: «C'est pour toi, Pierre. Une voix de femme...»

C'était Marilou.

☆

En ramant de ses béquilles, Pierre est entré dans l'appartement: «Qu'est-ce qui se passe Marilou?» Sans attendre ma réponse, il s'est dirigé vers la chambre de sa soeur.

À bout de nerfs, Suzie ne cessait de répéter, à travers ses sanglots: «L'écoeurant! L'écoeurant! Je le savais qu'il me laisserait tomber quand il aurait eu ce qu'il voulait! Je le savais! — On t'avait prévenue aussi, Suzie! que Pierre a répondu. — Je l'aime! Comprends-tu? Je l'aime! — C'est quand même un beau chien sale! a repris Pierre.» Suzie a hurlé: «Tais-toi! Tais-toi! Je te défends de parler de lui comme ça! Je te le défends!»

Pierre ne savait plus trop quoi faire. Je me suis approchée de Suzie, elle s'est jetée dans mes bras, se-couée de larmes: «Je l'aime! L'aime!»

Pierre s'est assis à côté d'elle. Il a passé sa main dans les cheveux de Suzie: «Sacrée petite soeur! a-t-il dit, avec une voix de velours que je ne lui connaissais pas. Il n'y a rien de changé: quand tu te faisais mal, toute petite, il n'y a que moi qui arrivais à te consoler!»

Suzie s'est jetée dans les bras de son frère. Elle a gémi, puis s'est calmée.

Pierre l'a bercée comme une enfant. Leur ten-dresse m'a touchée. Tout à coup, le goût de retourner en Tunisie, auprès de mon père, a faibli. J'ai senti que j'al-lais perdre quelque chose, irrémédiablement.

J'ai failli crier de rage. Mais Marie-Louise Had-dad est une fille raisonnable!

Raisonnablement, je suis allée pleurer dans ma chambre, assise sur mes valises.

Quand je suis entré à la maison, Nicole était là, à m'attendre, son éternel cognac à la main. Elle me regardait fixement, attendant confirmation de l'exécution de la condamnée.

J'étais trop démoli pour parler. Je me sentais plus vide que le néant. J'ai tourné les talons.

« Marc ! » a dit Nicole.

Je me suis tourné vers elle : « Écoute, je n'ai jamais rien fait d'aussi écoeurant de toute ma vie ! Tu dois être contente ! Je l'aimais la petite, tu comprends ? Je l'aimais ! Veux-tu bien me laisser tranquille pour une fois ! »

Je n'arrivais même pas à lever le ton. Je planais lourdement dans ma peine. Le coeur en yo-yo.

Pour ne pas chialer devant Nicole, je suis allé m'enfermer dans la salle de bains.

UN NOËL EN FAMILLE

« Bon. C'est beau les gars ! nous disait Jacques Mercier au début de l'exercice ce midi au Colisée. Cinq victoires de suite, c'est super ! Je suis fier de vous autres. Fier du National. Tout le monde fait son maximum, tout va comme sur des roulettes. Ce n'est pas le moment de se laisser aller. Deux grosses semaines nous attendent. Noël arrive, ensuite le jour de l'An... Les Fêtes, c'est le moment le plus dangereux de l'année. Tout le monde sait qu'en dehors de la publicité, la bière et le hockey, ça ne fait pas bon ménage...

« Ensuite, vous n'êtes pas sans savoir que les Russes s'en viennent ! Dans une semaine, vous allez devoir rencontrer la plus grosse équipe du monde ! Ce n'est pas le temps de s'écraser sur ses lauriers. Il faut se garder en forme ! Devant les Russes, moi, je n'ai pas envie de passer pour un cave ! Vous autres non plus, j'imagine ?

« Pour ça, il faut être fin prêts. Pour être prêts, il faut se préparer. Pour se préparer, il faut faire du patin. Beaucoup de patin. Encore du patin. Toujours du patin. Rien que du patin. Une indigestion de patin. Compris ? Alors on reprend ! »

Nous avons fait quelques tours de patinoire. Marc Gagnon s'est faufilé à côté de moi et m'a demandé : « Pierre, tu es au courant pour ta soeur ? — Ouais, ai-je bougonné, tu es un bel écoeurant, toi ! — Laisse faire les grands mots ! qu'il m'a répondu. Tu ne comprends rien ! Comment est-ce qu'elle prend ça ? Pas trop pire ? (j'ai ralenti). — Si tu veux le savoir, Marc Gagnon, Suzie prend ça très mal ! Tu peux être content, tu ne l'as pas ratée ! »

Mercier a hurlé : « Gagnon ! Tu régleras tes problèmes de Ferrari une autre fois ! On patine les gars ! On patine ! »

Le taxi, chargé de mes valises, était à la porte et m'attendait.

J'ai jeté un dernier regard sur l'appartement où demain Geneviève allait prendre ma place. Suzie est venue vers moi toute défaite. Nous nous sommes jetées dans les bras l'une de l'autre.

Je pars. Je m'en vais pour longtemps. C'est loin la Tunisie. Tantôt l'autobus pour Montréal, ensuite, l'avion pour Paris. Après-demain, la Tunisie avec papa et moi, son administratrice. Si loin... Ah Suzie! Je vais garder des souvenirs impérissables. De toi. De ton frère Pierre (et comment!), je ne vous oublierai jamais. Jamais...

«Je vais m'ennuyer beaucoup! me souffle Suzie. — Et moi donc! Geneviève arrive demain, tu ne seras pas longtemps toute seule! Que veux-tu, Suzie, c'est la vie! On arrive. On part. On vit, on meurt. Depuis que le monde est monde, c'est comme ça!»

Nous nous sommes embrassées une dernière fois.

«Le taxi m'attend! que j'ai dit nerveusement. Il faut y aller... Ne t'en fais pas... Tout va s'arranger. Ta souffrance finira bien par s'endormir. L'hiver va passer, le printemps viendra. Tu vas tout oublier. — Tu en es sûre Marilou? me demande Suzie, folle de détresse. — Oui, j'en suis sûre! lui ai-je répondu. (Un klaxon furieux résonne.) Bon, je pense que le chauffeur s'impatiente. J'y vais. Tu vas m'écrire? (Elle hoche la tête, étranglée par les sanglots.) Viens me voir... (bise ultime). Adieu, ma Suzie! À un de ces j...»

Le mot s'est étouffé dans ma gorge.

Je dévale l'escalier. Je cours vers la voiture, j'y monte et disparais.

Le voyage vers mon futur commence ici.

J'avais choisi le gymnase du club de conditionnement physique Marius, endroit où Geneviève, la remplaçante de Marilou (dont le mystère fascinant allait me manquer) travaillait comme monitrice, pour tirer, sur Ginette, les premiers coups de canon de ma franchise. À l'instant précis où nous chevauchions tous les deux un appareil à torturer les muscles, je lui ai dit que je ne l'aimais plus d'amour et que j'étais tanné de jouer au menteur.

Elle est devenue blanche. «Ça ne peut pas finir comme ça, Pierre! Je t'aime encore comme une folle, moi!» Elle évitait les éclats de voix, parlant entre ses dents comme une espionne. Du coin de l'oeil, Lucien Boivin nous observait tout en léchant goulûment des yeux l'anatomie pulpeuse de Geneviève, resplendissante, dans un ensemble jaune canari.

«Ginou! lui ai-je répondu à mi-voix, ne me rends pas la chose plus difficile encore! Je ne veux pas te faire de mal, mais c'est fini. — Je ne suis pas assez bien pour toi, je suppose? a-t-elle repris, agressive. Tant que tu étais le petit Pierre Lambert, le joueur de club junior de Trois-Rivières, j'étais assez bien. Mais là! depuis que tu as gradué dans le National, je ne suis plus à la hauteur! — Ginette... que j'ai essayé de lui dire en retenant ma voix, on s'est connus, on avait quinze ans! C'est écrit nulle part que ça doit être pour la vie!»

Elle a changé de ton. M'a supplié. Je ne savais plus où j'en étais quand Lucien Boivin est venu vers nous: «Allô les amoureux! a-t-il lancé, un peu mal à son aise (flairant le soufre).»

Il m'a questionné au sujet de ma blessure, de mon retour à l'entraînement («dans quatre ou cinq jours!» ai-je répondu), de ma forme, et le reste. Ginette souriait froidement. Nous avions l'air de somnambules.

«Tu sais que le club marche comme jamais, Pierre! que Lulu a lancé, ayant enfin trouvé son terrain d'atterrissage. Ça ne t'inquiète pas un peu? — Qu'est-ce que tu veux que je te dise, Lucien! que j'ai répondu en essayant de cacher que la question m'agaçait terriblement. Tant mieux si l'équipe gagne! Tout ce que je peux te dire, c'est que je vais faire comme Geneviève (je la désignais du menton), je vais me battre comme un enragé! — Comment ça? a demandé Lulu, complètement mystifié. — Savais-tu, mon Lucien, que cette fille-là joue au hockey?»

Lulu en bavait d'étonnement: «Elle? (le jaune canari le hantait). Tu m'excuses... je reviens...» Il a foncé vers le jaune, à la vitesse de la lumière!

«Je le sais! m'a dit Ginette au bout d'un moment. Ce que tu vis, je le sais que ce n'est pas facile! Ta blessure, ta place dans le club à sauver, je sais tout ça... Justement parce que ce n'est pas facile, ça ne devrait pas être le moment de prendre de grosses décisions. Tu ne trouves pas? Donnons-nous une chance, Pierre! Restons encore ensemble! Hein? Tu veux?»

Elle ne suppliait plus. Une sorte de respect habitait sa voix. J'ai hésité. À bout de coeur, en pédalant comme un fou sur mon vélo stationnaire, j'ai fait oui de la tête.

Partie de Trois-Rivières à la belle épouvante (après le téléphone de Pierre), je suis arrivée à Québec pour voir ma fille Suzie, les traits vieillis, me fondre dans les bras.

« Maman ! gémissait-elle. J'ai mal ! — Pleure ! Pleure, ma petite fille ! lui ai-je répondu. Tu as bien raison. Tu perds beaucoup en même temps : ton amoureux et une grande amie. Il y a des moments comme ça dans la vie où l'on dirait que tout s'écroule autour de nous, au-dedans aussi. Une sorte d'apocalypse. Pleure, ma chouette, c'est tout ce qui nous reste, qui fait toujours du bien . . . »

Quelques jours avant Noël, le club a organisé, comme à chaque année, une fête pour les enfants sur la patinoire du Colisée. Je m'y suis rendu accompagné de ma canne . . . et de Ginette.

Tout le monde était là : de la haute direction du National (Guilbault, Goldman, Mercier) en passant par les joueurs et leurs familles (Gagnon, Martin, Broadshaw, Templeton, Champagne, tous les autres), jusqu'aux journalistes (Boivin, Linda Hébert), en célibataires.

Il y a un trône où règne Nounou en Père Noël dans une colossale barbe blanche. Il distribue des gâteries aux enfants. Tout le monde s'amuse ; moi, je ne sais pas encore.

« C'est beau, Pierre, hein ? me demande Ginette, accrochée à mes bras, tandis que nous avançons prudemment sur la glace de la patinoire. — Quoi ? que je lui rétorque. — La musique, les couleurs ! Tu vas me dire que je suis « quétaine », mais je trouve ça merveilleux, le temps des Fêtes ! »

J'ai souri.

J'ai laissé Judy avec Jimmy un instant, et je suis allé dire quelques mots à Nicole. Je m'inquiétais au sujet de Marc.

«Ça va bien? lui ai-je demandé. — Je ne le sais pas encore, Jacques! qu'elle m'a répondu, en me désignant son mari du menton. Ça va dépendre de lui! — L'important, ai-je repris, c'est qu'il ait toute sa tête au hockey... — Je pense, a conclu Nicole, que Marc commence à comprendre que la gloire passe mais que les familles restent.»

Judy venait vers nous.

Elle a salué Nicole et nous l'avons laissée.

Jimmy m'attendait pour jouer au traîneau sur la glace, avec sa chaise roulante...

Je jasais bien calmement avec Ginette quand je me suis senti lever de terre. J'ai poussé un cri de surprise en me débattant comme un diable dans l'eau bénite. Martin, Champagne et Templeton m'avaient solidement empoigné et me traînaient de force vers le trône de Nounou.

En riant et criant, ils m'ont déposé et retenu sur ses genoux tout en m'aspergeant, à pleine bonbonne, de neige artificielle. Tous mes vêtements en ont été couverts!

J'aurais pu me fâcher. Mais j'ai trouvé ça drôle.

Dans le fond, ça me faisait chaud au coeur. Les gars pensent encore à toi ! me suis-je dit.

Et puis, on ne fait pas de mauvais coups aux gens qu'on veut oublier.

«Lulu ? ai-je dit à Lucien, viens vite ! J'ai toute une histoire à te raconter !»

Il s'est rapidement approché, les yeux tout grands de questions.

«Mon Dieu, Linda, tu as l'air enragée ! (je l'étais). — Tu sais ce qui vient d'arriver à Gary Bennett ? lui ai-je demandé. — Un accident ? qu'il me demande, suffoqué. — Pire que ça, Lulu ! Le National vient de l'échanger ! J'ai réussi à tirer les vers du nez de Mercier. Juste à la veille de Noël ! Je trouve ça écoeurant en maudit, Lulu ! — C'est du Guilbault tout craché, ça ! — Écoute, que j'ai poursuivi, plus mauvaise que jamais, ça fait sept ans que Bennett vit à Québec avec sa famille ! Tout le monde parle français ! L'intégration était pratiquement faite ! Ils auraient pu attendre après les Fêtes, au moins ! Race de sauvages !»

En une fraction de seconde, Lulu a quitté sa peau d'homme qui compatit, pour sa peau de journaliste en appétit: «Sais-tu avec quel club ? qu'il me demande en plissant des yeux. — Devine ! ai-je répliqué pour garder un peu de la couverture pour moi. Mais il avait déjà flairé la bonne réponse.»

Sûr de lui, il a laissé tomber: «À Boston, Linda ! Bennett s'en va à Boston !»

Il avait fait mouche.

« N'empêche que je trouve ça dégueulasse quand même ! » qu'il a ajouté l'air sincèrement indigné, dans un sursaut de bonne conscience.

LE TEMPS DES RÉJOUISSANCES

Le Tricolore joue ce soir à Québec. Papa Baptiste est venu tout exprès de Montréal pour assister au match. Je l'accompagne.

Dans les gradins, il ne tient pas en place, criant, sautant de joie à chaque beau jeu de ses préférés, s'attirant du fait même les foudres des spectateurs autour, manifestement partisans du National. Je peux lire sur leurs visages étonnés la question qui les hante : qu'est-ce qu'un Noir, vêtu d'un chandail aux couleurs de l'ennemi peut bien faire au Colisée de Québec ? Je ne peux pas nier que la chose soit surprenante. Ce n'est pas très courant, en effet, mais ça existe, papa en est la preuve vivante et hurlante (Montréal vient de compter, il ne se contient plus) !

De la passerelle des journalistes, au Colisée, tout en préparant mon papier pour *Le Matin* de demain, j'observe la partie d'un oeil et Lucien Boivin de l'autre.

« Ça boum, Linda ? » qu'il demande sans me regarder. Il a l'air nerveux, Lulu. Depuis tout à l'heure qu'il rôde autour du téléphone. Finalement, il décroche, s'essuie le front (dégoulinant) comme un type qui s'apprêterait à discuter affaires avec un créancier retors.

Il découvre mon oeil inquisiteur et m'adresse un sourire béat. Je détourne la tête. Je l'entends dire: «Geneviève? (Ah! je comprends tout: une histoire de fille! Il bafouille un peu, puis se ressaisit.) Je voulais t'inviter à manger demain soir... Tu sais... je pense sérieusement à faire un grand reportage sur toi! Une Allemande qui joue au hockey ici, chez nous!... Oui, c'est ça, quelque chose sur le sexisme dans le sport... À huit heures chez Bruyère, demain soir, ça t'irait? Tu sais où c'est? À demain!»

Lucien a raccroché, rouge de bonheur, plus dégoulinant que tantôt. Au même moment, la foule éclate en une grande clameur: le National vient de compter (Marc Gagnon)! Lulu saute sur place, les bras en l'air, ne contenant plus sa joie.

Preuve est fournie qu'un bonheur ne vient jamais seul.

Après la joute, je suis allé féliciter les gars au vestiaire. «Salut le Chat! Belle game, hein?» me lance Martin. Je serre des mains, donne des claques dans le dos. Une belle partie, oui! Deux buts, comptés par Marc Gagnon, contre un seul misérable pour Montréal! Une grande victoire! Tout le monde nage dans la satisfaction. Moi, j'ai un goût d'amertume dans la gorge. Je n'en peux plus de passer les matchs debout, derrière le banc, déguisé en monde ordinaire! Je veux sauter sur la glace! Je veux jouer!

Marc s'est approché de moi. «Comment est-ce qu'elle est? me demande-t-il à mi-voix. (Suzie le préoccupe.) — Tu ne l'as pas tuée! C'est déjà ça! que je lui réponds. — Tu finiras bien par comprendre un jour, je te le dis Pierre! ajoute Marc en s'éloignant.»

Je suis resté un moment figé, et c'est une giclée de liquide froid en plein visage qui m'a rappelé à la vie de vestiaire. Nounou «baptisait» Michel Matthieu (première étoile de la soirée) au *Coke,* généreusement brassé et copieusement répandu. J'allais protester en riant quand Jacques Mercier a fait son entrée. Le silence est tombé.

«Les gars! a-t-il lancé, visiblement de bonne humeur. N'oubliez pas, entre chaque bouchée de dinde ou de dessert, entre chaque bière, de vous souvenir que les Russes s'en viennent! Parce qu'eux autres, je suis certain qu'ils ne vous oublient pas! Joyeux Noël tout le monde!»

Des applaudissements et des cris ont fusé.

Le temps des Fêtes était déjà arrivé.

Je suis sorti en douce, le coeur ailleurs.

«Lucie!» m'a crié Pierre comme nous arrivions tout près du vestiaire, papa et moi. Il est resté un moment interdit en me voyant au bras d'un Noir à cheveux blancs. Sa surprise passée, je lui ai présenté Joseph Baptiste qui s'est empressé de faire son numéro: «Pierre Lambert! a clamé papa. Quatorze buts, seize assistances, trente points, quatre-vingt-deux minutes de punition. À peu près la même fiche que Marc Gagnon à sa première saison avec le National!»

Pierre en était éberlué, sans voix.

«Savez-vous, a repris papa, j'ai une idée! Cette année, nous fêtons Noël à Québec, chez Lucie, vu qu'elle travaille le lendemain. (J'ai opiné.) Toute la famille y sera! Si vous veniez passer un bout de réveillon avec nous, ça nous ferait un immense plaisir... »

J'étais sidérée. Papa est d'habitude tellement plus avare de ses invitations. Pierre a répondu, en me jetant un coup d'oeil, qu'il y serait avec plaisir.

Je souriais, tout en me demandant bien comment la famille réagirait à la présence de Pierre. Un Blanc, chez nous, à Noël? Ce n'est pas arrivé souvent. Et maman? Qu'est-ce qu'elle va en penser?

Petit à petit, une vague inquiétude me gagnait.

J'étais crevé. Depuis une heure, je me faisais souffrir comme un damné au club de conditionnement Marius.

Geneviève est venue vers moi: «Fatigué, Pierre? qu'elle me demande de sa voix un peu râpeuse. — Je suis mort! ai-je répliqué en m'essuyant du revers de ma manche. Veux-tu me dire comment tu fais pour être toujours en forme, toi, avec ton cégep, le bar, ici? — J'aime trop la vie pour en perdre une seconde! (Son regard s'est dirigé vers la porte.) As-tu vu qui s'en vient? m'a-t-elle dit, en pointant le menton. »

Lucien Boivin, en tenue d'exercice, maigre et blafard, venait vers nous. En m'apercevant, il a eu l'air contrarié. «Mon Tarzan!» s'est exclamé Geneviève en allant vers lui.

Elle avait entrepris de prendre en main la santé du journaliste de *Québec-Métro* et de lui préparer un programme parfaitement adapté. («Au niveau des jeunes» lui avait-elle dit.) Lulu, pâmé devant le jaune canari de la belle Allemande, s'était mis en devoir d'obéir au doigt et à l'oeil à tous ses ordres. Il exécutait, souvent le souffle court, tous les exercices exigés, montant allégrement sur les appareils, sans se soucier des tortures à venir, comme un chrétien à genoux devant la gueule du lion. Tout ça, davantage pour les beaux yeux de sa monitrice que pour le bénéfice de sa musculature. Évidemment.

J'ai déposé mes haltères et me suis dirigé vers les douches, laissant Lucien Boivin suer sa passion à loisir.

«Nicole! Tu veux me passer les allumettes, s'il te plaît?» me demande Marc, accroupi devant le foyer. Je m'exécute. Il me sourit, je lui réponds. Il y a des mois qu'on ne s'était pas regardés comme ça, lui et moi. C'est le plus beau cadeau de Noël qu'on pouvait se faire! Plus beau encore que le collier de perles (naturelles) que Marc m'a offert tout à l'heure! Plus précieux que la pince à cravate en platine (sertie d'émeraudes) que je lui ai donnée!

Ses parents et les miens sont avec les enfants et nous ce soir, 24 décembre, pour le réveillon. Maman Goyer a confectionné sa fameuse bûche, belle-maman Gagnon sa célèbre tourtière, et moi je viens de sortir ma terrible dinde du four. Francis et Marie-France, couverts de cadeaux, rient et s'amusent. Nous allons, à l'instant, passer à table.

De la fenêtre du salon, je souris au sapin illuminé, dehors, qui ploie sous la neige épaisse. Pour la première fois depuis longtemps, mon âme et mon coeur chantent...

J'ai caché, dans un coin de ma chambre, une vieille boîte en bois ouvragé à la manière de Géorgie que ma mère m'avait donnée et qui fascine terriblement mon fils Hugo. Il ne se passe pas une semaine sans qu'il me demande : « Maman, qu'est-ce qu'il y a dans cette boîte, hein ? dis-le moi ! — C'est un secret ! que je réponds invariablement. »

Je n'y conserve en fait que des photos de famille, des objets divers, de vieux bijoux en toc et mille petits papiers. Rien de bien précieux. Mais dans la tête d'Hugo, le mystère n'a pas besoin de grand-chose pour exister. Juste un petit atome d'incertitude...

À l'heure présente, tout le monde est arrivé ou presque pour le réveillon. Comme d'habitude, nos hommes se font attendre.

Soudain, on sonne à la porte.

Chacun croit deviner juste, mais ce n'est ni Pierre ni Denis ni Albert qui apparaît ! Plutôt un fleuriste, chargé comme un baudet d'une imposante gerbe de roses rouges habillée de papier cellophane. « Maroussia Lambert ? » demande-t-il empêtré dans la gerbe. Je réponds. Il salue et sort.

C'est la bousculade pour savoir de qui me vient pareille orgie de fleurs ! Hugo les compte : « Soixante-douze ! Maman ! Tu te rends compte ? Six douzaines ! — C'est de la folie furieuse ! que je m'écrie. »

Je croyais avoir tout vu, quand on a sonné à nouveau. Ginette a ouvert. Deux jeunes filles, vêtues des couleurs du National sont entrées. Elles ont aussitôt récité, d'une même voix chantante, un petit mot de circonstance: «Ma chère Maroussia, après les réjouissances de Noël, ce sera l'arrivée et la défaite de l'armée rouge. Votre présence à mes côtés, pour ce mémorable événement, serait grandement appréciée. Acceptez cette modeste invitation, en téléphonant à Gilles Guilbault, au plus tôt!»

Elles ont tourné les talons et passé la porte.

J'étais suffoquée.

«Dis oui, maman! me répétait Suzie, refrain que les autres reprenaient en choeur. S'il te couvre de tendresse comme il te couvre de fleurs, tu serais bien bête de laisser passer ça!»

UN RÉVEILLON PAS COMME LES AUTRES

«Lucie, viens m'aider, tu veux? me demande ma mère. Les enfants commencent à avoir faim!» J'ai fait passer les assiettes de la table au comptoir. Maman commence à les remplir.

Quel étrange réveillon! Tout le monde est bien énervé depuis que Pierre est arrivé. Un Blanc chez les nègres, un soir de Noël! De mémoire de Baptiste, c'est une première!

Il se tient debout, au milieu de la place. Il parle et gesticule, un peu intimidé par tous ces grands yeux de Noirs, tranchants comme des accusations, qui le dévisagent. Le regard des enfants qui questionne, celui de maman qui soupçonne, celui de papa qui nage dans la gloire, et les yeux, si rieurs, de grand-papa Toussaint...

Pour se donner belle contenance, Pierre a sorti d'un grand sac un lot de boîtes multicolores. « Ce n'est pas raisonnable ! s'est exclamé papa. — Vous n'auriez pas dû ! de s'écrier maman. »

Il s'est souvenu que papa Baptiste est chauffeur de taxi. C'est un coussin de voiture en belle peau de mouton qu'il lui offre ! Papa Joseph est ému. Toute l'assemblée éclate de rire en se tapant les cuisses, quand papa s'aperçoit qu'à l'endos de la peau s'affichent, orgueilleuses, les couleurs du National. Il rit de bon cœur.

Un Chanel Numéro Cinq pour maman ? « Pierre, c'est fou ! » que je lui lance.

Je n'ose lui avouer que maman ne se parfume jamais. (Elle a pour son dire que la propreté est le meilleur des parfums.) Elle prend ton cadeau quand même parce qu'elle est polie. Elle est toute gênée, tu vois ? Elle t'embrasse pour te remercier, mais elle garde une petite réticence. Moi je le remarque.

Ah ! Lucie connaît bien sa mère !

« Tu es fou ! que je murmure à Pierre. Tu as apporté trop de choses : des chandails, des chemises, des casquettes, des crayons, tous à l'effigie du National ! Il n'y a pas d'autres fans de Québec, ici, que toi et moi ; tu veux te faire tuer ? » Il éclate d'un rire taquin. Tout le monde en fait autant en se tapant sur les cuisses !

Heureusement que la famille est absolument convaincue de la supériorité du Tricolore, sinon quelle pagaille ce serait... Et puis, les Baptiste entendent à l'humour et sont polis. Chez moi, on ne critique pas un cadeau, on le prend en remerciant, on en dispose ensuite, à sa guise.

Qu'importent les rivalités ? L'urgent, le soir de Noël, c'est de boire et danser, chanter et manger !

« Le punch est vraiment extraordinaire ! avoue Pierre, la paupière déjà alourdie par le rhum. — C'est tout Haïti que j'ai versé dans votre verre ! que lui répond maman, l'oeil allumé elle aussi. — C'est pour ça que ça goûte le soleil ! de s'écrier Pierre. »

Nous rions en choeur.

En coeur.

« Madame Lambert, me dit Denis en entrant accompagné de ses parents, je vous présente mon père, Charles Mercure, et ma mère, Antoinette... »

Je leur ai serré la pince. Ils m'ont regardée, d'un air tellement renfrogné que j'en ai été surprise !

Je n'arrivais pas à deviner comment de telles personnes avaient pu procréer un garçon aussi dynamique que Denis ! Encore un mystère de la génétique humaine ! me disais-je.

Tout à l'heure, mes amies de la coopérative (mes couturières) se sont présentées, plusieurs avec leurs enfants. La maison est, depuis, pleine à craquer. L'ambiance est fantastique. Pour rien au monde, je ne voudrais la briser. C'est pourquoi, à propos des finances de la nouvelle boutique de Québec (principal centre d'écoulement de la production de la coopérative), je n'ai pas dit toute la vérité à Martha Simonovitch (la mère de Wilka, la fillette qui danse si bien, au salon, sur cette musique du folklore de Pologne).

« Ça ne va pas si mal, Martha... » ai-je répondu à sa question. Albert m'écoutait. Dans ses yeux, j'ai lu un reproche.

Hugo me crie : « Maman ! Je m'occupe de la musique ! » Sauve qui peut ! Il faut craindre le pire.

Comme il fallait s'y attendre, moins d'une minute plus tard le plus *heavy* des *hard rock* métalliques nous propulse en orbite !

J'ai bien essayé d'engager la conversation avec Charles et Antoinette Mercure en leur disant que leur fils (qui s'amusait, au saxophone, à improviser avec brio sur la musique imposée par Hugo) était bourré de talent, mais ils n'ont rien répondu, ils se sont contentés de sourire, tout simplement. Il faut dire qu'avec le nombre de décibels que crache la fanfare d'Hugo, il est possible qu'ils n'aient rien entendu.

Denis s'est avancé vers Suzie, une boîte rouge à la main. Je m'approche. Ils se sourient. Elle déchire l'emballage : « Maman ! qu'elle me crie. Viens voir le cadeau de Denis ! »

C'est un petit mobile constitué de cinq oiseaux de porcelaine peinte. C'est tout joli. « Magnifique ! que je lance à Denis, en l'embrassant avec chaleur (en récompense surtout pour sa réconciliation avec ma fille). Tu as du goût mon garçon ! »

Il rougit de satisfaction.

Grand-papa Toussaint nous a raconté ses éternelles histoires de fesses. Tout le monde a bien ri, bien crié... et bien bu de ce punch que le Treize du National aime tant!

«Lucie! me dit Pierre. Il est déjà onze heures! il faut que je parte, mon monde m'attend à Trois-Rivières!»

Il se lève avec difficulté (c'est vrai que le soleil coupe les ailes). Il a la bouche pâteuse mais, malgré tout, il se lance dans un petit discours improvisé.

«Ça fait longtemps que je n'ai pas eu un Noël comme ça!» qu'il nous dit en me regardant. Il poursuit en recensant les lieux communs, avec tout plein de sincérité. Je suis touchée. Papa Baptiste aussi. «Tout ça, conclut-il, parce que j'ai eu la chance de tomber sur la femme médecin la plus extraordinaire du monde!» Je rougis sous ma peau noire. Pierre n'en voit rien. Ma famille le sait, elle, qui remarque mes sueurs sur le front et mes yeux pleins d'eau.

Papa Baptiste le remercie pour moi pendant que Pierre m'embrasse sur les deux joues sous l'averse des rires et des applaudissements de tout mon monde.

Il part. Il s'en va.

Il est parti.

Je murmure, inquiète: «J'espère que tout le punch qu'il a bu ne l'empêchera pas d'être prudent!

— S'il l'est autant que sur la patinoire, me rétorque maman, il ne fera pas de vieux os!»

Je reste pétrifiée d'angoisse en me demandant ce qui m'arrive!

Je m'inquiète de Pierre? Moi?

Je crains la suite des choses.

La chaînette en or qu'il m'a offerte avant de partir me fait bien peur...

Hier soir, les Russes débarquaient à Québec. Il y avait foule à l'aéroport. Tout le monde voulait voir de près la fameuse équipe soviétique, toujours invincible, la terreur du hockey mondial.

Pour l'occasion, j'ai voulu piquer l'orgueil des partisans du National. «Lulu, qu'est-ce que tu veux écrire?» m'a demandé mon rédacteur au journal. J'ai mimé le mystère total.

Une heure plus tard, je lui remettais mon papier, qui commençait de la sorte: «Les Russes arrivent! Les représentants des steppes envahissent le Colisée, forts de leur terrifiante réputation! Ces fils de cosaques écument le monde du hockey depuis plus de quinze ans maintenant et ils sont les maîtres incontestés de ce qui fut notre sport national... Que peuvent faire Marc Gagnon et ses comparses devant ces camarades enragés, menacés de la Sibérie en cas de défaite? Pas grand-chose, on le craint! D'ores et déjà, il faut se préparer à la défaite...»

Je donnerais un million, ce matin, pour voir la tête des protégés de Mercier, le nez plongé dans les pages des sports du *Québec-Métro*! On doit hurler d'indignation! J'en ris d'avance!

« Marc! me lance Nounou, comme j'entrais dans le vestiaire. Tu as lu la cochonnerie de Boivin? »

J'avais lu.

« Il est complètement siphonné, Lucien Boivin! a dit Robert Martin. L'écouter, ce n'est pas une équipe de hockey que nous allons rencontrer, mais l'armée rouge de la sainte Russie au grand complet! — Il est fou! ai-je lancé. Lulu est tombé sur la tête! Les boys? Qui c'est qui a gagné la dernière coupe Canada, hein? — Nous autres! répond Champagne. Ils ont mangé une maudite volée! — Il faut le dire vite! ai-je ajouté. Trois à deux en prolongation, on ne peut pas appeler ça une volée! Mais, au moins, on a gagné! Lule le sait à part ça, il était là! — Ce qui s'est passé à la coupe Canada, reprend Martin, ça ne change rien à notre affaire. C'est une bonne équipe. Tout ce qu'il nous faut, c'est d'éviter de se faire défoncer, demain soir. Les Russes retournent chez eux après, nous, on reste. Moi, je veux continuer à faire mon épicerie le vendredi sans me faire traiter de grande vache dans mon dos! Il faut être prêts, c'est tout! »

Robert Martin avait tout dit. Un silence approbateur est venu clore le débat.

Ce midi, j'ai tenu à accompagner Denis et mon fils Pierre au Colisée, pour assister à l'entraînement des Soviétiques.

Dans les gradins, le consul et ses adjoints étaient là. Dès qu'ils m'ont aperçue au bras de Pierre et Denis, leur conversation s'est animée.

Ils ne se doutaient évidemment pas que je comprenais leur langue. Le machisme n'étant pas une exclusivité occidentale, le propos s'est orienté, naturellement et sans effort, vers mon anatomie. Ils ont dit, du reste, des choses assez flatteuses.

À la fin de l'exercice, on m'a présentée au consul Vladimir Mikaïlov et à ses adjoints (Petrov et Ponomarov). Le nom de Maroussia a mis la puce à l'oreille du consul. Il a froncé les sourcils (en broussaille), j'en ai profité pour lui dire (en russe) : « J'espère que je suis au moins aussi jolie que votre femme ? »

Il est resté muet d'étonnement. Puis, se rappelant sans doute ses propos grivois de tantôt, il a rougi de toute sa peau, en baragouinant je ne sais plus quelles excuses.

Je n'ai pu m'empêcher de pouffer de rire.

En sortant du Colisée (maman et Denis étaient partis), le consul russe est venu vers moi, suivi de son indispensable interprète qui m'a dit : « Monsieur Lambert ? Le consul Mikaïlov trouve votre mère absolument charmante et il vous demande si vous auriez objection à ce qu'elle accepte notre invitation à souper après la partie de demain. Les occasions de parler en russe à une jolie femme sont tellement rares pour nous ! Surtout en Amérique ! »

J'ai répondu que ce n'était pas de mes affaires ! Ma mère étant assez grande pour décider elle-même de son emploi du temps. J'ai ajouté que, pour ma part, j'allais être occupé à fêter la victoire du National, autour d'une bouteille de champagne, avec mon copain Denis !

Le visage de l'interprète, de neige qu'il était, a tourné au cramoisi. Le consul a pâli.

Ce qu'ils sont bizarres ces Russes ! Quelle drôle de politesse : demander au fils la permission de sortir la mère ! On aura tout entendu.

Ah ! ces communistes !

« Puis, Linda ? m'a demandé Lulu après la partie contre les Russes. J'avais raison, oui ou non ? » J'ai haussé les épaules sans répondre.

J'avais remarqué sur le banc, et dans les loges, pendant les deuxième et troisième périodes, Paul Couture (le Curé), à genoux, implorant le ciel, une main sur la bible ; Marc Gagnon mâcher une quantité industrielle de gommes ; Mercier pâlir ; Guilbault rougir ; Goldman grogner, mais rien n'a pu sauver le National du pire !

Une honorable défaite, tout de même : cinq à quatre. Les Russes sont forts. De terribles techniciens. Il va falloir expliquer tout ça, en long, en large et en profondeur, aux partisans déçus (et prévenus) dans *Le Matin* de demain.

Déjà, Benoît Belley attend mon papier.

Je me sens affreusement paresseuse. Les Russes m'ont assommée. Voyons, Linda ! que je me dis, réveille-toi ! La partie est perdue, mais la vie continue !

Il y a des jours comme ça, où, pour juste se laisser vivre, il faut ramasser son courage à la petite cuiller !

LES FOLIES DE SUZIE

« Viens, Linda ! me lance Lulu. On va regarder le vidéo de la partie ! »

Nous avons visionné la dernière période. Lulu a raison, les Russes sont vicieux sur la patinoire. Mais les nôtres ne sont pas des anges non plus. L'assaut de Templeton contre Krutov a été assez sauvage, merci !

En conférence de presse, j'ai demandé à Popov, l'entraîneur des Rouges, ce qu'il pensait de cet assaut, justement. « S'il croyait, ai-je dit, que cela pouvait s'inscrire dans les normes sportives d'une rencontre amicale ? »

Il a répondu pendant au moins trois longues minutes, mordant dans ses mots, les lèvres serrées. On le sentait frémissant de colère.

Tout ce que l'interprète a voulu traduire (blême lui-même), c'est : « Non, madame Hébert ! Non, ce n'est pas un geste sportif ! » Voir si trois minutes d'injures (il était évident que Popov ne lançait pas de fleurs) peuvent se résumer en un mot, même en russe !

J'étais blanche de rage. Lulu me fixait, encore plus indigné que moi.

Je n'aime pas du tout qu'on me prenne pour une poire... Pas du tout.

Gilles (qui avait insisté pour que je l'accompagne à la conférence de presse des Soviétiques) s'est penché vers moi et m'a dit: «Maroussia, veux-tu me traduire ce que Popov vient de déclarer, je ne me fie pas à son interprète...»

Je me suis approchée de son oreille (l'odeur suave d'une eau de cologne poivrée s'est signalée) et je lui ai dit: «Il affirme que le geste de Templeton était indigne du hockey et que, chez lui, pareille conduite vaudrait une suspension indéfinie à ce joueur. Il a ajouté qu'il n'était pas surpris de ce geste d'agression puisque, parfois, les hockeyeurs nord-américains donnaient l'impression de jouer à la guerre sur la patinoire!»

Gilles a écarquillé les yeux. J'ai vu tout de suite qu'il ne m'écoutait plus. Il me dévisageait, me dévorait du regard.

J'ai souri pendant qu'il me caressait discrètement la main.

Déjà, je le sentais, nous étions lui et moi bien loin du Colisée...

Une fraction de seconde, j'ai eu l'impression de revenir vingt ans en arrière, quand, sur le campus de l'Université de Montréal, je venais tout juste de rencontrer Guy Lambert, étudiant aux Hautes Études commerciales...

Un pincement au coeur s'est fait sentir.

Après la partie contre les Rouges, je suis allé prendre une bière avec Pierre, chez Gino.

À la quatrième, nous en étions aux confidences. Je me plaignais de mes père et mère. «Quand je les vois, je ne sais plus quoi leur dire! Ils sont tellement plats! Tu sais, ils sont loin d'être des "gagneurs", mes parents! J'ai peur de finir par leur ressembler! — Voyons donc, Denis! s'écrie Pierre. — J'ai perdu ma place avec le National! que j'ajoute. J'ai perdu Suzie et, même toi, j'ai failli te perdre! — Arrête de te plaindre! que me rétorque Pierre. Redresse-toi! Pour commencer, tu vas oublier Suzie et tu vas te trouver une autre blonde! — C'est déjà fait! que je réponds vivement. — C'est vrai? — Pas n'importe qui mon vieux! Une pharmacienne! Elle s'appelle Fabienne.»

Nous avons ri. À son tour, il m'a avoué qu'il était en train de tomber en amour «avec le médecin qui m'a soigné à l'hôpital». J'ai ouvert grand les yeux. «Le médecin?» ai-je demandé, incrédule. Pierre a ri de sa blague: «Elle s'appelle Lucie... (il a eu l'air de vouloir ajouter quelque chose, mais il en est resté là) — Et Ginette, elle? ai-je repris. — Je suis en train de liquider le passé, mon Denis! Le temps du junior, c'est bien fini! — En tout cas, ai-je conclu au bout d'un moment de silence, avec une pharmacienne et un docteur dans la famille, on n'a plus de raison d'avoir peur des blessures!»

J'ai finalement accepté l'invitation du consul Mikaïlov. Accompagnée de Gilles, je me suis donc rendue à *La Troika*.

Depuis plusieurs heures, la vodka y coule à

flots. Une vraie sauterie à la russe. Le consul Mikaïlov, Petrov (l'entraîneur), Popov (son adjoint) et moi chantons à tue-tête de vieilles chansons de folklore tandis qu'un petit orchestre costumé à la cosaque gémit à nos côtés.

Gilles m'enveloppe de tendresse. Je le frôle de ma robe, de mes cheveux, il m'enlace et me serre contre lui. Nous rions. Nous chantons. Nous buvons.

Je m'amuse à traduire les questions que Gilles pose à Petrov... Des propositions d'échanges: le gardien Tretiak contre Michel Matthieu... Kasatonov et Fetisov, «les plus puissantes défenses du monde» (*dixit* Popov), contre Gagnon, Broadshaw. Jusqu'au nom de Mac Templeton qui est revenu sur le tapis! Mais, cette fois-ci, Petrov était prêt à tout pour l'obtenir. On était bien loin des déclarations indignées de la conférence de presse...

Même moi, à un moment donné, j'ai fait partie des propositions...

J'ai trouvé la blague bien drôle.

J'adore l'effet de la vodka. Elle ne soûle pas, elle rend plus conscient. Elle grise avec lucidité et fait flotter.

Toute l'âme russe est au fond d'un verre de vodka.

Gilles m'a demandé si c'était vrai que les hommes s'embrassaient encore sur la bouche en Russie... «La vieille question! ai-je répliqué. Bien sûr! As-tu quelque chose contre? — Et les couples, qu'est-ce qu'ils font alors? interroge-t-il.»

En guise de réponse, je l'embrasse vivement sur les lèvres, le temps que Popov (intimidé) s'allume une cigarette.

Finalement, le souper a été si délicieux, la vodka si bonne conseillère que je ne suis pas entrée seule à l'hôtel; Gilles est venu partager mon lit.

La tendresse a ses raisons que le coeur comprend très bien.

Nous avions, Marc et moi, fait l'amour comme jamais auparavant. Il y a longtemps que j'attendais ça! J'avais presque perdu espoir. Je me disais: «Nicole! oublie ça! Ton mari ne s'intéresse plus à toi!»

Ce soir, j'ai vu que je m'étais trompée.

«J'aimerais savoir une chose quand même Marc, lui ai-je demandé. À quel moment dans notre vie de couple s'est-on perdus? À l'époque de ton histoire avec Linda Hébert ou à cause de la petite Lambert?»

Il n'a pas eu le temps de répondre, le téléphone a sonné. J'ai décroché.

«Je voudrais parler à Monsieur Marc Gagnon, s'il vous plaît!» a faiblement demandé une voix de jeune fille que je ne connaissais pas (j'ai froncé les sourcils).

Je ne voulais rien perdre de la conversation. Je me suis donc collée au combiné que Marc venait de prendre.

«Monsieur Gagnon? a enchaîné la voix. Excusez-moi de vous déranger, je suis Geneviève Gunmar. C'est moi la nouvelle *room-mate* de Suzie Lambert... C'est très urgent! Je ne sais plus quoi faire avec elle... Ça va bien mal...» (Marc a déclaré, en me regardant intensément, qu'il ne pouvait plus rien pour elle.) La voix a poursuivi, nerveusement: «Je sais qu'elle a de la famille mais je ne rejoins personne... Il n'y a que vous qui puissiez m'aider... Est-ce que vous pourriez venir au Bar Latin? — Pourquoi? a répliqué Marc. — J'ai de la misère! Elle a bu pas mal trop... soûle morte, je pense... Il y a quatre gars qui ne la lâchent pas, je ne sais plus quoi faire... Mon patron est absent, je suis toute seule... (la voix s'est brisée). Suzie a besoin d'aide, monsieur Gagnon... J'ai peur que ces gars-là lui fassent un mauvais parti; depuis deux heures qu'ils la font boire et fumer... Elle est gelée raide... Je vous dis, je ne sais plus quoi faire...» (Marc m'a regardée, puis a dit qu'il y allait tout de suite.) La voix a marmonné des remerciements. Marc a raccroché. «Le temps de donner un coup de fil à Templeton, me dit-il, et je reviens!»

Quand il est revenu, Marc avait l'air malheureux. Je lui ai demandé dans quel état il avait trouvé la petite Lambert. «Gelée comme une barre! qu'il a répondu. Je l'ai ramenée chez elle, sa copine Geneviève s'en occupe. Nicole! T'aurais dû voir Templeton rentrer dans les quatre gars! La place s'est vidée en deux secondes et quart!»

Il s'est déshabillé. Sur le lit je l'ai caressé. Il n'a pas bronché.

J'ai compris qu'en revoyant l'autre, ça lui avait remué le coeur. Je lui ai dit: «Marc! Je t'aime encore, moi! Si tu pouvais savoir! C'est vrai, je ne suis plus la

Nicole des premiers jours, j'ai eu des enfants, je me suis défaite, je ne peux plus me battre contre des jeunes de dix-huit ans! Je t'aime pareil, comme une folle! — Je t'aime, moi aussi, Nicole! a-t-il répondu. Mais c'est plus fort que moi, tu comprends, il faut que je brûle ma vie par les deux bouts! J'ai ça dans le ventre comme une urgence! Il faut que j'aille à l'extrême de mes limites, que je roule vite, que je passe le premier, que je sois toujours le seul, l'unique, le meilleur! Que je gagne tout le temps, toujours! C'est une obsession, une rage, une démangeaison! Ce n'est pas toi qui n'es pas correcte, Nicole, c'est moi! Tu sais, parfois, j'ai la conviction que je ne suis pas normal!»

Il m'a regardée en transpirant la détresse.

Je me suis jetée dans ses bras.

Des larmes ont jailli malgré nous.

NEUVIÈME CHAPITRE

LES SAINTS
AU PARADIS

LA TRAHISON DE GUILBAULT

C'est dans quelques minutes, par le vol 468 de Quebecair, que le remplaçant de Gary Bennett dans les filets du National arrive. Un Suédois de vingt ans, fils de cheminot, qui répond au nom de Anders Johansson.

Le jeune a laissé sa blonde dans son pays. C'est une excellente chose, il va garder toute sa tête pour le hockey.

«Monsieur Guilbault! me dit Maryse Couture, la femme de Paul (notre Curé). L'avion vient d'atterrir!» Elle s'en va rejoindre son mari près des portes.

Tout ce que j'espère, me dis-je en moi-même, c'est de ne pas m'être trompé au sujet du Suédois! Si le jeune manque son coup, et n'arrive pas à être à la hauteur de ce qu'était Gary Bennett (avant son burn-out), c'est moi qui vais me retrouver dans l'eau chaude, je dirais même, dans l'eau bouillante... «Bennett est brûlé, épuisé, démoli, il ne donne plus rien de bon! Il faut s'en débarrasser!» m'avait dit Jacques Mercier. C'est ce que j'ai répété à Goldman.

Avec le départ de Bennett, le National se retrouve avec Michel Matthieu comme seul gardien de but.

Le petit a du talent, mais il lui faut de l'aide. Le Suédois est là pour ça. Pour toute l'équipe aussi. J'espère qu'on n'aura pas à le regretter!

J'ai demandé à Paul et Maryse de prendre le nouveau chez eux, le temps que Johansson s'adapte à Québec et qu'il apprenne quelques mots de français. Il devrait pouvoir se tirer d'affaire, il baragouine déjà un peu l'anglais, ça devrait suffire pour établir les premiers contacts.

Il fait son entrée. Il m'a l'air d'un bon petit gars. Mine crevée (je le comprends : dix heures d'avion, avec en prime le décalage horaire!)...

«Anders, welcome to Québec, que je lui lance en m'avançant vers lui. I'm Gilles Guilbault, the general manager. This is Paul Couture and his wife Maryse. They are the family you gonna live with. Paul is one of our key men on defence...»

Bon, me dis-je, il faut que j'aille le présenter aux joueurs. À l'entraîneur d'abord. Je dis à Paul: «Tu t'occupes de son équipement, je l'amène à Jacques!»

«C'est pas mal, Pierre, que me lance Phil Aubry (j'essayais la patinoire pour la première fois depuis mon accident), mais on sent que tu n'es pas à l'aise! — Sacrifice! que je lui réponds. Ça fait trois jours seulement que je peux patiner! Mon genou est rouillé! Donne-moi une chance, Phil! — Moi, des chances, qu'il s'écrie, ça ne me dérange pas d'en donner. Mais sur la glace, demain soir, personne ne va t'en donner!»

Sur le coup, je n'ai pas saisi. Phil me regardait, narquois. Puis, j'ai compris: je jouerais demain contre

Chigago! Comme je poussais un cri de joie, Gilles Guilbault est apparu, accompagné d'un gars portant le barda de gardien de but. «C'est Anders Johansson, le fameux Suédois!» me dit Aubry.

Guilbault a demandé à Phil de le faire travailler un peu, histoire de le dérouiller de ses douze heures d'avion. Il me demande de lui lancer une dizaine de rondelles. Je m'exécute. Le Suédois les stoppe toutes.

Étonnant le gars, que je me dis. Je décide de lui décrocher des tirs un peu plus puissants. Il arrête tout. Encore un autre, plus raide! Rien à faire, ses filets demeurent inviolables. Un mur. Sa performance me surprend (surtout pour un gars fatigué! que je me dis).

Au dernier arrêt (spectaculaire), j'éclate de rire et m'élance pour le féliciter. On se serre la main, se regarde en souriant, sans dire un mot, contents de se connaître sans même s'être jamais rencontrés.

«Bravo Gilles! me glisse Goldman apparu au bout de la patinoire entre Phil Aubry et moi. Je suis fier de toi! Ton vieux flair ne t'a pas trompé!— Hein, Allan? que je lui réponds. Pas mal mon petit Suédois, hein? Tu as vu? On dirait un fauve dans sa cage, il voit tout, il est partout, il bloque tout!— Super mon Gilles! reprend Goldman. Super! Il rayonne. Je lui glisse: «Lambert prend du mieux, on dirait... — Justement! qu'il me répond. À propos de Lambert, viens donc une minute dans mon bureau, j'ai à te parler de lui. C'est important.»

Il a tourné les talons. Je l'ai suivi.

Nous avions toutes besoin de vacances. Suzie (pour se remettre de ses commotions amoureuses), Ginette (pour se reposer des sautes d'humeur de mon fils Pierre), Genevière (pour décupler son inépuisable énergie) et moi, pour jongler avec mes chiffres et ausculter l'avenir, alors (malgré mes atroces ennuis d'argent), j'ai invité tout le monde à venir se reposer quelques jours à Montréal.

Nous passons la première nuit en ville, et demain, à l'aube, nous allons envahir les pentes de ski du Mont-Gabriel où, tout à côté, j'ai déniché (via Gilles Guilbault) un chalet suisse, « suprêmement confortable ». « Madame Lambert, je vous assure, insistait au téléphone le gérant de la place, c'est réellement le paradis, rien de moins ! »

Pour nous reposer de la fatigue du voyage, nous sommes allées nous jeter dans la piscine de l'hôtel.

Pendant que les filles s'amusent à s'arroser à qui mieux mieux, moi, par la fenêtre, j'observe le vent soulever la neige en spirales et je songe.

Skier, me dis-je, oui, skier ! Pour oublier que la pente de mes affaires se descend bien mal depuis quelque temps. Je n'en parle guère (sauf avec Albert, et de moins en moins), mais j'y pense souvent.

Skier pour fuir, échapper à l'inévitable qui s'annonce, la terrible réalité : fermer la boutique de Québec qu'on ouvrait il y a deux mois à peine.

J'ai tellement flambé d'argent dans cette aventure (en achetant comptant tout l'inventaire de la coopérative, entre autres mauvais pas financiers) que j'ai peur de perdre, d'ici la fin de janvier, le seul bien qui me reste, la seule présence encore vivante de Guy, ma moitié disparue, la maison de Trois-Rivières! Notre maison!

Il y a de quoi se noyer dans l'inquiétude.

Skier pour réfléchir. Flairer l'avenir, trouver les moyens de m'en sortir. Oublier le poids de l'angoisse.

La nuit s'installe dans l'air sec d'un après-midi de janvier, le jour descend. La neige commence à tomber à gros flocons lourds...

Lourds comme ma fatigue.

«Madame Gunmar? Le téléphone, s'il vous plaît! dit une voix dans mon dos. (Je me retourne, le chasseur de l'hôtel est là.) — Ce n'est pas moi! que je lui réponds. C'est la blonde, là-bas, au bord de la piscine!»

Je retourne à mes flocons lourds et à mes songes...

«C'était qui? ai-je demandé à Geneviève, comme elle revenait de sa conversation au téléphone. — Tu ne pourrais pas deviner, Suzie! qu'elle me répond, à la fois intimidée et ravie.» J'ai lancé le seul nom possible: «Lucien Boivin? — Comment peux-tu le savoir? qu'elle me demande naïvement. — Juste à voir sa façon de te regarder, ma pauvre Geneviève! ai-je lancé. Un aveugle l'aurait remarqué!»

Mercier avait dit que je jouerais contre Chicago! Pourtant, il m'a laissé au bout du banc, à côté du Suédois, toute la soirée!

Le nouveau gardien non plus n'a pas joué.

On est resté plantés là, comme des coqs en pâte, tous les deux, à se jeter, de temps à autre, un coup d'oeil dépité, tout le match durant !

Six à quatre pour le National !

Il faut croire que l'équipe n'avait pas besoin de Lambert et de Johansson pour battre les Black Hawks...

«Ton genou, Pierre? interroge Lucien Boivin comme j'entrais dans le vestiaire me défaire d'un treizième uniforme propre et sec. — Comment veux-tu que je le sache, Lulu! que je lui réponds. — Comment interprètes-tu le geste de Jacques Mercier à ton égard, Pierre? insiste Lulu. — Il faut le demander à Mercier! que je réplique. Il doit savoir mieux que nous autres ce qui est bon pour l'équipe!»

Là-dessus, Nounou s'est penché vers moi et m'a soufflé à l'oreille : «Mercier veut te voir.»

Ça tombe bien! que je me suis dit. J'ai une question à lui poser.

J'ai laissé Lulu à son carnet.

«Ça fait une heure que j'essaie en vain de rejoindre Pierre à l'appartement! me dit Ginette, affolée, en robe de nuit, à deux heures du matin, dans notre chambre d'hôtel à Montréal. Je connais Pierre, poursuit-elle d'une voix chargée, si la mauvaise nouvelle que ta mère a entendue à la radio est vraie, il est capable des pires bêtises! Je suis inquiète sans bon sens, Suzie!

— Laisse faire! que je lui réponds. Va te coucher, il est tard. Si on veut être au Mont-Gabriel de bonne heure ... Tu ne peux rien pour lui. Tu connais Pierre? Il a dû aller passer sa rage sur la route ... — Avec quelle voiture? qu'elle laisse tomber. C'est moi qui ai gardé la Mazda!»

Elle se promène de long en large.

«Tu comprends, s'exclame-t-elle. Si c'est vrai que le National envoie Pierre à Chicoutimi, j'ai terriblement peur de ses réactions! — Ne t'en fais pas, Ginette! ai-je déclaré en la poussant vers son lit. Janvier, c'est toujours le mois des tempêtes! Au printemps, elles auront fondu dans l'oubli ... »

Nous autres, chauffeurs de taxi, on apprend souvent les grosses manchettes avant les journalistes! Il arrive même, parfois, qu'on fasse monter des clients qui sont en train de faire, de vivre la nouvelle!

C'est ce qui vient de m'arriver, moi, Raoul Casgrain, en prenant à bord de ma Lincoln nul autre que Pierre Lambert du National.

Il filait tout un mauvais coton le jeune Lambert! J'ai appris, de sa bouche, que l'entraîneur Jacques Mercier avait décidé de l'envoyer avec les Saints de Chicoutimi pour deux semaines, le temps de se remettre de sa blessure au genou! Il était furieux. D'humeur massacrante, le Treize du National!

En cours de route, il a vidé son sac.

Heureusement pour lui, je ne suis pas journaliste. Je n'irai pas écrire, dans *Le Matin* ou *Québec-*

Métro, demain matin, toutes les injures qu'il a crachées sur le dos de Gilles Guilbault et de Jacques Mercier... Je n'ai pas vu souvent un gars pester contre d'autres avec autant de coeur!...

Onze dollars soixante-quinze, que ça lui a coûté, du Colisée à cet immeuble où il m'a fait stopper la voiture.

Il m'a tendu un billet de vingt dollars. En lui rendant sa monnaie (il m'a fait signe de tout garder, j'ai protesté que c'était trop), en le remerciant, j'ai dit que tout irait mieux, tantôt, en embrassant sa blonde.

Mal m'en prit! Je ne sais pas quelle mouche l'a piqué, mais il a crié: «Ce n'est pas ma blonde, sacrament!» en claquant, à la volée, la portière.

Quel fichu caractère! me suis-je dit.

Quand même, presque dix dollars de pourboire! Pour un client enragé, ce n'est pas si mal...

Il m'est arrivé à l'appartement à trois heures du matin, complètement déboussolé.

Il criait: «Non, Lucie! Je n'irai pas à Chicoutimi! Jamais! J'ai fait mes preuves à Québec, j'ai le droit d'avoir ma chance! Guilbault m'avait promis que je resterais à Québec! Promis! Il me l'a juré quand j'étais à l'hôpital!»

Je l'ai saisi par les épaules et l'ai regardé en plein dans le blanc des yeux: «Écoute, Pierre Lambert! lui ai-je calmement dit. Tu n'as pas d'agent, tu es tout fin seul pour défendre tes intérêts et tu veux dicter ta loi à Guilbault et compagnie? Es-tu fou? Il faut voir les choses en face, voyons! Tu vas aller à Chicoutimi, tu vas être le meilleur et, dans deux semaines, tu seras de retour avec tous les honneurs! C'est la seule chose intelligente à faire! Ne fais pas l'enfant!»

Il s'est calmé.

Il m'a prise par la taille.

Dans ses yeux, j'ai vu que sa colère était passée et que l'image de Guilbault s'estompait.

Un éclair de désir a allumé sa pupille. Mon coeur s'est mis à cogner. Puis, il a ouvert ma robe de nuit. J'étais nue. Il m'a enlacée. Je suis restée sans bouger, les yeux clos, frémissante. Il m'a dit «Que tu sens bon, Lucie!» et m'a entraînée vers le lit.

Je n'aurais pas voulu ça, tout de suite, mais je n'avais plus le goût de ne pas vouloir...

AUPRÈS DES SAINTS

En ouvrant l'oeil (dès huit heures), j'ai voulu aussitôt rejoindre Luc Sigouin au téléphone.

«Bonjour Luc! (— ...) — À la Martinique? Chanceux! (— ...) — Oui, je connais, tu oublies que je ne suis pas seulement Russe, mais Française aussi. J'y suis allée, c'est magnifique. (— ...) — Écoute Luc, c'est bien joli tout ça, mais je ne t'appelle pas pour parler de tes voyages, mais de mon fils Pierre. (— ...) — Oui, je suis au courant. Ce qui m'étonne, c'est que tu ne réagisses pas plus fort que ça ! (— ...) — Ce que je veux dire ? Ça saute aux yeux, Luc ! Depuis quand est-ce qu'un agent se tait quand un de ses clients se fait renvoyer dans les mineures sans raison valable ? (— ...) — Comment ? Tu n'es plus l'agent de Pierre ? Tu l'as laissé tomber ? Je comprends mal, Luc Siguoin. (— ...) — Non, je ne le savais pas. Tu aurais pu me le dire la dernière fois qu'on s'est vus. (— ...) — Sorti de la tête ! Il me semble que c'était assez important ! Tu aurais dû m'en parler ! (— ...) — Oui ! je suis fâchée ! Je ne trouve pas ça très gentil de ta part ! (— ...) — Non, je ne suis pas contente ! Tu l'as laissé tomber pour l'argent, c'est ça, hein ? Le contrat de Gagnon était plus alléchant ? (— ...) — Si ce n'est pas exactement ce que tu veux dire, qu'est-ce qu'il faut comprendre alors ! Je ne suis quand même pas tout à fait idiote, Luc Sigouin ! (— ...) — C'est toi qui parles de ne pas mêler les affaires d'argent aux affaires de coeur ? Après tout ce qu'on a fait ensemble ? Je ne le prends pas du tout, cher maître ! Pas du tout ! Je te savais vorace, mais à ce point-là, jamais ! (— ...) — Je le prends à ma façon Luc ! Je pense qu'à partir de maintenant nous n'avons plus grand-chose à nous dire ! (— ...) — Je pense que ça ne nous donne plus rien de continuer la conversation. Salut. ! (— ...) — Je te dis salut, Luc Sigouin ! »

J'ai failli rompre le combiné en l'écrasant sur l'appareil. Suzie, Ginette et Geneviève, qui m'attendaient à la porte entrouverte de la chambre d'hôtel, sont entrées précipitamment.

Je devais avoir l'air d'une sorcière en plein Halloween. Elles m'ont regardée, suffoquées.

« Les filles ! ai-je déclaré sans réplique possible. On descend à Québec ! Il se passe là-bas des choses pas très catholiques ! »

Je suis entré, en maudit, dans le bureau de Gilles Guilbault. Il n'a pas bronché, impassible, le cigare au bord des lèvres.

Je ne me sentais plus le petit gars du club junior de Trois-Rivières, le naïf dont on peut facilement abuser, mais Pierre Lambert, un homme décidé, un joueur de hockey professionnel bafoué qui vient demander des explications à son employeur.

« Les mineures, que j'ai commencé par dire, ça peut toujours aller, je comprends ça, je vais pouvoir m'y faire. Mais c'est vos maudites menteries, monsieur Guilbault, que je ne prends pas ! Quand vous êtes venu me voir à l'hôpital, vous m'avez dit que mon poste avec le National m'attendait toujours. Que je devais prendre le temps de bien guérir, qu'il ne fallait pas m'inquiéter pour mon avenir, et le reste . . . J'ai fait une pause, puis j'ajoutai, la voix feutrée : est-ce que vous m'aviez dit ça pour faire plaisir à ma mère ou parce que c'était la vérité ? »

Dès que j'ai parlé de ma mère, il a bondi. « Minute ti-gars, qu'il m'a rétorqué, mêle pas les affaires et la vie privée ! Tu prends le bord de Chicoutimi parce que t'as manqué un mois de jeu, parce que tu n'es pas en forme, parce que tes réflexes ne sont plus là, parce que tu vas mieux aider le club là-bas qu'ici et parce que je l'ai décidé ! Un point, c'est tout ! Tu peux oublier toutes les autres raisons et garder juste la dernière, c'est celle-là qui compte ! »

On s'est regardés entre quat'z-yeux pendant un bon moment. J'étais assommé.

Après un long silence, je lui ai dit que je ne voulais pas me ramasser avec un salaire de joueur de la ligue mineure. «J'ai besoin de jouer mes quarante parties avec le National si je veux arriver à gagner les trois mille dollars par semaine promis. Déjà, avec cette maudite blessure, j'en ai manqué dix-huit!»

L'argument n'a pas eu l'air de l'émouvoir outre mesure. Il m'a suggéré, avec un sourire en coin, de laisser tomber mon appartement à Québec et d'en prendre un autre à Chicoutimi: «Ça te coûtera moins cher... Demande à ta blonde de te suivre...»

La moutarde commençait à me chatouiller les narines.

«Je ne veux pas d'appartement à Chicoutimi! que j'ai crié. Je veux rien savoir des Saints de Chicoutimi! Ma place, c'est à Québec! C'est ici que je veux être, pas là-bas!» Il a posé sa main sur mon épaule et m'a dit: «C'est justement ce que je veux! Que tu restes à Chicoutimi le moins longtemps possible. Travaille fort! Joue bien! Et dans quinze jours, tu reviens à Québec meilleur qu'avant!»

Je suis resté bouche bée. J'ai bafouillé je ne sais plus quoi. On s'est serré la main et je suis sorti.

Dehors, la neige tombait à plein ciel.

Le coeur gros, moi, je tombais de mon nuage.

J'avais dit à Jacques Mercier que j'appellerais Charley Giroux, l'entraîneur des Saints de Chicoutimi, pour le prévenir de l'arrivée de Lambert.

Notre gars est d'un caractère pas mal bouillant, mieux vaut prévenir le pire que guérir.

« Allô ? Je suis bien chez Charley Giroux ? (— ...) — Voudrais-tu me passer ton père, s'il te plaît ? (— ...) — Allô Charley ? Gilles Guilbault. (— ...) — Non, c'est pas chaud ! Que veux-tu, l'hiver c'est l'hiver, hein ? Écoute, je t'appelle pas de Québec pour parler de la pluie et du beau temps. (— ...) — En plein ça, Charley ! De Lambert, t'as deviné ... Je veux être certain de deux choses, Charley : la première, c'est que tu lui fasses aucune promesse ! Ça se peut que tu sois obligé de le garder plus longtemps que deux semaines. (— ...) — Je ne sais pas, on va voir. C'est pour ça que je te dis : pas de promesses, rien ! Deuxièmement Charley, arrange-toi donc pour que tes journalistes posent pas trop de questions à son sujet, O.K. ? (— ...) — Fais ce que je te demande ! Oublie pas, Charley, qu'une job d'entraîneur, même à Chicoutimi, c'est toujours mieux que le chômage ! Hein, tu ne trouves pas ? »

Paul Couture me dit au bout du fil : « Pierre, il ne faut pas que tu restes comme ça à ronger ton frein, viens donc souper avec nous autres ! »

J'ai accepté l'invitation.

Les deux enfants Couture au bout de la table, à côté de leurs parents, Johansson le Suédois en face de moi, nous nous tenions debout, en silence pendant que Paul récitait les grâces. Johansson me jetait des yeux brûlants de questions.

C'est vrai que les Couture sont bizarres. Il y en a qui restent accrochés sur le cul, d'autres sur la drogue ou sur l'argent, mais Maryse et Paul Couture, c'est sur

Dieu et la Bible. Chacun ses accrochages. Je respecte ça.

La cuisine de Maryse est délicieuse. Pour une professeure d'université, c'est plutôt surprenant! Quel cordon-bleu! Sa soupe aux tomates est bonne! Et son ragoût! Le Suédois en rougissait de délectation.

Comme le disait Paul, à qui je vantais les mérites de sa femme: «La cuisine de Maryse est capable de remonter le moral à un condamné à mort!»

Le condamné à mort, en l'occurence, c'est moi.

«Pierre, me dit Couture, il ne faut pas que tu te révoltes! (Facile à dire!) Tu vas à Chicoutimi, c'est humiliant, mais il y a une raison. Dieu a une raison pour tout. Crois-moi, c'est pour ton bien!»

Mon bien, mon oeil! que je me disais à moi-même. «Mon bien, Paul! que je lui ai répondu, c'est de rester ici à Québec! Je n'ai pas le goût de descendre à Chicoutimi! À part ça, je n'ai même pas de voiture pour y aller! Ma blonde est partie à Montréal avec!»

Maryse m'a tout de suite proposé la sienne: «Prends-la pour une couple de jours! Je n'en ai pas besoin pour l'instant, je n'aurai pas de cours avant la semaine prochaine, je suis en période de correction des travaux d'étudiants. Tu me la rapporteras quand tu viendras faire un tour...»

Sur les entrefaites, Nicole Gagnon est arrivée. Je n'ai pu cacher ma surprise de la voir chez les Couture.

Une fraîche conversion du Curé, sans doute! me disais-je en moi-même.

«Ginette, me demande Nicole, comment est-ce qu'elle prend ça ton départ pour Chicoutimi? — Je n'en ai aucune idée! que j'ai répondu. Elle est à Montréal à faire du ski, on ne s'est pas encore parlés. — Ah bon... a simplement ajouté Nicole, avec un atome de doute dans la voix.»

J'ai tenu le volant comme une enragée, en conduisant (en écoutant des cassettes de Julio Iglésias) de Montréal à Québec.

La Mazda de Pierre est en bon état, moi pas.

Geneviève et Suzie suivaient derrière, à quelques longueurs de voitures avec la Pontiac de Madame Lambert qui, assise à mes côtés, grillait en silence cigarette sur cigarette, elle qui ne fume, m'avait-il semblé, au plus, qu'un paquet par année!

Je gardais les yeux branchés sur la route, l'esprit rivé sur Pierre.

J'avais terriblement hâte d'arriver et la neige qui commençait de tomber m'ennuyait horriblement. Il a fallu ralentir, «se modérer les transports», comme on dit. J'ai redoublé de prudence et, finalement, le temps nous menant par la main, nous avons enfin vu surgir Québec!

J'ai déposé mon monde en vitesse et me suis précipitée à l'appartement.

Pierre n'était pas là.

Sans enlever mon manteau ni mes bottes (souillées de neige sale), je me suis dirigée vers la chambre. Le lit était intact (un coussin, placé d'une manière que je sais, n'avait pas bougé). Pas de doute : il avait bel et bien découché.

Toutes lampes allumées, j'ai finalement découvert une note sur la table ; un bout de papier où j'ai reconnu tout de suite l'écriture de Pierre.

« Ginette... (tiens ! me suis-je dit, il n'a pas écrit Ginou...), Mercier m'envoie à Chicoutimi pour deux semaines. Je t'appelle. Salut. Pierre. »

Et pas même de « je t'embrasse », comme avant.

C'est terrible comme ce bout de papier-là m'a fait de la peine ! Un coup de hache en pleine face n'aurait pas été pire.

Je n'arrivais même pas à pleurer.

Il faut que je dorme ! que je ne cessais de me répéter.

J'ai avalé quelques Valium.

Je suis si obnubilée et vidée par l'absence et la froideur de Pierre qu'avec trois cachets, au bout de deux heures, je ne dors toujours pas !

Étendue sur notre lit, la tête sur l'oreiller où l'odeur de ses cheveux s'exhale, mes larmes coulent maintenant d'elles-mêmes sur mes joues...

☆

Maroussia n'était pas de bonne humeur. Je lui ai offert de la bière. «Deux, Gilles! qu'elle m'a dit d'un ton sec. J'en veux deux, et glacées!»

Elle les a bues d'un trait en fumant trois cigarettes en ligne!

Elle me fusillait des yeux.

Elle a fini par parler.

Elle m'a reproché de ne pas lui avoir dit que Sigouin n'était plus l'agent de Pierre. J'ai rétorqué que je pensais qu'elle le savait.

C'est évident que j'étais au courant. S'il fallait qu'un directeur général d'un club de hockey ignore ces choses-là, ça ne marcherait pas longtemps.

Ensuite, elle s'est inquiétée de la longueur du séjour de Pierre à Chicoutimi. Je lui ai répondu que je n'en savais rien.

«Difficile à dire...» que j'ai ajouté.

Au bout d'une demi-heure de pourparlers ardus, elle s'est calmée un peu.

Puis, elle a paru soucieuse.

«Les affaires? lui ai-je demandé. — Ça ne va pas bien! a-t-elle répondu. Plutôt mal même. Et je ne t'apprendrai rien en te disant que janvier n'est jamais le mois rêvé pour la vente au détail!»

Je lui ai répété qu'elle pourrait toujours compter sur Gilles Guilbault...

Elle est rentrée dans sa coquille.

Elle a souri vaguement.

J'ai commandé d'autres bières glacées, comme sa mauvaise humeur commençait à tiédir.

J'ai pris la voiture de Maryse Couture et me suis engagé, en pleine tempête, dans le Parc des Laurentides qui me mène à Chicoutimi.

Depuis une heure et demie, la neige papillonne tout autour dans une ronde ahurissante. J'ai l'impression de m'enfoncer dans un colossal trou blanc!

Seul pour risquer le voyage, je profite de ma solitude pour parler tout haut et crier tout à mon aise. Je hurle ma rage à tue-tête.

Soudain, je sens la voiture déraper sur une plaque de glace. Mon coeur s'hérisse, les pneus crissent.

Un coup de volant!

Ouf! Je l'ai échappé belle! Heureusement, j'ai de bons réflexes.

N'empêche que j'ai vu le fossé de bien près!

Entre fosse et fossé, un accent aigu en forme de coup de volant...

☆

Je ne sais pas ce que j'aurais fait à Chicoutimi avec les Saints, pendant deux mois, si je n'avais pas connu Fabienne, ma petite pharmacienne. «Fabi», comme je l'appelle (elle me surnomme «Denis le terrible»).

Une fille extraordinaire, Fabienne!

Après ma blessure à l'épaule, ma chicane avec Pierre, ma peine d'amour avec Suzie, il me fallait quelqu'un de patient pour recoller les morceaux. C'est elle qui m'a ramassé et réparé. Bien cajolé. Bien consolé.

Tant et si bien qu'aujourd'hui, 14 janvier, par un temps de chien, une tempête à écorner les cocus, je pète littéralement le feu!

Depuis une bonne heure, je m'amuse à suivre un disque des Beatles avec mon saxophone pendant que Fabienne se démène dans ses exercices aérobiques!

Elle rit comme une folle tandis que je crache des notes hurlantes qui font japper les voisins du dessus. Des coups de balais m'accompagnent.

Fabienne et moi, nous nous en fichons comme de l'an quarante... C'est le jour, se dit-on, on a le droit! Na! Na!

Pour ne pas être trop désagréables avec les locataires du deuxième, nous avons abandonné la musique pour prendre une douche ensemble.

J'ai pris goût à ça avec Fabienne. Le plaisir

d'être peau contre peau. L'eau tiède qui caresse avec les mains. Le savon qui excite.

C'est bon avec elle, même meilleur que du temps de Suzie. (Suzie, quand j'y pense, je ne sais plus trop ce qu'elle devient?)

«Qu'est-ce que tu dis, Fabienne? — Tu m'écoutes? — Excuse-moi, j'avais l'esprit ailleurs... — Quand on va aller à Trois-Rivières, chez ta mère, j'aimerais...» (J'écoute sa peau contre la mienne, ma chair qui s'épanouit.)

«As-tu entendu? me demande Fabienne. Je pense qu'on a sonné à la porte. Nous tendons l'oreille. La sonnerie retentit. — J'y vais, ne bouge pas! que je lance.»

J'enfile ma robe de chambre et vais ouvrir.

«Pierre! que je m'écrie, suffoqué. Qu'est-ce que tu fais ici? — Je n'en pouvais plus de te voir jouer tout seul avec les Saints! qu'il laisse tomber dans une accolade. Mauvaise nouvelle: je m'en viens avec vous autres! Mercier m'envoie me remettre d'aplomb à Chicoutimi pour deux semaines! — Mon Pierrot! que je m'écrie. Laisse-moi te dire que c'est une maudite bonne mauvaise nouvelle que tu m'annonces là!»

Nous rions.

«Fabi! que je crie. Viens que je te présente à mon meilleur ami...»

«Tu me demandes ce que c'est que les Saints de

324

Chicoutimi, je vais te le dire le kid!» que m'annonce le capitaine des Saints de Chicoutimi, le lendemain, quand je me retrouve avec l'équipe au vestiaire du centre Georges-Vézina.

«Les Saints, c'est moi, Guy Villeneuve, capitaine. C'est Charley Giroux, notre entraîneur. Tu devrais lui voir la face dans les dix minutes qui viennent. Lui, c'est Bébert ou, si tu veux, Albert Nelson, notre meilleure défense. Au fond, là-bas, c'est notre Finlandais, Juri Ketiola. L'autre à côté, c'est Maurice Gauthier. — Je vais faire mon possible pour aider le club, que je dis le plus simplement du monde. — Aider le club, mon cul! que le dénommé Gauthier crache en ma direction. Nous fais pas chier Lambert! Ça paraît tout de suite que tu penses déjà à retourner à Québec! — Voyons Maurice! Qu'est-ce qui te prend? de reprendre Villeneuve. C'est pas le temps de partir la chicane avec Lambert! On a besoin de tout notre monde pour sauver nos jobs, tu le sais autant que moi! Ça fait que ferme donc ta maudite grande gueule!»

Puis, il se tourne vers moi: «C'est vrai, Pierre, les Saints ont besoin de toi pour remonter la pente! On n'a pas gagné une partie depuis le début de l'hiver, quasiment, il n'y a plus un chat dans nos estrades et le propriétaire du club parle de fermer boutique! Ça fait que comme tu peux voir, tu ne seras pas de trop!»

ROCHESTER, MAINE

Les gars des ligues mineures manquent carrément de classe!

Je l'avais déjà remarqué du temps des Dragons à Trois-Rivières, mais aujourd'hui, dans l'autobus qui nous mène, les Saints de Chicoutimi, à Rochester, État du Maine, USA, je m'en rends compte à nouveau.

Bien sûr, dans les deux ligues, on joue aux cartes, on boit, on blague, on dort, on jase, on gueule, on chante, on lit ou on écoute de la musique. Mais, tandis que dans la ligue majeure les gars y mettent des manières, les joueurs de la mineure, eux, n'en mettent aucune.

Cela tient peut-être au fait que, dans un club de majeure, on doit voyager en avion, parler anglais, porter cravate et veston, tandis que dans un petit club de mineure, il faut se contenter de parler joual et franglais, voyager en vieil et crasseux autobus et s'habiller comme la chienne à Jacques...

«C'est toujours comme ça? que je demande à Denis, assis à mes côtés. — Quoi Pierre? me demande-t-il en délaissant son walkman. — Les voyages... l'atmosphère... que je reprends. C'est déprimant sans bon sens! — Déprimant? répond Denis. Mets-en! C'est pourri!»

Au bout d'un moment, Maurice Gauthier est venu vers nous, en rotant généreusement sa bière. Il a parlé d'une fille qui l'attendait au terminus, à Rochester, «une vraie laiterie!» a-t-il précisé. Puis il s'est mis à gueuler contre Charley Giroux, l'entraîneur, ce «gros sale qui a dû se paqueter la fraise encore hier soir!»

Puis en titubant, il s'est dirigé vers la toilette.

«Denis, maudit! que je m'écrie. On mérite mieux que ça!»

Bébert s'est tourné vers nous: «Moi, a-t-il attaqué, ça fait sept ans que je moisis dans les mineures à me taper le cul en autobus! J'ai aucune chance d'en sortir. Vous autres, dans deux semaines, vous allez être avec le National! Allez brailler ailleurs! Tout ce qui me reste, moi, c'est ma livraison de bière à Rimouski! C'est ça ma carrière dans le hockey!» Il s'est rencogné dans son oreiller.

Constatant sans doute mon désarroi, Denis m'a offert son walkman. «Ça va te faire passer le temps! Moi, je vais piquer un somme!»

Je me suis collé aux écouteurs du walkman, en pointant mon regard sur la route blanche et glacée, que la lune crue bleuissait de loin en loin.

Dans le creux de mon oreille, j'écoute David Bowie, et mes pensées secrètes vont à Lucie Baptiste.

Notre fils Francis joue ce matin à l'aréna de Saint-Calixte.

Dès cinq heures et demie, nous y étions, mon mari et moi. J'avais oublié quel effet le grand Marc Gagnon peut encore produire sur le public, même à la barre du jour.

Tous les enfants n'avaient d'yeux que pour lui et les parents quémandaient des autographes.

J'avais rempli un gros thermos de café bouillant. Je connais mon homme. Au lever, la grosse vedette du National fait la gueule et donne son rituel concert de soupirs et grognements. Seul le café brûlant peut le calmer et lui redonner un semblant d'humanité.

Francis ne joue pas au hockey comme son père le voudrait, c'est évident.

«Écoute, Nicole! me siffle Marc. Ça fait deux ans que tu me répètes que Francis a du talent! Il ne l'a pas! Pas une miette! Au hockey, ma fille, si tu n'es pas le meilleur moustique, le plus fort des pee-wees, le plus agressif des bantams, le plus intelligent des midgets, le plus rapide des juvéniles, le plus rusé des juniors et le plus grand compteur de la ligue Nationale, tu n'es rien du tout. Du tout, pantoute! Francis n'a rien de tout ça! Et d'après ce que je peux voir, il ne l'aura jamais! — Marc! que je lui réponds, le hockey, c'est important pour lui! Il ne vit que pour ça. C'est son unique moyen d'attirer ton attention. C'est son seul lien avec son père. Il a besoin de toi. Peut-être que si tu lui parlais... — Écoute Nicole! m'a-t-il répliqué, les dents serrées, qu'est-ce que tu veux que je lui dise? Qu'il ne vaut rien? Qu'il est pourri? — Attention! ai-je vivement coupé. Le voilà!»

Francis s'est avancé, le sourire tendu. Marc l'a pris par les épaules et lui a dit: «C'est bon mon garçon, papa est content de toi! Tu travailles fort... Continue. Ne lâche pas.» L'enfant n'a pas bronché.

J'ai croisé le regard de Marc et murmuré: «Merci...»

Je n'ai jamais vu Allan Goldman aussi de bonne humeur que ce matin!

« Very well, mon Gilles! qu'il me lance comme j'entre dans son bureau. Very well! J'ai lu les journaux, pas un mot de négatif sur Lambert. Même Linda Hébert y va de son petit compliment! Autant dire que c'est le bonheur parfait! Il va retrouver sa forme à Chicoutimi, c'est bien correct pour tout le monde! »

Mais Goldman est un drôle de gars, à l'humeur girouette. Je lui ai fait remarquer que si Lambert a le malheur de marcher trop fort avec les Saints, j'allais devoir être obligé de le ramener avec le National...

« Pas question! m'a-t-il vivement rétorqué, en haussant le ton. Lambert va rester à Chicoutimi! Tu sais combien j'ai perdu d'argent avec les Saints depuis deux ans, hein? Gilles Guilbault? Le sais-tu? Un million et demi! J'ai besoin que Chicoutimi marche fort! Parce que cet argent-là, je veux le ravoir! (Il a pris une profonde respiration.) Il va en falloir d'autres, des gars comme Lambert! s'est-il écrié, parce que les Saints ont toute une pente à remonter! »

Il s'est posté droit devant moi en ajoutant: « C'est ça ou je mets la clef sur les Saints de Chicoutimi, Gilles! C'est clair? »

J'ai hoché la tête en songeant à Maroussia.

« Ma pauvre Maroussia! me dit Albert Simard en me regardant, découragé. Il faut bien que je te dise les choses comme elles sont. Comme elles vont. Tu n'as pas assez d'argent en banque pour rencontrer tout ce que tu dois payer en janvier! Prends ma parole, encore deux mois comme ça et c'est fini! — C'est réglé, Albert! que je réponds. J'ai trouvé quelqu'un disposé à me prêter dix mille dollars. — Je peux savoir qui? demande Albert — Je ne peux pas le dire! que je rétorque.» Il fait la moue: «La confiance règne!»

Pour escamoter le malaise, j'offre à Albert de la pizza livrée une demi-heure plus tôt. «Prends le morceau qui reste! que je lui suggère. Moi, je n'ai plus faim!»

Au même moment, Hugo et Wilka (dont mon fils commençait à s'attirer les faveurs) font leur apparition à la cuisine.

«Ah! te voilà! que je dis à Hugo. À une heure pareille! où étais-tu? — J'étais chez Benoît avec Wilka! me répond-t-il, l'air pressé. Comme hier et comme avant-hier! on "pitonne". Benoît, lui, c'est un vrai ordinateur qu'il a chez lui, pas une bébelle comme le Commodore que tu m'as donné à Noël!»

Je reste saisie. Je regarde Albert (qui s'est replongé dans ses chiffres et m'ignore).

«Enlève ton manteau, Wilka... ordonne Hugo à la petite Polonaise intimidée. Viens... — Où vas-tu? que je demande. — Au sous-sol! crie Hugo en disparaissant. Voir ce qu'on peut faire avec un 64K. — Tes devoirs! que je réplique. Tes notes ont baissé, Hugo!»

J'ai beau crier, Hugo n'a plus d'oreille.

Albert, pas davantage, lui qui n'a pas quitté mes dossiers des yeux, affranchi de la cuisine, en orbite autour des chiffres, loin de mes chicanes avec Hugo.

Loin de moi.

J'avais oublié à quel point ce pouvait être laid un vieil aréna, à Rochester (Maine), un après-midi de janvier, par un froid humide et pénétrant !

Le souvenir m'en est vite revenu.

J'avais aussi perdu de vue, pendant un moment, la grande classe de certains collègues des Saints, quand Maurice Gauthier est passé à côté de Denis et moi sur la patinoire, en rotant, comme à son habitude.

Denis m'a chuchoté : « Ne te surprends pas, Pierre ! C'est la façon qu'il a de se préparer à la partie de ce soir : une bière ou deux pendant la pratique, histoire de se mettre en forme ! Il prétend que ça diminue son stress ! La classe, c'est ça ! »

J'ai demandé à Denis si Charley Giroux était au courant. « Qui, m'a-t-il répondu, se tracasse pour un gars comme Gauthier ? C'est fini depuis longtemps pour lui ! — Eh bien, moi ! me suis-je écrié, je n'accepte pas ça ! Comment veux-tu jouer avec des gars pareils ? — On s'habitue à tout, ç'a l'air ! a laissé tomber Denis, philosophe. — Non ! ai-je rétorqué. Non ! Pas moi en tout cas ! — Pauvre toi ! de reprendre Denis. Tu n'as pas vu le pire ! Attends de rencontrer le numéro sept du Rochester : Jim Scofield ! Fais attention à ce salaud-là, hein ? Scofield est vicieux ... Guette ta tête, Pierre ! Ta tête ! »

Charley s'est amené pour le début de l'exercice. Je n'ai pas pu en savoir davantage.

Au bord de la piscine du centre de physiothérapie de l'hôpital, j'observe le petit Jimmy Mercier faire des efforts inouïs pour battre des jambes. Cela suscite mon admiration. La volonté de cet enfant est tout à fait remarquable, comme l'est le dévouement de ses parents.

« Docteur Lucie Baptiste, s'il vous plaît ! clame une voix nasillarde dans un haut-parleur. Le docteur Lambert sur la ligne 28, s'il vous plaît ! Docteur Baptiste ! »

Les parents de Jimmy se sont retournés vers moi se demandant bien, eux qui connaissent tout le personnel médical du centre, qui peut bien être ce docteur Lambert...

Pierre, évidemment.

Il me demande d'aller le retrouver à Chicoutimi la semaine prochaine, à mon prochain jour de congé.

Je n'ai pas dit non, je n'ai pas dit oui.

Je ne sais plus où donner du coeur.

Suzie me dit : « Ginette ! Je suis tannée de voir la photo de Marc Gagnon partout ! Tu ne peux pas t'imaginer ! Pas moyen de l'oublier ! Pas moyen de m'en débarrasser ! Je te dis, il va falloir que je déménage à Tombouctou pour avoir la paix ! — En as-tu eu des nouvelles ? que je lui demande machinalement. (Elle bondit.) — Penses-tu ! Il se fiche pas mal de moi, je t'assure ! Suzie Lambert pour lui, ce n'est rien de plus qu'un autre de ses scores ! »

Denis avait raison: maudit que Scofield est vicieux!

Juste comme je venais de compter notre sixième but de la soirée (une minute avant la fin de la troisième période), j'ai reçu une de ces taloches derrière la tête à m'en faire admirer les galaxies. J'ai été propulsé en plein dans les filets du Rochester.

C'était le numéro sept.

Je me suis relevé en me promettant de lui régler son compte à la prochaine partie.

De toute façon, Chicoutimi a gagné contre Rochester. Six à un. Sans grande difficulté, il faut le dire.

C'est curieux, mais c'est la première fois de ma vie qu'une victoire me laisse complètement indifférent.

Trop facile.

DES MAJEURS
DANS LES MINEURES

«Envoye le Mousse! Ramasse les canettes de bière! On dirait une vraie taverne, cet autobus-là! crie Charley Giroux au soigneur de l'équipe qui ne sait plus où donner de la tête. Envoye! insiste Giroux. Force-toi un peu pour une fois! C'est pas tous les jours, sur la route, qu'on gagne trois matchs de file!»

Denis me glisse: «Depuis que je suis avec eux autres, Pierre, ce n'est pas arrivé souvent d'en gagner une tout court!»

Giroux rayonne de sa pleine et consentie vulgarité. Le vacarme et le bordel font rage à bord. Les retours à domicile sont toujours bruyants avec les Saints de Chicoutimi.

«Maudit! s'exclame Charley. Mousse, dis donc aux gars de se taire, bonguieu! Donat Riverin veut me faire une entrevue! (Le journaliste s'est empêtré dans ses fils.) Es-tu prêt, Donat? (Il presse un bouton du magnétophone en hochant la tête.)»

«Vos gueules!» crie Charley.

Le bruit diminue. Je remets les écouteurs du walkman sur mes oreilles. Denis me donne un coup de coude en pointant en direction de Giroux.

Je laisse la musique et tends l'oreille.

«Eh bien, oui, trois belles victoires de suite, Donat! disait l'entraîneur au micro. Ça ne s'était pas vu depuis trois ans à Chicoutimi! J'espère maintenant que les amateurs de hockey de la région vont venir nous voir en grand nombre! — D'après vous, interroge Donat, qu'est-ce qui peut expliquer votre succès? — Eh bien, de reprendre Charley, le nez en l'air, notre succès s'explique par le travail, Donat. Les gars ont travaillé fort pendant les pratiques; ils ont bien exécuté ce que je leur ai montré depuis le début de l'année. On voit les résultats. Les gens de Chicoutimi peuvent être fiers de nous autres . . . — Dernière question! reprend Donat. Charley Giroux, n'est-ce pas merveilleux de pouvoir compter sur le duo Pierre Lambert et Denis Mercure? Depuis qu'ils se retrouvent ensemble comme dans leurs beaux jours du junior, ne sont-ils pas en train de transformer ton équipe? — Lambert et Mercure? Oui, bien sûr, Donat, les Saints comptent beaucoup sur des jeunes comme Lambert, mais un gars ne change pas une équipe à lui tout seul! Tu sais, les Saints étaient déjà sur le bord de connaître une série de victoires...»

«Tu l'as entendu? que j'ai marmonné entre mes dents à Denis. Aïe! Les gars ont bien travaillé... qu'il dit! Quels gars? J'ai compté six buts en trois parties, toi t'en as deux avec cinq passes! C'est écoeurant!»

Chanceux le Charley Giroux, me dis-je, de ne pas avoir affaire à Linda Hébert...

«Viens-tu au match de ce soir, Fabi?» m'a demandé Denis, avant de partir pour son match. Je ne pouvais pas y aller, trop de travail à faire! J'ai dû refuser.

Entre deux livres de pharmacologie théorique, j'ouvre la radio et tombe sur Donat Riverin, à CJTM, qui décrit la partie.

«Oui, Mesdames et Messieurs, le centre Georges-Vézina est rempli à craquer d'une foule qui hurle sa joie! Tout le monde est debout et claque des mains, c'est un véritable délire! Oui, chers auditeurs, il y a longtemps que les Saints n'avaient connu de la part de leurs partisans un accueil si chaleureux! Ce n'est un secret pour personne qu'il n'en a pas toujours été ainsi! Ce soir, c'est la véritable lune de miel entre ces milliers d'amateurs et les vainqueurs présumés (à quinze secondes de la fin) de ce match enlevant!

«Le but des Saints (voici l'annonce officielle),

son deuxième de la soirée, assisté de Denis Mercure, marqué par le numéro treize, Pierre Lambert. À dix-huit minutes, vingt-six secondes de la troisième période.

«Vous entendez comme moi, Mesdames et Messieurs, l'ovation de la foule. La mise en jeu aura à peine juste le temps de se faire...

«Les spectateurs font le décompte à haute voix des dernières secondes du match. Quatre! Trois! Deux! Un! Et c'est la fin de la rencontre, Mesdames et Messieurs! La foule acclame les siens. Ainsi donc, une autre belle victoire des hommes de Charley Giroux! Sept à deux contre les Hawcks de Moncton!»

Que je suis contente pour Denis! Seule dans la cuisine, je me tiens debout et j'applaudis avec la radio.

«Tout ce que je viens de te dire à propos de Suzie et de ma femme Nicole, tu gardes ça pour toi, hein, Lucien?» me dit Marc Gagnon, inquiet, attablé devant moi au Saint-Germain.

J'acquiesce.

Je lève les yeux pour apercevoir la plus belle des Allemandes que je connaisse, Geneviève Gunmar, accompagnée justement par la flamme qui brûle et ravage encore le coeur de Marc, Suzie Lambert en personne!

Elles viennent vers nous sans nous voir. Elles se séparent, Geneviève se dirigeant vers les toilettes, Suzie continuant d'avancer vers nous.

«Veux-tu me dire, Lulu, ce que tu as à regarder tout le temps dans mon dos comme ça? s'écrie Marc, agacé. Tu ne m'écoutes pas?»

Il se retourne juste comme Suzie arrive à notre table. Ils se regardent, mal à l'aise.

«Salut, Marc! risque Suzie la première. Comment ça va? — Pas pire, répond l'autre dans un sourire gêné. Toi? Toujours aux études? — Les études, reprend gravement la soeur de Pierre Lambert, je me suis donné quelques mois pour y penser... (Il y a eu, entre eux, un lourd silence.) Toi? a poursuivi Suzie. J'ai pas tellement suivi le hockey ces derniers temps, j'imagine que ça roule toujours, pour toi aussi?»

Je surveillais le retour de Geneviève du coin de l'oeil. Une marchande de fleurs venait d'entrer. Je lui ai fait signe.

Tout à coup, d'un corridor Geneviève a surgi. «Sais-tu que tu es encore plus belle que d'habitude! que je lui ai lancé comme elle passait rejoindre Suzie réfugiée à l'autre bout de la place. — Ce sont les exercices! m'a-t-elle répondu, épanouie comme une rose.»

Elle allait s'éloigner. «Geneviève!» me suis-je exclamé.

La marchande de fleurs était arrivée à côté de nous. En lui remettant de l'argent, je me suis emparé de toutes les roses de son panier et les ai déposées en vrac entre les mains hésitantes de Geneviève.

Marc a éclaté de rire.

Fabienne a un frère avocat. Il est passé à l'appartement de Denis (où je pensionne, pour l'instant), et je lui ai parlé de mon contrat.

J'ai expliqué qu'il s'agissait de ma première année chez les professionnels et que je n'avais plus d'agent pour s'occuper de mes affaires.

«Comment ça, Pierre Lambert? qu'il m'a dit. Tu n'as personne pour s'occuper de tes intérêts? Laisse-moi te dire que tu es fou! Si tu fais un petit calcul rapide, sais-tu que ton séjour à Chicoutimi risque de te coûter dans les soixante-quinze mille dollars!»

J'ai ouvert des yeux énormes. Il a poursuivi: «Ne te laisse pas faire, voyons! Ils sont en train de te manipuler comme une marionnette! Est-ce que tu me permets de regarder ton contrat?»

J'ai fait signe que oui. «En tout cas, que j'ai dit, tout ce que je veux, c'est de retourner jouer à Québec! Si tu peux m'obtenir ça, mon Stéphane, on va bien s'entendre, toi et moi!»

Étendu à côté d'elle, sur le lit, j'avais simplement lancé avec la plus belle sincérité du monde: «Ça serait une maudite bonne chose que ton frère Stéphane fasse remonter Pierre à Québec, Fabienne!» qu'elle m'est tombée dessus. Un véritable ouragan.

«Écoute-moi bien, Denis! qu'elle dit en martelant ses mots. Toi aussi, tu es capable de revenir avec le National! Arrête donc de te mettre au deuxième rang! Le jour où tu auras compris ça, Denis Mercure, tu vas te la tailler, la place que tu mérites! La grande ligue, c'est pour toi aussi! Je te regarde aller depuis que Pierre est

ici, tu penses plus à l'aider, lui, qu'à te faire valoir, toi!
C'est bien beau la charité chrétienne, mais il y a une
limite! Toi aussi tu joues bien, Denis Mercure! Rentre-
toi ça dans le coco une fois pour toutes!»

J'allais répliquer quand un vacarme épouvantable s'est fait entendre dans l'appartement.

Fabienne et moi sommes sortis précipitamment
de la chambre pour voir Pierre en train de tout casser
autour de lui.

Une vraie crise de nerfs!

«Ne t'inquiète pas! qu'il a dit en nous apercevant, à bout de souffle, rouge et ruisselant, je vais tout
rembourser!»

Il a eu l'air si malheureux, si démuni qu'à mon
tour j'ai senti un puissant vent de colère m'envahir. J'ai
cueilli la lampe qui se trouvait à côté de moi. (Fabienne a
crié «Non!») et je l'ai lancée de toutes mes forces sur le
mur du salon.

Jamais, je ne me suis senti si soulagé!

Ç'a été comme un orage électrique. Le tonnerre
a grondé.

Longtemps après, je suis resté à côté de Pierre,
affalé sur le même divan, à fixer le mur en silence.

Suzie, arrivée en retard pour nos exercices aérobiques quotidiens chez Marius (la place à Geneviève),
venait de me dire: «Je te le garantis, Ginette! Je vais lui

faire regretter de m'avoir laissé tomber! Il va me voir partout, lui aussi Marc Gagnon!» J'aurais voulu savoir la suite quand on m'a demandée au téléphone.

En attendant le retour de Ginette, je suis allée aux toilettes.

En sortant, j'ai croisé Geneviève qui m'a parlé de Lucien Boivin. «Il est complètement sonné, Suzie! Ce matin, pendant une bonne heure, il a exigé que je fasse la démonstration de tous les appareils du gymnase! Son photographe, spécialement invité pour cette tâche (le type avait l'air de se prendre pour Cartier-Bresson), m'a mitraillée de ses flashes sans arrêt. Lulu n'a pas cessé de me complimenter en discourant (assez vaguement du reste) sur le sexisme dans le sport! Je te dis, un fou! — Tu ne le trouves pas trop achalant! que je lui demande comme Ginette vient vers nous. — Il m'amuse! que me répond Geneviève.»

«C'est Pierre! s'écrie Ginette en quittant le téléphone. Ça va super bien pour lui! L'équipe n'arrête pas de gagner! Il s'attend à revenir à Québec d'un jour à l'autre. Il s'ennuie de moi comme jamais! a-t-elle ajouté, faiblement, de la voix de quelqu'un qui s'ennuie davantage.»

«Tu sais Gilles! que me disait Maroussia, assise à mes côtés après le visionnement de mes performances passées de gardien de but. Guy Lambert, mon mari, racontait qu'en soixante-dix, dans tes débuts avec le National, tu étais un leader naturel. Un gardien de but superbe qui aimait contrôler le jeu!»

J'ai rougi malgré moi.

«Je ne dis pas ça pour te flatter! a-t-elle poursuivi. C'est vraiment ce que Guy disait. Je n'invente rien!»

Nous avons ri. Je lui ai pris la main.

On a frappé à la porte.

Le seul de mes voisins que je n'aurais pas voulu voir chez moi ce soir est apparu: Allan Goldman (il habite l'appartement du dessus depuis des années).

Il venait m'emprunter une tasse de sucre! Pour des crêpes!

Il n'a pas raté la présence de Maroussia, que je lui ai présentée.

Au mot de «National» Maroussia a écarquillé les yeux tandis que Goldman se lançait dans une envolée.

«Gilles! Je viens d'avoir un téléphone de Chicoutimi! *Sold out* encore ce soir!»

Maroussia a pâli.

«Troisième *sold out* de suite! Je te l'avais dit que ça marcherait! Lambert et Mercure sont en train de revirer le lac Saint-Jean à l'envers!»

J'ai rougi.

Goldman nous a laissés en se confondant en excuses et remerciements. En refermant la porte derrière lui, il m'a décoché un clin d'oeil complice. Je n'ai pas souri.

Quand je suis revenu m'asseoir, Maroussia me dévisageait. Je devinais ses reproches. L'autre raison du départ de son fils pour Chicoutimi s'imposait à son esprit.

«C'est pour ça... a-t-elle amorçé. — Non! ai-je aussitôt coupé. Pierre avait surtout besoin de retrouver sa forme! Disons qu'il risque de demeurer là-bas un peu plus longtemps que prévu... — Mais tu avais dit deux semaines? qu'elle s'écrie. — Je ne suis pas le propriétaire! ai-je laissé tomber.»

Elle a soutenu mon regard pendant un lourd moment. «Tu me déçois, Gilles! qu'elle a fini par dire. Je te croyais plus solide que ça!»

J'ai reçu sa flèche en plein ego.

Pierre vient de me téléphoner à l'hôpital. Son vieux truc du «docteur Lambert» qui demande «le docteur Baptiste» a encore marché.

Il n'a pas cessé de dire qu'il s'ennuyait de moi, qu'il n'avait que mon image en tête.

L'équipe gagne sans arrêt mais il se sent seul. Il n'a pas de nouvelles ni de Mercier ni de personne du National.

Je lui ai répondu qu'il n'y avait qu'un remède à ce genre d'ennui. «Quoi donc? demande-t-il, naïvement. — Mercredi, cinq heures trente! que je réponds. Au terminus Voyageur de Chicoutimi, s'il n'y a pas de tempête! Est-ce que ça fera ton affaire?»

Il a failli s'étrangler de surprise!

UNE NOIRE AU BOUT
DU MONDE

J'ai eu beau tourmenter Hugo, il n'y a pas eu moyen de le convaincre.

«Maman! qu'il gémit. Je ne veux pas aller à Chicoutimi! Je veux rester ici! Tu me laissais bien tout seul avant!»

Il ne comprend pas qu'avant il était plus jeune et plus raisonnable. Depuis que la puberté fait ses ravages, mon pauvre Hugo n'est plus aussi fiable qu'autrefois. Il ne fera pas le voyage! Adjugé!

Pour l'instant, c'est du sang de punaise pour Pierre que je me fais. Les demi-vérités de Gilles m'ont révoltée. Il faut en parler à Pierre au plus tôt. Je ne peux tout de même pas le laisser à Chicoutimi servir de caution financière à Goldman sans intervenir!

Par ailleurs, je ne tiens pas à me taper le Parc des Laurentides toute seule, j'ai donc demandé aux filles de m'accompagner. Elles ont accepté avec empressement. Suzie pour me faire plaisir, Ginette et Geneviève pour voir jouer Pierre et Denis.

Ces deux-là sont devenus de vraies stars là-bas!

Pas une seule défaite depuis que Pierre s'est joint à eux !
Allan Goldman peut bien se frotter les mains de satisfaction ! De dociles esclaves travaillent pour lui !

Comme je rapaillais quelques vêtements avant de m'élancer vers Chicoutimi, Albert Simard m'est arrivé, paniqué.

«Maroussia ! qu'il lance. Les affaires vont de plus en plus mal ! La banque refuse d'endosser ton crédit ! Le directeur vient de me prévenir. C'est quarante mille dollars qu'il faut trouver, pour la semaine prochaine au plus tard ! — Et les dix mille que Gilles m'a prêtés ? que je demande. — Insuffisant ! guillotine Albert. — Il n'y a plus qu'une solution, dis-je, en dévisageant Albert : Pierre ! Lui seul peut me sauver de la faillite !»

En avant toutes pour Chicoutimi !

Je me suis enfermé, quelques minutes, dans mon bureau du Colisée avant la pratique de ce midi. Je me suis parlé à moi-même.

Tu dois prendre ta part de blâme ! que je me marmonne. Jacques ! Tu as été trop mou !

Le National perd systématiquement depuis quasiment un mois ! C'est effrayant ! Il y a trop de paresse et de laisser-aller dans ce club-là ! Si ce n'était que de moi, il y en a une couple qui lèveraient les pieds assez raide, merci ! Trop de joueurs ont oublié que perdre, c'est défendu, mais perdre sans arrêt, c'est carrément criminel !

Ah! si Marc Gagnon parvenait à retrouver sa motivation! Si Martin arrêtait de penser, si Broadshaw sortait des limbes, si Champagne arrivait à patiner, si Johansson finissait par atterrir, si Michel Matthieu s'ouvrait les yeux... si... si...

Ah! Et si j'avais Pierre Lambert et Denis Mercure!

Au vestiaire, avant la pratique de ce midi, Jacques Mercier nous a engueulés comme du poisson pourri.

En nous dirigeant vers la patinoire, Robert Martin me glisse: «Qu'est-ce que tu penses de tout ça, toi, Marc? — J'ai trouvé que Mercier avait raison de nous chanter pouilles, Bob! que je réponds tout sec. Entre toi et moi, Lambert nous fait la barbe aller-retour: huit buts en quatre parties! Aïe! Mercier n'a pas tort, Bob! Ces jeunes-là rient de nous autres! Ils sont en train de mettre le feu dans la ligue américaine! — Quand je pense que je n'ai pas eu un maudit point dans les trois derniers mois, moi! se plaint Martin. S'il y en a un qui devrait se ramasser dans les mineures... — Il y a une chose, par exemple, que j'arrive pas à comprendre, Bob! que j'ajoute sur un ton mystérieux. Comment se fait-il que Guilbault et Mercier n'aient pas encore rappelé Lambert et Mercure de Chicoutimi? Ils seraient bien plus utiles avec nous autres... Tu ne trouves pas?»

À Québec, quand j'assiste à un match au Colisée, les gens me regardent, c'est vrai. Une Noire à un match de hockey, ici, c'est très étrange.

Mais à Chicoutimi, c'est encore plus rare, je suis donc plus étrange encore!

On me dévisage comme une pièce de collection prêtée pour un soir au centre Georges-Vézina, par un musée d'histoire naturelle... Je n'ai pas l'impression de descendre du singe, mais d'y être encore. Dans un zoo...

Il faut que je sois folle de Pierre pour affronter l'attention démesurée dont je suis l'objet.

Les gens ne sont pas agressifs, mais leur étonnement mêlé à leur curiosité (à mon exotisme) m'agresse.

Le pire moment est venu au début de la troisième période quand Pierre a compté son deuxième but de la soirée et qu'il m'a tendu, de loin, la rondelle. Je suis allée la cueillir de sa main en l'embrassant, sous la mitraille des photos et un vent sourd de désapprobation.

J'ai eu l'impression de commettre un crime. De faire quelque chose de déplacé... Des gens ont hué. Gentiment. Mais hué tout de même. Ensuite, ils ont réclamé Pierre en tapant des mains et en chantant «Lambert! Lambert!»

En entendant son nom, je me suis réconciliée avec les gens autour de moi. À l'instant, nos coeurs ont battu à l'unisson, au-delà de la peau et de la culture.

Après la partie, nous sommes allés au restaurant avec Denis, le copain de Pierre, et Fabienne la blonde de Denis. Nous avons parlé de choses et d'autres.

De moi surtout.

Il fallait s'y attendre.

J'ai donc déballé le colis de mes origines : Lucie Baptiste, née en France de parents haïtiens, vivant à Montréal depuis mes quinze ans.

Depuis quelques années, j'étudie pour devenir docteure, docteur ou doctoresse, comme vous voudrez. Oui, en orthopédie. Non, nous sommes peu nombreuses les Noires médecins. Pas assez à mon goût !

Toujours les mêmes questions. Et les mêmes réponses. Je m'y suis pliée avec le plus de gentillesse possible. C'est l'étonnement provoqué par la différence.

Stéphane, le frère de Fabienne, est arrivé sur les entrefaites. Son apparition a permis de changer d'ambiance. Il a été question du contrat de Pierre avec le National. Il m'a semblé très au fait des lois (c'est normal, un avocat !), très honnête, aussi.

Vers deux heures du matin, nous avons vidé les lieux. Les autres nous ont laissés.

Pierre m'a entraînée à l'hôtel Chicoutimi.

Et là, j'ai sombré dans ses bras.

Il m'a répété sans cesse : « Je t'aime, Lucie ! Je t'aime ». Moi, je me suis bien gardée de répondre.

Je ne sais toujours pas si le plaisir que je ressens d'être avec lui est le commencement de l'amour...

Et puis, j'ai peur, bien peur...

Nous sommes arrivées à Chicoutimi vers neuf heures du matin, mortes de fatigue. Ginette a téléphoné chez Denis, mais Pierre n'était pas là. «Il est allé coucher à l'hôtel!» Nous nous sommes donc toutes quatre amenées à l'hôtel en question et, de la réception, j'ai téléphoné à sa chambre.

«Allô? Pierre? ai-je dit — C'est qui? a-t-il demandé, la voix râpeuse. — Maroussia Lambert, ta mère! — Maman? Où es-tu? À Trois-Rivières? — Non! Ici, à Chicoutimi! En bas, dans le hall! C'est important, il faut que je te parle! ai-je précisé. — Je descends! a-t-il aussitôt répondu.»

Je suis allée rejoindre les autres, muettes d'épuisement, affalées dans un divan.

Je ne voulais pas descendre dans le hall de l'hôtel, mais Pierre a insisté.

«Je vais te présenter à ma mère! qu'il a dit. C'est une femme extraordinaire! Tu vas voir!»

Je me suis laissé convaincre. Nous nous sommes habillés en vitesse.

Quand la porte de l'ascenseur s'est ouverte sur le hall, quatre femmes se sont avancées vers nous. Dès qu'elles m'ont vue au bras de Pierre, elles se sont arrêtées net, pétrifiées d'étonnement.

L'une d'elles, blanche comme de la neige. Toutes quatre, le visage de glace.

Une fois encore venait de se dresser devant moi un mur, imposant, solide, éternel.

L'infranchissable mur de la couleur...

DIXIÈME CHAPITRE

UNE LIAISON DÉRANGEANTE

UN SUCCÈS EMPOISONNÉ

Dans le hall de l'hôtel Chicoutimi, pendant que maman, Suzie et Geneviève entouraient Lucie et que, gauchement, elles se présentaient l'une à l'autre, j'ai suivi Ginette qui s'était réfugiée dans un coin, à l'écart.

Hors d'elle, secouée de sanglots, je n'arrivais plus à la calmer. Je tentais d'expliquer la situation, mais elle ne voulait rien entendre.

«Expliquer quoi, Pierre? criait-elle. Ça fait un mois que tu te sauves de moi, maudit lâche! — Ginou, j'ai essayé plusieurs fois, mais... — Tu n'as pas le droit! a-t-elle hurlé. Je t'ai tout donné, moi! Tu m'as fait des promesses! Je t'ai cru! Tu es un écoeurant! — Ginou... ai-je insisté en l'enlaçant. Elle s'est rebiffée. — Tout ce que tu m'avais dit, c'est de la merde! a-t-elle repris. Je vais finir mes jours vendeuse de collants! C'est ce que tu voulais? Tu dois être content!»

Elle s'est élancée vers la sortie. En passant devant Lucie, elle a laissé tomber, d'une voix méprisante:

«Tout ça pour une maudite négresse! (J'ai tenté de la retenir.) Lâche-moi! qu'elle a crié en disparaissant précipitamment.»

Nous nous sommes regardés tous les cinq, aussi muets que désemparés.

Des larmes ont perlé aux yeux de Lucie.

Dans mon bureau, ce matin, Allan Goldman

était là, écrasé sur le divan, l'air satisfait, tandis que moi, je séchais d'amertume. Jamais je ne m'étais senti aussi nul qu'aujourd'hui.

«J'ai honte de moi, Allan! que j'ai commencé par dire. Si j'avais des couilles, c'est ma démission que tu aurais, tout de suite! — Il n'y a rien là Gilles! a lancé Allan. Pierre Lambert, c'est une recrue! Tu sais, ce n'est pas la première fois que ça se voit, une recrue dans les mineures!»

J'ai éclaté: «Écoute, Allan! Ça fait quatre ans que je suis directeur général du National, jamais tu ne t'es mêlé de mes affaires comme tu l'as fait cette année! Tu vas trop loin! — Voyons, Gilles! a-t-il repris. Deux autres semaines encore avec les Saints, puis tu fais remonter le jeune à Québec! Tu t'énerves donc pour rien!»

J'ai cessé de faire les cent pas et suis allé me poster droit devant lui. «Écoute, sais-tu que Linda Hébert est rendue à Chicoutimi pour voir ce qui se passe? Jamais je ne vais pouvoir tenir deux semaines!»

Goldman s'est levé. Il est allé à la fenêtre, puis en se tournant vers moi, il a repris: «Gilles... quand tu t'es cassé la hanche, il y a sept ans, tu venais de divorcer, tu n'avais pas d'assurance, tu allais te ramasser tout nu dans la rue... Je suis arrivé, je t'ai aidé en te disant de ne pas t'inquiéter... Est-ce que tu as jamais eu à douter de moi?»

Il me fixait de ses yeux noirs et clairs. J'ai simplement fait la moue, sans répondre.

Nous sommes montés seuls, Pierre et moi, à sa

chambre de l'hôtel Chicoutimi pendant que les filles, aidées de Lucie, essayaient de retracer Ginette.

Mon fils était furieux contre Gilles Guilbault. Je tentais de mon mieux d'exposer dans quelle eau bouillante le pauvre directeur général se trouvait.

« Il n'avait pas le choix, Pierre ! disais-je. C'était ça ou la fermeture des Saints de Chicoutimi ! — En plus, maman ! a crié Pierre, tu as le front de le défendre ! — Je ne le défends pas ! ai-je rétorqué en élevant la voix. Je t'explique la situation ! Tu sais, Pierre, qu'on le veuille ou non, il y a toujours deux faces à une médaille ... »

Il a continué de gueuler, disant que les choses n'en resteraient pas là, qu'il ne se laisserait pas faire, et le reste. J'ai laissé passer l'orage, puis j'ai dit : « Il y a autre chose Pierre ... »

Il m'a dévisagée.

« Quoi encore ? a-t-il demandé en bougonnant. — La boutique ... ai-je glissé. Pierre, je suis au bord de la faillite ! — Ça ne m'étonne pas ! a-t-il répliqué sèchement. » J'ai fait une pause (son coup n'a pas porté), puis j'ai laissé tomber : « Il me faut quarante mille dollars pour la semaine prochaine. »

Il a pâli. « Quarante mille ! a-t-il répété, incrédule. » Puis, il est venu s'asseoir à mes côtés.

« En ouvrant la boutique à Québec, ai-je poursuivi, j'ai eu la méchante idée, pour rendre service aux membres de la coopérative, d'acheter tout le stock de vêtements que chaque couturière avait produits depuis les trois dernières années. Tout pour la somme de quarante mille dollars !

«Contrairement à mes prévisions, je ne sais trop pourquoi, la marchandise ne se vend pas! Pas du tout! Au bout de deux mois, force m'est de constater que la clientèle (mince) ne veut absolument pas de ces robes aux couleurs trop voyantes, trop décorées, trop ceci ou pas assez cela. Bref, on n'aime pas. Entre-temps, moi, mes créanciers me réclament l'argent prêté en garantie. Si dans une semaine, leur dû ne leur est pas remboursé, ils se saisiront de la garantie. Et la garantie, mon pauvre Pierre, c'est notre maison de Trois-Rivières!»

Pierre s'est levé en me regardant, suffoqué.

«Qui t'a fait mettre la maison en garantie? hein? s'est-il écrié au bout d'un moment. Albert Simard je suppose?» J'ai fait la moue.

Il est venu se rasseoir.

«Quand il n'y a personne pour t'empêcher de faire des conneries, hein? a-t-il ajouté en se tournant vers moi, tu provoques des désastres!»

J'ai songé aux dix mille dollars que Gilles m'avait prêtés. Sentant que Pierre ne prendrait pas l'aveu de cette autre gaffe, je me suis gardée d'en parler.

«Je vais voir ce que je peux faire!» a-t-il laissé tomber.

J'ai protesté que je n'étais pas venue pour ça, mais simplement pour le mettre au courant.

«Ouais!» qu'il a rétorqué. Il s'est emparé de mes mains, les a déposées au coeur des siennes.

«Tu sais bien, maman, que je ne te laisserai jamais tomber!» a-t-il dit. En guise d'absolution, j'ai ajouté: «Elle est bien ta Lucie...»

Il m'a souri, inquiet, inquiète moi-même.

Je me sentais terriblement mal dans ma peau. Ma nuit avec Lucie, si agréable, si douce, ne m'avait pas préparé à une journée aussi dure. La crise de Ginette, les problèmes de maman, les cochonneries de Guilbault, mêlés à mes succès avec les Saints et mes amours avec Lucie, tout ça était en train de me rendre complètement fou!

«Pierre! que me crie Stéphane Richard, le frère avocat de Fabienne, comme j'allais rejoindre Lucie, Geneviève et Suzie au bar de l'hôtel (Ginette était retournée à Québec par le premier autobus). Justement, c'est toi que je cherchais! J'ai appelé Linda Hébert à son journal! Elle s'en vient! J'avais dit que je m'occuperais de tes affaires, c'est fait! Je te garantis que tu ne moisiras pas longtemps à Chicoutimi!»

Je n'ai pas eu le temps de le remercier que Lucie apparaissait. «Je te laisse! a dit Stéphane. On s'en reparle plus tard!» Il a disparu.

J'ai enlacé Lucie. Elle sentait bon, je l'ai embrassée. Quand je me suis rouvert les yeux au bout d'une longue extase, j'ai aperçu le plus épais de mes coéquipiers des Saints, Maurice Gauthier, qui nous observait, pas très loin, à la porte du bar.

En moins de deux, se voyant découvert, il s'est éclipsé.

« Maman... m'avait demandé Suzie, tu es sûre ? Tu ne viens pas avec nous ? » J'avais une migraine terrible qui jouait de la grosse caisse entre mes oreilles et je n'avais pas le goût d'entendre crier autour de moi. Je n'espérais que le calme et la quiétude. Je suis donc restée à ma chambre d'hôtel.

Au milieu de la soirée, après un bon bain, j'ai ouvert la radio pour savoir où le match en était rendu.

« Incroyable, Mesdames et Messieurs, s'exclamait un commentateur, incroyable ! La foule, qui remplit le centre Georges-Vézina à craquer, est debout comme un seul homme et réclame le retour de Pierre Lambert sur la patinoire ! »

Un souffle de fierté m'est monté au coeur. L'annonceur s'égosillait, la foule hurlait, mes oreilles tintaient. J'ai refermé.

Je me suis assoupie. Au bout d'un moment, je me suis éveillée et à nouveau, j'ai allumé la radio. Cette fois, le commentateur était hors de lui.

« À quelques secondes d'une partie hallucinante où Pierre Lambert et Denis Mercure ont largement dominé, la foule des amateurs comblés applaudit à tout rompre ses héros, Mesdames et Messieurs, en comptant les dernières minutes d'un match absolument extraordinaire ! Et c'est la sirène qui annonce la fin de la rencontre ! Quatre à deux ! Une autre spectaculaire victoire des hommes de Charley Giroux ! »

J'ai tourné le bouton.

«C'était donc vrai, me suis-je dit, Pierre et Denis gagnent tout le temps!»

«Pierre! que me lance Denis, sous la douche, au vestiaire des Saints. Je pense qu'on est en train de faire capoter ce pauvre Charley! Notre jeu est trop bon, ça le rend fou!»

Nous avons ri. Justement j'entendais, par-dessus les cris de Villeneuve, Gauthier et des autres, la voix rauque de Charley Giroux que j'imaginais rouge de béatitude.

«Les gars! s'extasiait-il à tue-tête. Je ne rêve pas! Première position! (Les cris ont redoublé.) Ça ne nous était pas arrivé depuis cinq ans! Douze parties sur quinze de gagnées! Je n'arrive pas à le croire! Toi Bébert? Y as-tu pensé? — À quoi? a demandé la voix d'Albert Nelson. — Trois? a poursuivi Charley. Tu as compté trois buts! — Charrie pas! a rétorqué Bébert. C'est le Chat qui a tout fait! Je n'ai eu qu'à pousser dessus!»

Les cris se sont mêlés aux sifflements des canettes qu'on ouvre.

Nous sommes sortis des douches. En passant tout près de Bébert, il s'est écrié, en me retenant par le bras: «Pierre... des parties super comme celle-là, on n'est pas prêts à en jouer d'autres! Vous autres, a-t-il ajouté en nous regardant Denis et moi, vous allez remonter avec le National, mais nous autres, on va vite reprendre notre trou! Ça ne fait rien! Tout ce que je voudrais vous dire, c'est que j'ai passé, jusqu'à maintenant, les plus belles semaines de ma vie!»

Quand j'ai ouvert la porte de son miteux bureau au centre Georges-Vézina, Charley Giroux a pâli.

« Linda ?... a-t-il laissé échapper. — Elle-même ! ai-je aussitôt répliqué. »

Je me suis assise et nous avons parlé.

« Charley, ai-je dit, la moyenne de vos assistances ici au centre, avant l'arrivée de Lambert, c'était quoi ? (Il a fait semblant de chercher.) — À peu près deux mille ! a-t-il répondu. — Ça ne serait pas plutôt mille trois cent quatre-vingt-deux spectateurs ? (Il est resté un moment interdit.) — Si tu le sais, pourquoi est-ce que tu le demandes ? a-t-il sèchement rétorqué. (Je ne voulais pas lâcher le morceau, aussi, ai-je poursuivi.) — C'est quoi l'assistance moyenne depuis que Lambert est en (j'ai souligné le mot d'une ride d'ironie) "convalescence" à Chicoutimi ? — Quatre mille ! a-t-il vivement déclaré en tentant visiblement de me faire croire à l'exactitude de ses chiffres par la fermeté de son ton. (Je n'ai pas été dupe.) — Quatre mille neuf cent soixante-quinze spectateurs payants, tu veux dire ? ai-je laissé tomber, en coulant du plomb dans mes mots. (Il a pâli un peu plus.) — Écoute Linda ! s'est-il finalement écrié. Moi, c'est de hockey que je m'occupe, pas de finances ! — Il n'y a jamais personne qui t'a appris que c'était la même chose ? ai-je aussitôt répondu. »

Le pauvre entraîneur était littéralement effondré.

Je n'ai pas voulu achever ma victime.

J'ai donc laissé Charley Giroux, atterré, dans son marais grouillant d'incertitudes.

☆

Je ne sais pas trop comment, mais, au vestiaire, l'engueulade a éclaté, après quelques bières, entre Maurice Gauthier et Pierre. Du reste, depuis qu'ils se sont connus, ces deux-là ne se blairent pas.

« Toi ! a crié Gauthier à Pierre. Avec ton petit copain Mercure (il me désignait avec mépris du menton), vous vous sacrez de nous autres comme de l'an quarante ! Tout ce que vous voulez, c'est de retourner à Québec ! »

Il s'est approché de Pierre.

« Pourquoi, a-t-il renchéri, que j'irais me fendre le cul en quatre pour un petit frappé juste bon à baiser des négresses ! »

J'ai cru que Pierre allait lui sauter dessus. J'ai voulu prévenir le coup. J'ai fait un pas vers Gauthier, mais Pierre m'a retenu.

« Toi, Gauthier ! a-t-il répondu d'un ton posé, si tu n'arrivais pas toujours soûl sur la glace, peut-être que tu ne moisirais pas depuis si longtemps dans la ligue américaine ! Quand tu pourras te tenir debout comme un homme, tu pourras parler ! En attendant, écrase ! »

Pierre m'a regardé. L'autre était suffoqué. Nous sommes retournés nous rhabiller.

Bébert a lancé, à l'intention de Maurice Gauthier : « Tu n'es pas assez intelligent pour te rendre compte que Lambert est en train de sauver nos jobs, épais ? »

À l'écart, Pierre me glisse, en m'administrant une tape amicale à l'épaule: «Pas rien que Lambert, Mercure aussi!»

Nous rions en nous claquant les mains, juste comme le vacarme des cris et des conversations reprend de plus belle.

Je venais juste de m'affaler dans mon divan quand le téléphone a sonné. C'était Charley Giroux qui paniquait. Rien de neuf là-dedans, Charley a toujours paniqué sur tout. Sa femme. Sa job. Son salaire. Ses dettes. C'est pour cette raison que Charley Giroux a passé sa vie dans la ligue américaine et qu'il va probablement la finir avec le pee-wee . . .

Cette fois-ci, c'était Linda Hébert, venue faire sa Colombo à son bureau, qu'il craignait. Je venais de lui demander: «Charley! J'espère que tu n'as pas trop parlé! — Même pas besoin, Gilles! qu'il m'a répondu. Elle savait déjà toutes les réponses, la grande vache! Tout ça, c'est la faute de ton Lambert, c'est un maudit bon joueur, mais on dirait qu'il attire la merde! — Tu n'es pas habitué de jouer dans cette ligue-là, hein Charley! que je lui lance. Le jeu est trop raide pour toi! Laisse faire, je vais m'occuper de tout ça! Toi, fais le mort! — C'est correct, Gilles! qu'il répond. À propos . . . ajoute-t-il. Lambert, penses-tu qu'on va le garder encore longtemps? — Charley, que j'ai rétorqué tout sec. Un mort, ça ne pose pas de question!»

Il a encaissé le coup et j'ai raccroché.

DE L'ARGENT QUI TOMBE
DU CIEL

Stéphane Richard m'avait téléphoné m'invitant à venir voir sur place, dans un restaurant de Chicoutimi, les preuves («chiffrées» avait-il précisé) qui démontraient que Lambert se faisait littéralement voler par l'organisation du National.

«Linda! C'est de l'exploitation pure et simple!» qu'il m'avait dit.

Je suis donc allée le rencontrer au Saint-Ex le lendemain de la partie contre Shawinigan.

Pierre Lambert et Denis Mercure étaient là, la soeur de Stéphane et d'autres aussi, dont une Noire.

La nouvelle flamme de Lambert, ai-je cru comprendre. Pas à l'aise la pauvre fille, mais par ailleurs, superbe d'intelligence et de beauté (j'aimerais bien avoir ses minceurs aux cuisses!). Je l'ai trouvée sympathique.

«C'est vrai Linda! poursuivait Stéphane. Des joueurs comme Pierre et Denis ont toujours été exploités! Ils ont rempli l'aréna de Trois-Rivières pendant trois ans. Denis! dit-il en se tournant vers l'intéressé, les Dragons, combien est-ce qu'ils te donnaient par semaine? — Soixante! répond l'autre. Et ça incluait la pension! En se tournant vers Lambert, il ajoute: Heureusement que ta mère ne me demandait rien! Sinon, je serais mort de faim!»

J'ai finalement consenti à regarder les documents préparés par Stéphane qui n'en finissait plus d'accumuler les détails.

«J'ai étudié les contrats de ces deux gars-là, a-t-il renchéri. Je suis convaincu que Luc Sigouin les a vendus à rabais. Je pense qu'il avait besoin de beaucoup d'argent comptant pour Marc Gagnon. Ça aussi, Linda! Tu peux l'écrire dans ton journal!»

Je lui ai fait remarquer que je n'étais pas à son service et que j'écrirais bien ce que je voudrais.

Lambert m'a étonnée en prenant soudain ma défense.

«Si c'est la vérité, a-t-il prononcé gravement, Linda va l'écrire!»

Sous le mot courtois, j'ai cru percevoir un filet d'amertume.

Suzie était revenue à Trois-Rivières avec moi. Elle me faisait, avec raison, la morale à propos de ma confession à Pierre de mon état financier. Elle me reprochait surtout de ne pas l'avoir mis au courant du prêt consenti par Gilles Guilbault.

«Maman! qu'elle me disait comme nous entrions à la maison. Pourquoi ne lui en as-tu pas parlé? — J'ai manqué de courage Suzie! ai-je avoué. En plus, avec les articles que prépare Linda Hébert sur le contrat de Pierre, je crains la réaction de Gilles; il va vite comprendre que j'ai laissé aller ma langue ... — Maman, a dit Suzie en me prenant par le cou, comment as-tu fait pour te placer, aussi magistralement, les pieds dans les plats?» J'ai souri faiblement.

Puis, il a été question de Ginette que Suzie n'arrivait pas à rejoindre nulle part.

«Pourvu qu'elle ne fasse pas de bêtises, celle-là ! s'est-elle exclamée. Maman, j'ai un mauvais pressentiment... (Je lui ai dit de ne pas s'en faire.) — Ginette en a vu d'autres ! que j'ai conclu. »

Sur les entrefaites, Hugo est apparu accompagné de Wilka.

Depuis Noël, j'évitais, tant bien que mal, les questions embarrassantes de Martha Simonovitch, la mère de Wilka, sur les difficultés de la boutique de Québec et le risque couru par la coopérative. Sa fille m'a transmis la pressante invitation de Martha de lui téléphoner le plus rapidement possible.

J'ai répondu à la petite : « Tu diras à ta mère que je vais l'appeler d'ici deux jours, promis ! »

L'enfant n'a pas eu l'air convaincue de ma sincérité.

Elle s'est dirigée avec élégance vers la porte pendant qu'Hugo papillonnait autour de la flamme nerveuse de sa canadienne rouge.

Pierre n'a pas voulu révéler (pas même à moi, Denis, à qui il ne cache rien d'habitude) pourquoi il faisait la tournée des amis et des connaissances pour amasser de l'argent (une somme elle aussi demeurée inconnue).

À nous quatre, Fabienne, Stéphane, Lucie et moi, nous avons fourni cinq mille dollars.

« Toi, Pierre ! ai-je lancé. Un jour, il va falloir

que tu me dises ce que tu as fait de cet argent-là !
— Excuse-moi, Denis ! m'a-t-il répondu. Mais je ne peux
pas parler ! Je t'assure, je ne peux pas faire autrement !
Vous allez tous être remboursés, avec les intérêts, ne
vous tracassez pas ! — Tout le monde a confiance, mon
Pierre ! s'est écrié Stéphane tout sourire. Prêter de l'argent à un gars qui va être millionnaire d'ici quatre ou cinq
ans, ce n'est pas un risque, c'est un placement ! »

Nous avons ri, excités par la soudaine ambiance de complicité et de mystère qui venait de descendre sur nous.

Je nageais littéralement dans mon bonheur
quand je suis entré au vestiaire du National, après la
pratique, cet après-midi.

« As-tu gagné à la loterie, Lulu ? que me lance
Marc Gagnon. — Non ! ai-je répliqué, ma peau habillée
de l'image de Geneviève. Je suis en amour ! En amour
par-dessus la tête ! — Contre qui ? a-t-il enchaîné. — Une
Allemande sublime ! que j'ai répliqué. — Et elle ? a-t-il
cyniquement interrogé. — Ça s'en vient ! que je me suis
écrié. Elle est tellement belle ! Je pogne ! »

Il me regardait l'air incrédule.

« Tu sais avec qui elle partage l'appartement ?
ai-je interrogé, pour le plaisir de le piquer à mon tour.
Avec Suzie Lambert ! (Il a écarquillé les yeux.) Si tu
veux tout savoir, Marc Gagnon ! ai-je laissé tomber, tu
sauras que la belle Suzie est encore bien amoureuse de
toi ! »

Son visage s'est éclairé.

J'ai tourné les talons, le laissant pantelant, sa serviette à la main.

Plus loin, j'ai entendu Couture annoncer à Johansson qu'il avait une bonne nouvelle pour lui.

J'ai pensé : «Il va lui faire cadeau d'un verset de sa bible, c'est sûr!» Eh non, ce n'était pas ça!

J'ai consigné dans mon calepin l'évangile selon saint Paul Couture : «Visite de la blonde d'Anders Johansson. Arrivée dans trois jours. Deux semaines de séjour. »

Quand je suis passé à côté d'eux, le Suédois bafouillait en rougissant de toute sa blondeur nordique : «She is coming, Paul? Really? Is she coming?»

L'instant d'après, mon attention a été attirée par la voix de Linda.

«Vous ne trouvez pas, demandait-elle à Martin et Champagne qu'elle venait d'accoster à leur sortie de la douche, que Lambert et Mercure seraient plus utiles à Québec qu'à Chicoutimi? (Les autres ont opiné.) — On aurait sûrement besoin de leur aide! s'est écrié Paul Couture que la question avait attiré. — Guilbault sait ce qu'il a à faire! Mais j'avoue que ça mettrait du pep! a finalement conclu Martin. »

Linda a hoché de la tête.

Au même moment, à la surprise générale, s'est amené Pierre Lambert, fringant comme jamais!

Linda m'a lancé : «Tu vois Lulu? Quand on parle de la bête... »

Les gars l'ont chaudement accueilli.

Je n'avais plus rien à faire dans le décor (j'avais surtout le goût de parler à Geneviève, ou mieux de la voir, peut-être...), j'ai filé à l'anglaise juste comme Lambert et Martin venaient de se retirer à part, sérieux comme d'authentiques conspirateurs.

«Tiens, Pierre! m'a dit Robert Martin en me tendant une grande enveloppe. Tout est là-dedans! — Tu diras aux gars que je les remercie bien gros! ai-je répondu en prenant l'argent. — Il ne s'agit pas d'un million, a poursuivi Martin, mais quarante mille dollars, ce n'est pas rien non plus! N'oublie pas Pierre, a-t-il insisté, les gars veulent revoir leur dû dans six mois! — Ils n'ont pas à s'inquiéter! ai-je rétorqué. Ils vont l'avoir avant! — À ta place, a glissé Robert d'un ton de confidence, je m'arrangerais pour remonter avec le National au plus vite, c'est autrement plus payant! — Ça peut se faire plus vite que tu penses, Bob! ai-je répondu comme je venais d'apercevoir Linda Hébert au fond du vestiaire.»

Je suis allé à elle.

«Quand est-ce que mon histoire sort? lui ai-je vivement demandé. — Moi, qu'elle a répondu, si j'étais à ta place, je m'arrangerais pour acheter *Le Matin* demain, à la première heure...»

Elle s'est dirigée vers la porte. Je l'ai saluée d'un bref coup de tête.

Elle a ébauché un sourire vaguement complice en se fondant dans le noir du corridor.

Pierre n'était pas content.

« Te rends-tu compte, maman, me disait-il, dans quelle situation tu me mets ? Emprunter dix mille dollars à Gilles Guilbault ! »

J'ai eu beau tenter de m'expliquer, il n'a pas été possible de me faire entendre. J'ai retrouvé là, un des traits de caractère de Guy, son père. Entêté. Sans nuances. Tout d'une pièce !

Mais avec un de ces coeurs d'or !

Il m'a tendu une enveloppe.

« Tiens ! voilà ton argent ! Quarante mille dollars ! (J'ai failli m'étouffer.) — Où l'as-tu trouvé ? que je lui demande. — Laisse faire ! qu'il répond. Il y a une condition. (Je m'informe de laquelle.) — Finies les boutiques ! Tu rembourses la banque et Guilbault et tu fiches Albert Simard à la porte ! (J'ai eu beau protester, il n'a pas cédé d'un cheveu.) — Et les femmes de la coopérative ? ai-je questionné. —Tu leur diras la vérité ! Que tu t'es trompée ! »

Soudain, mes nerfs ont craqué. J'ai été secouée d'irrépressibles sanglots.

« Je n'ai pas envie de faire faillite, moi ! que j'ai bafouillé, prise de spasmes. »

Pierre m'a entourée de ses bras. M'a caressé les cheveux.

« Maman . . . a-t-il murmuré, la voix étranglée,

je ne suis pas inquiet ! Tu vas rebondir, comme d'habitude ! »

J'ai fondu d'émotion.

BAGARRE ET LINGE SALE

Ce matin, j'ai ouvert l'oeil. La lumière m'a sauté dessus.

J'ai fait dos à la fenêtre du salon (j'avais omis de tirer le rideau) en me roulant dans mon sac de couchage pour tomber le nez sur les genoux de Stéphane, accroupi devant moi, en extase.

« Écoute ça Pierre ! me dit-il, bavant d'excitation. Tu vas avoir l'impression de rêver encore ... Je te lis ce que raconte Linda dans *Le Matin* d'aujourd'hui (il étale le journal sur moi) : "La question se pose : Pourquoi la direction du National laisse-t-elle moisir des joueurs comme Lambert et Mercure à Chicoutimi, alors que le club se morfond dans la léthargie ? La réponse se trouve dans le nombre d'assistances enregistrées au centre Georges-Vézina de Chicoutimi, depuis que Pierre Lambert y a retrouvé Denis Mercure, son ancien coéquipier. Il ne faut pas oublier que le National et les Saints de Chicoutimi sont la propriété d'un seul et même individu, et que des rumeurs de difficultés financières planent sur les Saints depuis quelque temps ... (Denis s'est approché accompagné de Fabienne, tous à peine tirés du lit.) Par ailleurs, le sort de Pierre Lambert fait l'objet de tractations pour le moins étranges depuis son arrivée avec le National. Son ancien agent, le même que celui de Marc Gagnon incidemment, l'aurait laissé tomber peu de temps après avoir négocié un avantageux contrat pour la grosse vedette du National. Aussi, est-on en droit de se demander si Lambert n'a pas été sacrifié aux intérêts économiques des Saints, en même temps que pour ménager une fin de carrière plus rentable à Marc Gagnon."

«Linda a tout écrit Pierre! Tout! conclut Stéphane en m'écrasant de joie le journal sur le nez. Je ne sais pas comment ils vont prendre ça? glisse Denis, d'un ton taquin. — Ça passe ou ça casse! laisse tomber Fabienne.»

Nous éclatons tous les quatre en un formidable carillon de cris d'allégresse.

À peine levé, j'ai au bout du fil, et sans l'avoir cherché, Luc Sigouin, propulsé hors de lui par l'article de Linda Hébert.

«Elle ne m'a pas nommé, Gilles, mais tout le monde sait que c'est de moi qu'elle parle! Je la poursuis en justice! Le journal aussi! — Ne t'énerve donc pas, Luc! que j'ai répondu. Ce n'est surtout pas le moment de partir en peur! Si tu veux mon conseil, on va laisser dormir l'affaire une couple de jours... — Tu me laisses tomber? qu'il me crie aux oreilles. Aurais-tu, toi aussi, quelque chose à cacher, Gilles? Quelque chose que tu ne voudrais pas que Maroussia sache, hein? — Ne mélange pas les torchons avec les serviettes, Luc, veux-tu? que j'ai répliqué tout net. On a travaillé ensemble, toi et moi, pour aider Marc Gagnon? En échange, tu m'as rendu service avec les contrats de Lambert et de Mercure? Notre affaire s'arrête là, Luc? C'est clair?»

Il est resté un instant silencieux au bout de la ligne, puis il a répondu.

«C'est clair, Gilles...»

J'ai raccroché.

Les oreilles me chauffaient.

Malgré qu'un certain agacement vis-à-vis de Maroussia commençait à se faire sentir, il ne me restait plus, pour l'instant, qu'une chose utile à faire : téléphoner à Jacques Mercier.

«Si tu avais entendu, Denis, me disait Richard Tremblay, le journaliste du *Quotidien* de Chicoutimi, dans le vestiaire des Saints, tout ce que Stéphane Richard vient de me raconter ! Il va autrement plus loin que Linda Hébert, lui ! Pas question de sous-entendus, il accuse, lui ! Je sors tout ça dans mon journal dès demain !»

Je le regardais sans répondre, attendant la suite.

«Denis, a-t-il repris, c'est bien vrai ? Stéphane va devenir ton agent officiel ? — Disons que c'est une forte possibilité ! ai-je dit.»

«Vous n'avez pas peur de vous mettre le monde de Chicoutimi à dos, vous autres ? nous a demandé à Pierre et à moi, Donat Riverin (le numéro un des sports à la radio de Chicoutimi) arrivé sur les entrefaites. — Vous autres, a répondu Pierre, si on vous offrait une place à *La Presse* ou au *Matin*, qu'est-ce que vous feriez ?»

Nous nous sommes échangé un clin d'oeil complice comme Albert Nelson faisait son entrée.

«Vous allez nous manquer, les boys! a lancé Bébert en direction de Pierre et moi. Tout le monde est bien content pour vous autres, quand même!»

«Denis! Pierre et toi, avez-vous eu des réactions du National? me demande Richard Tremblay. — Ils doivent être en train de se téléphoner! que je réponds en riant.»

«Ça se peut qu'ils prennent ça plutôt mal!» s'exclame Donat Riverin l'air mystérieux, juste comme Pierre venait de sortir en mimant un appel téléphonique.

«Ça fait quatre fois que je l'appelle! que je criais à la téléphoniste de l'hôpital. Dites-lui que c'est le docteur Lambert qui veut la rejoindre à tout prix! C'est très important!»

J'avais un tel besoin, une telle nécessité, une telle urgence de parler à Lucie, que j'aurais gravi l'Himalaya pour y parvenir. Mais malheureusement, même à la cinquième tentative, je me suis fait encore répondre: «Je regrette, le docteur Baptiste est occupée. Je peux prendre le message?»

J'aurais étouffé la secrétaire du centre de physiothérapie de L'Enfant-Jésus avec les fils de son standard si j'avais pu!

J'ai raccroché en répondant sèchement que je rappellerais plus tard!

Ce matin, pendant la période de réchauffement au Colisée, Allan Goldman était à prendre avec des pincettes.

Lulu me glisse à l'oreille: «Encore une fois dans le mille, Linda!»

À la suite de la première question d'André Simon, le propriétaire du National a éclaté. Il a accusé l'animateur de CKLT, d'être un hypocrite.

«Toi André Simon, lui a-t-il crié, tu vomis sur nous autres à la radio et après, tu viens nous faire des mamours à notre poste de télévision?»

Il était sec et cassant comme un coq au combat.

Simon a tenté de se défendre en brandissant son titre de professionnel de l'information, mais l'autre a proféré des menaces.

«Ton travail professionnel, mon gars! a poursuivi Goldman, tu vas aller le faire ailleurs que chez nous, O.K.?»

Lulu a tenté à son tour d'amadouer le monstre mais Goldman a rugi.

«Pas de commentaires! Va demander ça à Guilbault!» a-t-il répondu en disparaissant.

Guilbault venait effectivement d'apparaître, prêt à foncer à son tour dans l'arène, cornes en place, museau écumant.

«Gilles! a demandé Lulu, ce sont des accusations qui sont graves, tu ne trouves pas? — Pas graves, Lulu! a rétorqué le directeur général. Ridicules! Comme si je pouvais priver le National de deux bons joueurs volontairement! Il ne faudrait quand même pas me prendre pour un fou!»

Là-dessus, Jacques Mercier s'est amené, à pic lui aussi. Lulu s'est empressé de lui demander s'il comptait garder Templeton sur le banc.

«Pourquoi donc? a-t-il répondu. — À cause de Thompson, a poursuivi Lucien. Mac a déjà mangé une grosse volée à Boston. Les Bruins s'en viennent, vas-tu le priver de glace pour éviter qu'il se fasse planter devant ses partisans? — Est-ce que c'est ça que tu penses, Lulu? a-t-il demandé en le regardant droit dans les yeux. — Ouais! a répliqué spontanément l'autre. — Si c'est ce que tu penses, écris-le, mon Lulu! Tu sais, des histoires de caves (il m'a jeté un coup d'oeil éclair), je commence à être habitué d'en lire... (Lulu a paru assommé.) — Je suppose que tu aimerais mieux que je te parle de Lambert et Mercure, a-t-il lancé à Mercier, déjà trop loin pour l'entendre. »

Lucien m'a jeté un regard dépité.

Je me suis dirigée vers la sortie pour voir apparaître dans les gradins quelques joueurs des Bruins de Boston qui venaient d'arriver en vue du match de ce soir.

Parmi eux, le gros Jimmy Thompson, l'ennemi héréditaire de Mac Templeton, celui par qui toutes ses cicatrices (ou presque) sont venues.

Templeton a vu l'autre. L'autre l'a vu et lui a donné le bras d'honneur en riant aux éclats. Templeton (soupe au lait comme un volcan) s'est mis à l'engueuler à tue-tête de l'autre bout de la patinoire. Jacques Mercier a eu peur que ça ne tourne au vinaigre, il a sifflé.

«Come on, Mac! Let's go!» qu'il a hurlé à Templeton.

La tempête s'est apaisée.

En s'assoyant à côté de moi, Lulu me dit: «Si Mercier laisse jouer Templeton ce soir, Linda! Ça risque de tourner au massacre! — Et s'il ne le laisse pas jouer, que j'ai répondu en me donnant des airs de Mata Hari, c'est l'équipe qui va passer pour une belle bande de peureux!»

Lulu me regardait, déboussolé.

«C'est ça la logique "macho", Lulu! Que veux-tu!»

Il a froncé le nez.

J'ai finalement pu rejoindre Lucie au téléphone à la septième tentative.

«Lucie! que j'ai aussitôt lancé. Est-ce que tu as lu l'article de Linda Hébert dans le journal? — Non... — Tout le monde en parle! La radio, la télévision, les journaux! Partout!»

Elle est restée silencieuse, puis elle a laissé tomber, la voix lointaine et cassée:

«Pierre... une petite fille de cinq ans vient de mourir dans mes bras tout à l'heure... Tu sais, il y a autre chose dans la vie que le hockey... — Je voulais juste te dire que j'étais content! ai-je répliqué en m'excusant. — C'est moi qui dois m'excuser, Pierre! qu'elle a repris, me sentant secoué à l'autre bout du fil. Je suis fatiguée, mais n'empêche que je suis heureuse pour toi!»

Je lui ai répété que je l'aimais, que je m'ennuyais, que j'étais heureux et j'ai raccroché, le coeur gros d'émotions.

«Fabienne! m'a demandé Denis. Voudrais-tu monter le volume, s'il te plaît!»

J'étais à deux pas du téléviseur, en train d'enlever une guirlande qui traînait là depuis Noël (nous sommes un 8 février), je me suis exécutée.

La voix de Michel Gamache qu'on voyait à l'écran a envahi le salon où nous étions réunis (Pierre, Denis et moi) pour suivre la partie du National contre Boston.

«Le compte est maintenant de cinq à un en faveur des Bruins. C'est vraiment un match, chers téléspectateurs, où rien ne semble aller pour le National. Grosse surprise qui ravive l'agressivité des partisans de l'équipe de Québec, Jacques Mercier vient d'envoyer Mac Templeton affronter Jimmy Thompson pour la prochaine mise en jeu! Vous entendez la foule, Mesdames et Messieurs? Je ne sais pas si Jacques Mercier mesure bien toute la portée de son geste? Fait-il preuve de son jugement habituel en envoyant Templeton dans la mêlée à un pareil moment? C'est ce que nous allons voir...»

«Ce n'est pas joli-joli, hein, Linda? m'a lancé Lulu comme Jimmy Thompson, littéralement en lambeaux et en sang, quittait la patinoire du Colisée sur une civière, tandis que son adversaire, Mac Templeton, amoché lui aussi (moins, tout de même), disparaissait, accroché au bras de Nounou, vers le vestiaire des siens.
— Oui, Lulu! ai-je répondu. Templeton ne l'a pas raté!»

Lucien a voulu ajouter quelque chose, mais la voix de l'annonceur l'a fait taire.

«Les pénalités, à Mac Templeton, cinq minutes pour bâton élevé, dix minutes pour avoir tenté délibérément de blesser et une pénalité d'extrême inconduite de match. Le temps, seize minutes et vingt-trois secondes à la troisième période.»

«Non! Pas joli-joli!» ai-je laissé tomber en refermant mon calepin.

Pour toute réplique, Lulu m'a fait la moue.

Je regardais avec ma femme Mariette, la reprise du massacre de Templeton aux nouvelles des sports, quand le téléphone a sonné.

C'était Gilles Guilbault, d'humeur à pic. «Charley! Écoute-moi bien! — Qu'est-ce que je peux faire pour toi, Gilles? ai-je demandé. — Rejoins tout de suite Lambert et Mercure. Je veux les voir à Québec demain matin. — Moi, ça ne me fait rien, Gilles! que j'ai commencé par dire. Mais, nous autres, on joue demain soir. Tous les billets sont vendus. Ce n'est pas comme ça qu'on m'avait dit que ça marcherait... — Oublie ce qu'on t'a dit, Charley! a crié Guilbault. Ce qui compte, c'est ce que je te dis, moi, à la minute présente! Pierre Lambert et Denis Mercure, à mon bureau, à dix heures demain matin! Débrouille-toi!»

LE RETOUR AU BERCAIL

Guilbault m'avait laissé devant le vidéo, montrant l'assaut Templeton-Thompson, pour aller défendre le National, au bout du fil, des accusations d'un reporter.

«Non! criait-il. Templeton n'est pas coupable! Il s'agit d'un geste d'auto-défense!»

Gilles suait. Finalement, il a raccroché.

«Templeton est un maudit cave, Jacques! qu'il s'écrie en revenant s'asseoir devant le téléviseur. Tu sais comme moi, qu'il n'y a pas moyen de défendre une gaffe pareille! Le président de la ligue n'est pas fou, Mac va écoper d'au moins sept parties de suspension... Ah! Si je pouvais, je l'étranglerais! — À quinze matchs des séries! me suis-je exclamé. Au moins, Lambert et Mercure sont de retour. Ça va changer l'air du vestiaire! C'est terriblement pollué là-dedans! — Tu dois être content, hein Jacques? Depuis le temps que tu braillais pour les avoir à Québec!»

Je lui ai fait remarquer que c'était de sa faute si cette histoire-là et les cochonneries de Linda Hébert avaient pris trois semaines avant de se régler.

Il a encaissé le coup, puis pour changer de sujet, il a laissé tomber: «Sais-tu la dernière, Jacques? Lambert sort maintenant avec une négresse!»

J'en ai bavé d'étonnement.

«Tu le sais, Linda? me demande Lulu à l'entraînement du National, ce matin. Jimmy Thompson vient de sortir de l'hôpital : commotion cérébrale ! — Templeton mériterait d'être suspendu ! que je lance, la rage au coeur. — Thompson, lui ? C'est un ange ? rétorque aussitôt Lulu. Qui va protéger ton cher petit Lambert ou ton chéri de Marc Gagnon, Linda, si Mac Templeton n'est plus là ? »

J'aurais voulu répartir quelque chose de brillant, mais l'entrée inopinée sur la patinoire de Pierre Lambert et Denis Mercure m'a coupé le souffle !

« Ton article a fait bouger la grosse patente, Linda ! » me lance aussitôt Lulu.

Derrière nous, André Simon gueule.

« Comment il se fait que personne n'a été prévenu que le National les avait rappelés ces deux-là ? Une maudite belle organisation de broche à foin ! »

Je décoche un clin d'oeil satisfait à Lulu qui rit.

On a sonné, je n'attendais personne. Je me suis dit : « C'est peut-être mon Prince Charmant ! Qui sait ? »

C'est mon double, en photo couleur laminée, grandeur nature, que j'ai aperçu en ouvrant !

Derrière, s'était caché Lucien Boivin.

« Un cadeau pour toi, ma belle Geneviève ! » qu'il a claironné.

Je l'ai laissé entrer. Je n'aurais pas dû.

En moins de deux, j'ai eu droit à un déluge de compliments de toutes sortes, puis, Lulu s'est carrément abandonné à un délire amoureux que j'ai trouvé excessif.

« Écoute, Lucien... lui ai-je dit doucement (il a paru surpris). — C'est la première fois qu'on m'appelle par mon nom ! — Je te remercie de ton cadeau, c'est très gentil... — Ce n'est qu'un début, Geneviève ! qu'il a coupé. J'en ai encore des plus beaux encore ! Laisse-moi juste un peu de temps pour te les offrir ! »

Je lui ai fait comprendre que je l'aimais bien, que je l'aimais beaucoup, que je l'aimais tendrement, mais que je n'étais pas amoureuse de lui ! Bref, que j'étais bien prête à une belle amitié (je le trouve intelligent, agréable, et le reste), mais qu'il ne fallait pas s'attendre à autre chose.

En un éclair, son visage s'est défait, son regard s'est effondré, son dos s'est arqué. D'un bloc, il s'est comme asséché !

Il m'a fait pitié à voir.

Je l'aurais fait sauter à la dynamite que je ne l'aurais pas davantage démoli !

Il a murmuré : « Je rate toujours tout ! »

Juste au même moment, on a sonné à nouveau à la porte. C'était Pierre.

« Qu'est-ce que tu fais ici, toi ? a-t-il dit en apercevant le pauvre Lucien qui voguait encore au second degré de la souffrance humaine. — Tu pourrais dire bonsoir en arrivant! lui ai-je lancé en accrochant son foulard. — Où est Suzie? a-t-il demandé. — Partie pour la soirée! que j'ai répondu. — Sais-tu si elle a pu voir Ginette? Je n'arrive pas à la rejoindre! — Je ne pense pas! Elle m'en aurait parlé.»

Réalisant qu'il se vivait quelque chose de lourd entre Lulu et moi, Pierre a demandé: «Je vous ai dérangés, hein? — Oui! que j'ai répondu. (Lulu s'était levé.) — Tu t'en vas? a interrogé Pierre. — Oui... a laissé tomber Lucien dans un sourire lointain. Je vais me baigner... Comme on dit, il n'y a rien de trop beau pour la classe ouvrière, hein?»

Sans nous saluer, il a passé la porte aussi absent qu'un somnambule.

«Gilles! m'a crié par la tête Allan Goldman en claquant la porte de mon bureau. What's going on with this organization! Lambert et Mercure sont ici? — Oui! que j'ai répliqué le ton déjà très haut, moi-même ayant les nerfs passablement à vif, d'autant plus que j'attendais, d'une minute à l'autre, la visite de Maroussia.»

«Ils sont ici pour y rester! C'est toi qui mènes les finances, Allan? C'est moi qui mène le hockey avec le National! O.K.?

«J'ai décidé que tes folies avaient assez duré! That's it! Et si ça ne fait pas ton affaire, tu n'as qu'à le dire, tu peux me foutre dehors, tant que tu voudras, je n'ai pas l'impression que je vais niaiser longtemps sur le chômage!»

Mon envolée l'a terrassé. Un peu penaud, il est sorti sans demander son reste.

Aussitôt, le téléphone a sonné.

«Excuse-moi, Maroussia!» ne cessait de me répéter Gilles Guilbault entre deux jurons en anglais au téléphone, comme je venais de m'asseoir en face de lui, à son bureau du Colisée.

Finalement, au bout d'interminables minutes, il a raccroché.

«J'ai parlé à Pierre! que je lui ai avoué aussitôt. — Je m'en suis rendu compte! m'a-t-il répondu, en désignant du menton les journaux étalés devant lui. Ah! Si j'avais su me tenir debout! (J'ai sorti de mon sac l'enveloppe que j'avais préparée.) — Tiens! Voilà ton dix mille dollars! que j'ai dit. (Sans vérifier, il l'a déposée dans le tiroir devant lui.) J'ai fermé la boutique de Québec! ai-je ajouté.»

Il a levé la tête, à peine surpris.

«Et maintenant, qu'est-ce que tu comptes faire? — Je me donne quelques semaines de réflexion... ai-je murmuré. — Je veux te revoir, Maroussia! J'y tiens, tu sais! (Je l'ai regardé intensément.) — Donnons-nous un peu de temps, hein, Gilles?»

Il a hoché la tête juste comme à nouveau le téléphone sonnait.

Je l'ai quitté en lui disant au revoir de la main.

☆

« Ça va Denis ? me demande Pierre comme nous finissons de nous habiller au vestiaire du National, avant le match contre Détroit. — Je n'ai jamais été aussi nerveux de ma vie ! que je lui réponds. »

Jacques Mercier venait d'entrer. Chacun s'est tu.

« Pour ceux qui ne le sauraient pas encore ! a-t-il commencé par dire, Mac Templeton a écopé d'une suspension de dix parties. (Il y a eu des remous parmi nous).

« Il y a un mois, le club était tout près de la première place. Tout allait comme sur des roulettes. Mais, là ! (Mercier a haussé le ton) Là ! Plus rien ne marche !

« Jamais le National n'a été aussi profondément enfoui dans son trou ! Et nous sommes à quinze parties des séries ! Lambert et Mercure sont montés, ça veut dire qu'il y en a qui sont sur le bord de descendre !

« Détroit est un club pourri, mais on a perdu plusieurs fois contre des équipes soi-disant plus faibles ! Ce soir, je veux que tout le monde se grouille le cul ! Un conseil : le gardien de but, Evans, est nouveau. Il est petit. Il se jette souvent par terre. Lancez haut ! Je veux un massacre, c'est clair ? »

J'ai fait un clin d'oeil à Pierre.

« Tu es bien pâle ! que j'ai dit, comme nous nous dirigions vers la patinoire (j'avais la chair de poule). — J'ai la chienne ! qu'il m'a avoué entre ses dents. — Pense aux autobus ! que j'ai rétorqué. »

Nous avons ri.

Un pas plus loin, sur une glace lisse et fraîche, un rêve longtemps caressé prenait chair enfin, habillé des ovations frénétiques de la foule.

UN DRAME À L'HORIZON

À huit heures, j'étais debout, les journaux sous le nez, un café à la main. Denis (à qui j'ai offert de rester chez moi le temps de se trouver un coin à lui) n'est toujours pas levé.

Les manchettes me gonflent la poitrine de satisfaction : « Retour fracassant de Lambert et Mercure » (Lucien Boivin dans *Québec-Métro*), « Gagnon retrouve ses ailes avec Lambert et Mercure » (Linda Hébert dans *Le Matin*) et les autres.

Je suis heureux comme un roi, à quelques petites inquiétudes près (toujours pas de nouvelles de Ginette ; elle a dû se louer un appartement ou une chambre, toutes ses affaires ont disparu d'ici).

Je bois une gorgée de café et la porte d'entrée s'ouvre : c'est Suzie et Geneviève (dont je remarque à chaque visite l'intérêt pour ma personne) qui entrent en coup de vent.

« As-tu vu les journaux ? crie Suzie. C'est reparti, mon Pierre ! — Pierre Lambert, deux buts, deux passes ! enchaîne Geneviève, toujours férue de statistiques. Marc Gagnon, deux buts, trois passes... — Et Denis Mercure, de laisser tomber l'intéressé en apparaissant, hirsute, à la porte de la cuisine, un but, trois passes!»

Nous rions en choeur.

Sans nous laisser une seconde de répit, Suzie sort une enveloppe, puis étale sur la table une série de photos d'elle, en mannequin, sous diverses poses et mille vêtements.

«Qu'est-ce que tu fais avec ça? que je lui demande. — Tu vas me voir partout, Pierre! qu'elle s'écrie. À la télévision, sur des affiches, des panneaux, sur les autobus, dans les journaux! En costume de bain, en manteau, en jupe, en pantalon! Partout et de toutes les façons!»

Nous nous regardions, Denis et moi, interloqués.

«Tu vas annoncer du linge? que je reprends. — Tout un magasin, Pierre! qu'elle répond en me sautant au cou. Monsieur Lambert, ajoute-t-elle, vous avez devant vous la nouvelle image de marque des magasins à rayons T.C. Raymond de Québec! Stéphane ne t'a parlé de rien? — Qu'est-ce que Stéphane a à voir là-dedans? que j'interroge en bafouillant de surprise. — Tu lui demanderas! réplique-t-elle. Pour que ça marche, par exemple, il faut que tu acceptes de venir avec moi quatre soirs dans leurs magasins... — Moi? que je rétorque aussi vite. — Oui, Pierre! Toi! (Mon regard errait.) — Oui, a poursuivi Suzie, pour poser en maillot de bain, en pyjama, en sous-vêtement...»

J'allais hurler mon désaccord quand elle a pouffé de rire, encouragée par Geneviève et Denis.

«Juste pour signer des autographes, Pierre! a fini par préciser Suzie, heureuse de son coup. (Je regardais devant moi, incrédule.) — Accepte Pierre... a laissé tomber Denis, ça n'a pas l'air bien compliqué... — C'est payant? ai-je finalement demandé.»

Un oui formidable a jailli de la bouche des filles. J'ai pris une seconde de pause puis j'ai dit:

«D'accord!»

Suzie m'a enlacé à m'étrangler.

Denis riait. Geneviève sautait de joie.

Vraiment, un matin pas comme les autres.

Le magazine prestigieux *L'événement* tenait à sortir sur Marc et sa famille un article d'envergure appuyé par une batterie de photos.

Le journaliste s'est donc amené avec son photographe. Nous avons posé dans tous les coins de la maison, avec les enfants, en jasant de tout. Marc resplendissait de bonheur (il aime tant qu'on s'occupe de lui).

Depuis quelques jours, mon mari est redevenu comme aux premiers jours de notre mariage, tout plein d'attentions, de délicatesses, de tendresse. C'est mon Marc de jadis, enfin de retour. Je n'ai pas voulu le laisser seul faire tout le chemin de nos retrouvailles, j'ai fait ma part et j'ai abandonné le cognac.

Après le départ de la presse, Marc me demande: «Je te sers un verre, Nicole? — Ça fait trois semaines que je ne touche plus à ça! que je réponds, un sourire dans l'oeil. Tu ne t'en étais pas aperçu? (Il s'éclaire.) Ce n'est pas facile, Marc... que j'ajoute.»

Il m'embrasse et tout me semble soudain plus aisé.

Un peu plus tard, je lui demande s'il a pu parler un peu avec Francis.

«Je n'ai pas le courage de lui dire qu'il ne sera jamais un Marc Gagnon... — Tu pourrais au moins l'encourager à devenir quelqu'un, tout simplement... (Il m'a regardé intensément.) Dis-lui que tu l'aimes! ai-je ajouté, avec douceur. On verra bien après... — Je ne sais pas comment lui dire ça! a-t-il rétorqué. — Et Francis, lui... ai-je repris, il ne sait pas comment te le demander! On est bien avancés!»

J'ai senti l'émotion l'envahir. Pour cacher son trouble, il a laissé tomber: «Tu sais, Nicole... Je pense qu'avec Lambert et Mercure, ça risque de marcher!»

Je l'ai embrassé sur les joues en souriant. Je suis allée ensuite, dans sa chambre, border Marie-France qui tentait d'endormir son ourson...

Lucie est arrivée à l'appartement, resplendissante, rayonnante, dans une robe fourreau rose chair. Belle à croquer. Un fruit mûr exotique.

«Lucie! lui ai-je avoué à l'oreille. C'est la première fois depuis que mon père est mort que je me sens vraiment bien en-dedans de moi ! La première fois que je n'ai pas envie de défoncer des portes ! — Moi aussi, Pierre, je me sens bien quand tu es là ! — Pourquoi ne viens-tu pas demeurer avec moi, ici ? lui ai-je demandé. — On en reparlera plus tard... qu'elle a répondu en se levant. — Je vais aller demander ta main à ton père ! que j'ai répliqué. C'est bien comme ça que ça se fait encore en Haïti ? (Elle a ri.) — Assez de folies, Pierre ! Il faut partir, les Couture nous attendent.»

J'ai glissé son manteau sur ses épaules, enfilé le mien et nous avons sauté dans ma voiture.

À l'occasion de l'arrivée de la blonde de Johansson, qui pensionne toujours chez eux, les Couture ont organisé une soirée d'envergure (autour d'un généreux buffet) pour les joueurs du National et leur famille.

«J'ai apporté tes formulaires d'inscription pour l'université, Nicole ! me dit Maryse Couture. Si tu y tiens toujours... — Toujours ! ai-je aussitôt répondu. Je suis décidée.»

J'étais déterminée à me reprendre en main, à développer mes talents, laissés en jachère depuis des années. Les enfants me donnaient un peu de répit et plutôt que de perdre mon temps à ruminer des bibittes au fond d'un verre de cognac, je préférais me remettre aux études. Mon idée était faite et mes démarches entreprises. Tout le reste n'était plus qu'une question de patience et de temps.

Vers huit heures, la blonde de Johansson est apparue. Plutôt brune, pour faire mentir la légende !

Elle est vite devenue l'attraction de la soirée. Chacun voulant tout savoir d'elle.

Son Suédois d'amoureux plastronnait, en répétant «Truck Factory!»

Au début, je croyais qu'il voulait s'amuser des formes élégantes de sa dulcinée et laisser entendre qu'elle était sortie tout droit d'une chaîne de montage, mais j'ai fini par comprendre qu'elle travaillait dans une usine de fabrication de camion!

«Moi j'aime ça, une fille qui n'est pas comme tout le monde!» s'est exclamé Marc, mon mari en me serrant contre lui.

Peu de temps avant de passer au buffet, Pierre Lambert s'est amené, suivi de sa nouvelle flamme, Lucie Baptiste.

L'atmosphère, de légère qu'elle était, s'est rapidement alourdie.

«Ça commençait à bien aller, a lancé une voix. — Où as-tu pêché ça, Pierre? a demandé Marc. — C'est elle qui m'a soigné à l'hôpital! a répondu l'autre, mal à l'aise devant l'évidente tension que leur arrivée venait de susciter.»

Broadshaw s'est vitement éclipsé, sans même saluer Pierre et Lucie, rougissante, sans doute, sous sa peau noire.

J'ai entendu Templeton, couvert de cicatrices, déclarer à Pierre, en anglais, à mi-voix:

«The Cat, un conseil! Ce monde-là, ça nous transmet toutes sortes de maladies! Fais bien attention!»

Pierre a pâli.

De rage, visiblement.

«Pierre! tu les as vus nous regarder? Toute la soirée, ils n'ont pas lâché! Chaque fois que tu me touchais, ils étaient dix à nous dévisager comme si nous avions eu la petite vérole! (Lucie était hors d'elle.) — C'est mon monde Lucie! que j'essayais d'expliquer. — Je ne veux pas t'entraîner là-dedans, Pierre! Tu vas te mettre tout le National à dos! Une équipe, il faut que ça se tienne! Je ne veux pas être la cause des chicanes et des divisions... — J'ai besoin de toi, Lucie! que j'ai répliqué. Ils peuvent dire ce qu'ils voudront, jamais personne ne va réussir à nous séparer! Jamais! — C'est tellement beau que tu m'aimes, Pierre... Je ne voudrais pas te faire de mal... — Tu restes avec moi pour la nuit, hein? lui ai-je murmuré en enfouissant mon nez entre ses seins fermes.»

Le téléphone s'est fait entendre.

«Je ne réponds pas! que j'ai tranché. — C'est peut-être pour moi, Pierre! J'ai donné ton numéro à l'hôpital...»

J'ai décroché.

Une voix faible et traînante a prononcé mon nom au bout du fil. J'ai tout de suite reconnu Ginette.

« Ginou ? ai-je laissé tomber, surpris. — Pierre... viens... je vais mourir... je ne veux pas... viens... — Ginette ! ai-je crié. Qu'est-ce qui t'arrive ? Où es-tu ? — 56, Sainte-Ursule... Je ne veux pas mourir... Viens... Viens... »

J'ai hurlé son nom, mais elle ne répondait plus que par râles...

« Vite, Pierre ! m'a dit Lucie avec autorité. Habille-toi, on y va ! »

ONZIÈME CHAPITRE

UNE FIN D'HIVER TUMULTUEUSE

UNE FROIDE FIN DE FÉVRIER

En route, j'ai demandé à Pierre d'intercepter la première voiture de police venue et demander qu'on envoie une ambulance au 56 de la rue Sainte-Ursule.

En entrant dans l'appartement (il a fallu défoncer, le concierge, dans l'énervement, ne trouvait plus sa clé), Ginette gisait à demi-nue, inconsciente, sur son lit.

«Ginette! s'est écrié Pierre en la secouant comme les ambulanciers se présentaient. Qu'est-ce que tu as fait là?»

Pendant que les brancardiers la transportaient, j'observais le visage de Pierre passer de l'incrédulité à l'effondrement le plus total.

«Lucie... murmurait-il en me regardant. Je ne comprends pas! Pourquoi? (Je ne savais que répondre.) — Je pense qu'on devrait pouvoir la réchapper! ai-je finalement laissé tomber, au bout d'un moment.»

Je venais de retrouver par terre un contenant de plastique, vide. Les pilules avaient disparu, mais avec le nom du médicament inscrit sur l'étiquette, il allait être facile d'appliquer le traitement approprié.

Pierre restait là, à errer dans le deux-pièces pas très confortable, fraîchement loué (les murs nus, les boîtes par terre, les draps dans les fenêtres), muet de culpabilité et d'inquiétude.

«Viens-t'en! lui ai-je ordonné en le prenant par la manche. Le pire de la tempête est passé!»

Quand elle est revenue à elle, dans la chambre de l'Urgence Saint-Vallier, je me suis approché.

«Papa...» a-t-elle murmuré.

Puis elle m'a reconnu.

«Pierre... (sa voix était faible), qu'est-ce que tu fais ici? Où est-ce qu'on est? — À l'hôpital! ai-je répondu. — Ah! Pierre... (son visage s'est tendu comme le souvenir de son drame lui revenait).»

Elle s'est mise à pleurer.

«Je voulais mourir... Tu aurais jamais dû venir! — Ginette! ai-je rétorqué. Arrête-moi ça! Mourir? Es-tu folle? Ta vie commence, tu es belle, tu es jeune... — À quoi ça me sert de vivre, si tu n'es pas là? Laisse-moi...»

Elle a tourné la tête et fermé les yeux dans ses larmes.

Je ne savais plus quoi dire. Je me sentais comme un criminel, coupable de son geste désespéré.

Je me suis penché sur elle. Je voulais m'expliquer, comprendre.

J'ai soufflé son nom, mais elle s'était déjà rendormie.

« Pierre, lui ai-je dit, comme nous prenions un moment de répit dans la salle d'attente, tu n'as pas à accabler Ginette pour ce qui vient d'arriver ! Elle t'aime, elle a rêvé sa vie avec toi, elle ne peut pas l'imaginer autrement ni avec personne d'autre.

« Tu n'as pas à t'en vouloir non plus. Tu as été honnête. Tu lui as dit la vérité. Il va falloir qu'elle apprenne à marcher toute seule ! C'est tout ! — C'est ce que je pense aussi, Lucie... Mais Ginette ne veut pas le prendre ! »

Une présence à mes côtés a attiré mon attention. Le docteur Bergeron, le scalpel attitré du National accouru sur les lieux à la demande de Pierre, venait d'apparaître.

« Je pense qu'elle peut reprendre le dessus, nous a-t-il annoncé. Elle va pouvoir quitter l'hôpital ce soir. En tout cas, je ne pense pas qu'elle recommence, elle a eu peur, m'a-t-il semblé...

« Ce qu'il lui faudrait, a-t-il ajouté, c'est une amie sur qui elle pourrait compter, l'espace de quelques jours... — Je connais quelqu'un ! a laissé tomber Pierre. »

Il est allé téléphoner.

«Ça fait six minutes que la pratique est commencée et Lambert n'est toujours pas arrivé, Phil? me siffle Jacques Mercier entre ses dents. — Il doit avoir une sacrée bonne raison! ai-je répondu. — Pour les pratiques, il n'y a jamais de bonnes raisons! me rétorque Jacques en tirant, à mes oreilles, un cri de son sifflet.»

Mercure venait d'interrompre son exercice (pousser un coéquipier afin de freiner l'effort du mieux qu'il peut) pour envoyer la main à la soeur de Pierre, absolument resplendissante, soudain surgie dans les gradins du Colisée, accompagnée d'un type.

«Mercure! De crier Jacques de l'autre bout de la patinoire. Du coeur, sacrament!»

Marc Gagnon, à son tour, s'est rendu compte de la présence de Suzie, son effort se relâche, Jacques s'en est aperçu.

«Pousse Gagnon! Pousse!» a-t-il hurlé.

J'ai, le premier, vu apparaître Pierre Lambert. Il m'a souri vaguement en m'interrogeant d'un coup d'oeil sur l'humeur de Jacques (au demeurant assez sereine). J'ai fait une moue significative. Puis, Jacques l'a vu qui sautait sur la glace, il a sifflé.

«Lambert, a-t-il craché. Va m'attendre dans mon bureau! (Pierre a patiné jusqu'à lui.) — Je ne peux pas tout raconter, mais c'était vraiment important! s'est-il écrié. (Jacques a froncé du nez.) Je ne pouvais pas faire autrement! a poursuivi Pierre, d'un ton tout à fait sincère. Ça ne m'est jamais arrivé d'être en retard!»

Jacques l'a dévisagé un moment. D'un coup de tête, il lui a fait signe de rejoindre les autres.

«Trouve-toi un gars! lui a-t-il ordonné. Tu vas suer comme un cochon, c'est moi qui te le dis! — Des vrais esclaves! a lancé une voix, des gradins.»

Jacques s'est retourné sec. En avisant la soeur de Pierre et le type qui était avec elle (le bavard, sans doute), il leur a demandé de montrer leur carte de presse. Ils sont restés interdits.

«Out!» a-t-il crié sans leur laisser le temps de répondre.

Le couple a prestement quitté les lieux.

«Je suis content, Gilles! s'écrie Mercier en s'assoyant devant moi, à mon bureau du Colisée. Nous voilà presque arrivés en mars! Les gars ont senti l'odeur des séries! C'est reparti! — Moi aussi, je trouve que ça va bien, Jacques! que j'ai répondu. — Heureux de te l'entendre dire! a-t-il rétorqué, en me tendant un papier. Jette un coup d'oeil là-dessus! — Je n'aime pas lire! que j'ai laissé tomber. Explique-moi... — Je ne sais pas qui, a-t-il repris, visiblement mécontent, nous a préparé un itinéraire de fou pareil? Écoute ça. Tu sais qu'on joue demain, vendredi soir, à Winnipeg. Les gars vont se lever tard, mais tu nous a programmé un vol à sept heures du matin; il va falloir se lever à cinq! Le soir on joue à Chicago. Tu ne trouves pas ça un peu cave? Les gars vont jouer crevés! Ils auraient toutes les raisons du monde de perdre les deux dernières! Ça n'a pas de bon sens, Gilles! Si tu veux qu'on gagne, il nous faut à tout prix un vol nolisé! — C'est Parkinson tout craché ça! ai-je répondu à Jacques en m'emparant du téléphone.»

J'ai demandé à Goldman de venir, à l'instant, nous rencontrer, Jacques et moi, à mon bureau.

« Allan ! que je lui ai dit comme il entrait. J'ai un problème à régler tout de suite ! Tu as vu l'itinéraire que Parkinson nous a pondu ? Complètement débile ! Faire lever les joueurs à cinq heures du matin, deux jours de suite quand on joue le soir ? Ça n'a pas de maudit bon sens ! J'ai besoin d'un charter ! — Le budget, Gilles ! J'ai pas un sou à mettre de plus, tu le sais ! (Je me suis approché de lui.) — Penses-tu que les Flyers ou les Rangers voyageraient dans de telles conditions ? — C'est pas la même chose, ils ont de l'argent... »

Pour la première fois, j'ai eu le goût d'avoir Goldman au creux de ma main.

J'ai décroché le téléphone et j'ai demandé à ma secrétaire, Martine, de me mettre en communication avec le comptoir d'Air Canada, à Québec.

Goldman a pâli.

À l'instant, Maurice Grenon, le préposé aux tickets (mon ex-beau-frère) s'est amené au bout de la ligne.

« Maurice ? ai-je demandé en ne quittant pas Goldman des yeux. Gilles. Peux-tu m'organiser un charter, de Winnipeg à Chicago, pour demain matin ? »

L'espace d'une seconde, Allan Goldman a cessé d'exister. J'étais seul au sommet de la pyramide.

En sortant du Colisée après la pratique (difficile et ruineuse) d'aujourd'hui, je me suis écrasé une seconde dans un des divans du hall. Paul Couture m'a aperçu.

«Pierre! me glisse-t-il à l'oreille, en me tirant par le bras. Maryse vient de m'appeler. Tu peux compter sur elle! Elle est rendue à l'hôpital!»

J'ai remercié le Curé pour sa bonne action (j'imaginais son trésor de pièces d'or en mérites célestes grossir).

«Ferme ta boîte! a-t-il ajouté, l'air plus sérieux qu'un pape. Ne raconte tes malheurs à personne! Je vais en faire autant! Il ne faudrait pas que les journalistes s'emparent de ça! a-t-il conclu en s'éloignant, s'excusant d'être pressé.»

J'ai demandé à Stéphane, qui venait d'arriver et qui me parlait du contrat de mannequin de Suzie, si l'affaire des photos dans les magasins T.C. Taylor (Ti-Si, pour les habitués) dont elle m'avait parlé, valait le coup.

Il a fait signe que non.

«Suzie en mannequin, ça c'est une bonne idée! Mais toi, Pierre Lambert, signant des autographes devant une annonce de magasin, non! Après avoir analysé le pour et le contre, ce n'est pas une bonne idée! Ce n'est pas une question d'argent, Pierre! Mais simplement, je trouve que ce n'est pas ta place! — Ça paye combien? ai-je insisté. — Huit mille dollars par mois, si tu accordes le droit de publier des photos commerciales, sinon quatre mille... — On prend le huit mille! que j'ai coupé. Je suis pressé!»

Stéphane m'a fait un drôle d'air, mais sans paraître vexé le moins du monde il a poursuivi, comme Denis venait de se joindre à nous:

«Écoutez-moi, les gars! C'est important. Je

rencontre Gilles Guilbault pour entreprendre la renégociation de vos contrats, êtes-vous prêts à vous battre?»

Denis et moi, nous avons été d'accord pour lui faire comprendre que, pour nous, l'essentiel était de jouer!

«Moi! a conclu Denis. Je suis mal placé pour brasser des histoires! Mais je ne veux pas de trouble!»

«Moi non plus!» ai-je enchaîné.

Il a hoché la tête et s'est esquivé.

Je regardais Jimmy faire des efforts surhumains, les jambes pendantes dans la piscine du centre de physiothérapie de l'hôpital et Judy, sa mère, me disait:

«Jacques... ça fait trois ans que l'accident est survenu. Les deux premières années, il ne s'est rien passé; Jimmy ne faisait pas de progrès. Mais depuis un an, sans mauvais jeu de mots, il fait des pas de géant! — Judy, c'est fantastique! que j'ai répondu. C'est aussi grâce à toi! Si tu n'étais pas là... — Tu fais déjà l'impossible, Jacques!»

Je lui ai embrassé les mains.

Soudain, Jimmy a poussé un cri et s'est mis à geindre.

«Ça fait trop mal! s'est-il écrié. Je ne suis plus capable!»

L'infirmière ne savait plus quoi faire. Nous y sommes allés.

« On le sait que c'est douloureux, Jimmy ! me suis-je exclamé en le saisissant par les épaules. Mais tu es capable ! Si tu abandonnes maintenant, tu auras fait tous ces efforts-là pour rien ! »

Il a réfléchi un instant, puis a fait signe à l'infirmière qu'il voulait reprendre l'exercice.

Je lui ai caressé les cheveux.

Il s'est remis à battre lourdement les jambes dans l'eau.

Lambert est apparu en même temps que le docteur Baptiste.

En les voyant ensemble, j'ai tout compris !

C'était donc elle, la négresse dont a parlé Guilbault, et lui le fichu docteur Lambert qui l'appelait ici si souvent ?

J'ai pris Lambert à part.

« Tu sais, Pierre ! que j'ai commencé par dire. Pour le National, tu es un gros morceau ! Je compte sur toi pour que tu électrises l'équipe ! Je pense que la victoire, tu as ça dans le sang ! J'ai besoin de toi ! (Il a paru surpris.) — Ça fait six mois, Jacques que j'attendais que tu (c'était la première fois qu'il me tutoyait) me dises ça ! — Surtout, ai-je ajouté en lui serrant la main, ne t'arrange pas pour gaspiller ta chance ! »

L'infirmière m'a fait signe qu'on me demandait au téléphone.

C'était Guilbault.

«Ton vol nolisé, Jacques! C'est réglé! Mais, a-t-il ajouté en modulant la voix, il vaudrait mieux que les deux matchs entre les voyages d'avion soient deux victoires! Tu saisis?»

Il a raccroché sans attendre ma réponse.

DES RÊVES ET DES MIROIRS
SE BRISENT

J'aurais étranglé Gilles Guilbault avec sa cravate!

À peine entré dans son bureau, il me lance:

«C'est toi, ça, Stéphane Richard? (Je me suis assis en faisant signe que oui.) Je sais pourquoi tu es ici, on perdra pas de temps, c'est non! — Vous ne savez même pas de quoi je veux parler? — Ça aussi, c'est non! a-t-il répliqué du tac au tac. Non! a-t-il enchaîné. Pas de renégociation d'un contrat valide pour deux autres saisons. Et non aussi pour la proposition de Ti-Si... (J'en ai bavé d'étonnement.) — T.C. Taylor? ai-je bafouillé. — Penses-tu, a-t-il poursuivi, qu'une grande chaîne de magasins va signer avec un de mes gars sans m'en parler? Surtout qu'aucun joueur n'a le droit de faire d'apparition publique après le premier mars! Ça tombe mal, c'est aujourd'hui, le premier mars!»

Il m'a un peu assommé, mais je me suis vite remis sur pied. J'ai répliqué qu'il fallait mettre les choses au clair tout de suite.

«Les contrats de Lambert et Mercure sont infects! ai-je dit. Et je suis certain qu'en obtenant, d'un juge, la permission d'étudier celui de Marc Gagnon, on comprendrait bien des choses!»

Guilbault a frappé son pupitre des deux mains en un coup de tonnerre. J'ai sursauté.

«Joue pas au bluff avec moi quand tu n'as pas plus qu'une paire de deux en mains, ti-gars! a-t-il crié. Ton mandat, je le connais! Lambert et Mercure, tout ce qu'ils demandent, c'est de jouer! Ils ne tiennent pas une minute à avoir d'histoires et c'est parfait comme ça! — Moi! que j'ai dit, je respecte trop Pierre et Denis pour jouer votre petit jeu, monsieur Guilbault! Ces deux gars-là se sont fait arranger d'une façon indécente! C'est mon devoir d'intervenir. C'est une question de justice!»

Il s'est tassé dans son fauteuil et en m'indiquant la sortie, il a dit: «J'ai du travail, salut!»

J'ai hésité une seconde. Il m'a fusillé des yeux. Je n'ai pas cru utile d'insister.

J'ai ouvert la porte.

«Ce n'est pas Chicoutimi, ici! a-t-il enchaîné sur un ton méprisant. Ce que tu as fait avec Linda Hébert, on ne m'en passe pas deux comme ça!»

J'ai failli arracher la porte en sortant.

J'ai installé Ginette dans notre maison, à Paul et à moi, dans la chambre au-dessus du garage, c'est plus tranquille.

Elle a passé une bonne nuit.

À midi, elle dormait encore quand Nicole Gagnon est arrivée. Je l'ai fait passer au salon pendant que j'allais voir si Ginette était réveillée.

Je l'ai trouvée assise dans son lit.

J'avais hâte de lui dire que le téléphone n'avait pas cessé de sonner pour elle toute la matinée ! Suzie Lambert, trois fois, Pierre Lambert, deux fois (de l'aéroport, en route pour Winnipeg), Madame Létourneau, sa mère, deux fois, Maroussia Lambert, la mère de Pierre, trois fois !

Je tenais à lui faire réaliser à quel point elle était choyée.

Je croyais lui faire plaisir, mais elle a éclaté en sanglots, en s'accablant de reproches !

«Une conne que je suis, Maryse ! me criait-elle. Une conne !»

Je lui ai répliqué qu'il fallait qu'elle se prenne en main, que Pierre n'était qu'un gars et qu'un homme, ce n'est tout de même pas la fin d'une vie (c'en est peut-être un commencement, mais quand même ! ai-je songé).

«Vendeuse de collants ! qu'elle s'est écriée. Tu appelles ça une vie, Maryse ? — Tu peux finir ton cégep et grimper à l'université... ai-je répondu. Je peux t'aider, si tu veux !»

Elle a paru songeuse.

Elle a fermé les yeux.

Je l'ai laissée.

Au salon, j'ai retrouvé Nicole, les lèvres au bord d'un verre de cognac.

Elle m'a regardée. La question qui me brûlait a dû s'écrire sur mon front, car elle a aussitôt attaqué:

«Oui, Maryse! J'ai recommencé à boire! Hier! Marc me répète qu'il fait son possible, mais mes doutes sont les plus forts! Tu sais, il n'arrive plus grand-chose entre lui et moi. Mais ce qui me fait le plus de peine, c'est de voir qu'il ne se passe plus rien entre son fils et lui!

«Je ne suis plus capable, moi, de me lever à cinq heures du matin, trois fois par semaine, pour aller à l'aréna avec Francis quand je sais que c'est peine perdue!

«Ah! Si Marc voulait seulement lui parler!
— Arrête de dire que c'est Marc qui doit régler tes affaires, Nicole! que je lui ai répliqué.»

Je lui ai fait comprendre que c'est sur elle-même qu'elle devait miser pour trouver une solution à son problème, pas sur les autres!

«Arrête d'attendre Marc, Nicole, et de compter sur lui!» ai-je conclu. Elle regardait par la fenêtre, silencieuse.

Je ne sais pas si j'ai semé mon conseil dans une

terre fertile, mais toujours est-il qu'après un moment, Nicole a posé son verre et m'a réclamé de l'eau.

En entrant dans le hall du Winnipeg Inn ce soir, en provenance de Québec, avec le club, Denis me dit : « Pierre ! J'ai le trac ! »

Moi aussi, que j'ai songé en moi-même, mais c'est en souvenir de ma première partie dans l'Ouest avec le National. Ici, à Winnipeg. Au début de la saison.

Ça me rappelle mon premier voyage en avion, la chambre partagée avec Gagnon...

Je revoyais tout ça dans ma tête quand j'ai aperçu, soudain, la fille qui, ce fameux soir, était venue rejoindre Marc à notre chambre. Je me suis souvenu de son nom : Honey ! La blonde et nasillarde Honey ! C'était bien elle.

Je m'empresse de mettre Denis au courant de l'histoire, en lui désignant du menton la demoiselle en question.

Nous éclatons de rire juste comme je découvre, à l'autre bout du hall, l'autre flamme passagère (mais régulière) de Marc, celle de Toronto cette fois, Belinda (la poupée blonde platinée), attendant elle aussi l'arrivée de son Marc chéri.

Je pouffe de rire.

Je ne suis pas le seul (tous les gars ont reconnu les filles, elles seules ne se connaissent pas).

Marc s'est esquivé d'un trait derrière une plante. Il m'a vu le voir. On s'est souri.

Entre-temps, Champagne, qui n'a rien manqué du piège qui cherche à se refermer sur Marc, s'est mis en devoir de distribuer les clés des chambres.

«Lambert, Mercure! Couvre-feu à dix heures!» annonce-t-il en agitant une clé.

Il la laisse tomber puis en prend une autre.

«Pour les recrues, Gagnon, Honey! 925!» ajoute-t-il moqueur.

Marc grimace.

«Gagnon, Belinda... 926!» poursuit-il sur le même ton.

Marc montre le poing.

«Gagnon, Suzie Lambert... 927!» renchérit Champagne.

Marc se précipite en douce.

«Je t'ai déjà dit que tu n'étais plus drôle, Champagne!» lui lance-t-il.

«Écrase Champagne! reprend Martin à son tour. Les séries approchent, arrête tes niaiseries! Ce n'est pas le temps de partir des chicanes! C'est trop merveilleux de gagner! Arrange-toi pour que ça continue!»

J'ai vu Marc s'approcher en cachette de Steve Broadshaw.

«J'ai besoin de ton aide, Steve! lui a-t-il soufflé en sortant une pièce de monnaie. Pile, c'est Honey! Face, c'est Belinda! O.K.»

Il a lancé la pièce.

«Face! Tu t'occupes de Honey! a-t-il ordonné à Broadshaw dont le visage s'est éclairé. — For sure! With pleasure! a lancé l'autre, manifestement ravi.»

J'ai abandonné Denis et les autres pour aller téléphoner à Trois-Rivières.

«Maman ne peut pas te parler, Pierre! m'a dit Hugo. Elle est avec la mère de Wilka, à propos de la coopérative.»

Je savais que maman était en guerre avec la mère de Wilka et que cela peinait Hugo, très épris de la jeune Polonaise.

«Toi Hugo, comment ça va à l'école? ai-je demandé pour faire diversion. — Ça va! a-t-il répondu sur un ton volontairement neutre. — As-tu des nouvelles de Ginette? ai-je repris. — Non! a-t-il laissé tomber dans le désintéressement le plus total.»

Voyant que je n'obtiendrais rien de plus, j'ai fait transmettre mes saluts à tout le monde, et j'ai raccroché.

Martha Simonovitch ne voulait rien entendre.

J'ai eu beau lui expliquer dix fois, que je perdais plus qu'elle en démembrant la coopérative, il a été impossible de se comprendre.

« J'ai lâché mon emploi parce que je vous faisais confiance, madame Lambert ! qu'elle s'exclamait à l'autre bout de la table entre l'ex-secrétaire (pâle comme une morte) et l'ex-vice-présidente (carrément morte) du défunt comité exécutif de feu la coopérative. J'ai investi cinq mois de ma vie dans ce projet ! poursuivait-elle, indignée. Toute ma production ! Des milliers d'heures de travail ! J'ai deux enfants à élever, moi madame ! Je suis veuve, et au cas où vous ne le sauriez pas, je suis pauvre ! Savez-vous ce que vous venez de briser ? »

J'ai dit à quel point je me sentais coupable, mais que tout s'était ligué contre nous, dès le départ, et que la faillite était devenue inévitable. J'ai réitéré mes regrets les plus sincères.

« Je ne peux rien faire de plus ! ai-je conclu. Moi aussi, je suis veuve ! Je ne suis sûrement pas riche, je viens de fermer mes deux boutiques et hypothéquer ma maison ! »

Ma franchise ne m'a été d'aucun secours. La colère de Martha Simonovitch s'est enflée. Elle m'a couverte d'injures et s'est précipitée vers la porte en traînant par le bras sa pauvre petite Wilka désespérée (Hugo était catastrophé).

Elles ont enfilé leurs manteaux.

En passant le seuil, Martha a dit à sa fille sur un ton qui n'admettait aucune réplique :

« Je ne veux plus que tu remettes les pieds ici ! »

Elle a poussé Wilka devant elle et a claqué la porte.

J'étais bouleversée.

Hugo, lui, avait disparu.

Les autres ont vidé les lieux au pas de nonne et je suis allée consoler mon fils de douze ans qui pleurait sur le clavier de son ordinateur.

Au bout d'une heure, la Belinda a commencé à me taper sur les nerfs.

«What's wrong, Marc darling? You don't love your Belinda anymore?»

Quand elle a eu le malheur de me dire qu'elle était spécialement venue de Toronto pour me voir, j'ai eu l'impression qu'elle voulait m'enchaîner, j'ai pensé l'étrangler avec son collier.

J'ai pris plutôt une profonde respiration. Puis, j'ai posément répondu que je n'étais pas d'humeur à la voir ce soir et qu'il valait mieux qu'elle me laisse tout seul.

Elle ne voulait rien entendre.

«Marc! Tell me, what did I do wrong! — Ce que tu as fait de travers? que je lui dis en français. Je t'ai assez vue! Est-ce que tu comprends ça? Je suis tanné de te voir la face! Disparais! I've got enough of your ass! que j'ai crié en la traînant vers la porte, elle et ses chapeau, manteau et sacoche sous le bras. Get out of here! ai-je hurlé en ouvrant. Scram!»

Je l'ai poussée dans le corridor avec ses affaires en refermant aussi vite.

Encore heureuse qu'elle n'ait pas été à la place du cendrier que j'ai lancé, l'instant d'après, de toutes mes forces, contre le grand miroir de la commode...

Encore chanceuse...

J'ai installé Jimmy à mes côtés et nous regardons, en dégustant un énorme gâteau au chocolat, le match de ce soir contre les Jets de Winnipeg, à la télévision.

«À la fin de la première période, clame la voix de l'annonceur, le compte est déjà de trois à zéro pour le National!»

«Papa doit être content, hein, maman?» que demande Jimmy.

J'acquiesce.

«Les deux premiers buts ont été marqués par Marc Gagnon, le troisième, par Denis Mercure, poursuit la voix. — Ça faisait longtemps, enchaîne un commentateur, qu'on n'avait pas vu les joueurs de Jacques Mercier fournir un deuxième effort aussi constant que celui-là... Nul doute que le retour en forme des gars de la Vieille Capitale coïncide avec le rappel de Lambert et de Mercure! — C'est plutôt encourageant pour les partisans du National! d'ajouter la voix de l'annonceur.»

«Maman! me demande Jimmy, de son ton des grands jours. Penses-tu que je vais pouvoir recommencer à courir et marcher comme avant? (Je le regarde et le presse contre moi.) — Mieux que ça! Comme je te connais, tu vas retourner jouer au hockey comme avant! que je réponds en lui passant la main dans les cheveux. »

Jimmy rit de bon coeur, l'oeil allumé d'espérance.

Dans sa tête, il est déjà debout.

Depuis le début de la partie, j'essaie de parler à mon fils Hugo du projet que j'ai en tête, mais l'occasion ne s'est pas encore présentée.

Il est écrasé devant le téléviseur, pas moyen de l'en tirer.

«Maman! qu'il me crie. Un autre but de Marc Gagnon! Le truc du chapeau! »

Je viens de penser à un moyen d'attirer l'attention d'Hugo...

Je suis entrée dans le vestiaire du National à Winnipeg dans une ambiance de fête.

«Une belle victoire, hein, Linda? » s'est écrié Lulu tandis que je me dirigeais vers Marc Gagnon qui roucoulait de bonheur et de satisfaction.

«Content, Marc? que je lui demande. — Je

comprends donc, Linda! Je le savais que des parties comme ça, c'était encore possible!»

L'instant d'après Jacques Mercier est entré.

«Vos gueules! a murmuré, pour son voisin, Gilles Champagne. Le chien va japper!»

«Belle game, les gars! a lancé l'entraîneur. Mais on en a deux autres à jouer. Le charter décolle à onze heures demain matin.

«Vous devez avoir une belle nuit, couvre-feu à minuit (des murmures se sont fait entendre)! Phil! Tu vas me vérifier chaque chambre!»

Des protestations, plutôt molles, ont suivi Jacques Mercier jusqu'à sa disparition dans le corridor.

«Maman! s'exclame Hugo, ulcéré, c'est tout ce que tu caches dans cette fameuse boîte de bois-là? Des vieux papiers? De vieilles photos?»

Oui, c'était le moyen un peu dérisoire que j'avais trouvé pour décaper Hugo du téléviseur et lui révéler mes intentions. J'étais allée chercher la fameuse boîte en bois ouvragé, ramenée de Russie par ma mère.

«Des morceaux du passé, Hugo! ai-je répondu, d'une voix fatiguée. C'est important les souvenirs, mon grand, c'est toute notre vie!»

«Tu sais, ai-je finalement risqué, je pense que ça va être dur pour toi, mais je tenais à t'en parler avant! — Quoi donc, maman? — Vois-tu, la maison d'ici est devenue trop grande pour nous deux. Je songe à la vendre et aller vivre à Québec! Qu'est-ce que tu en dis?»

Je m'attendais à une crise, à des larmes, à des protestations, à des récriminations diverses, mais j'ai eu droit à un formidable cri de joie.

J'ai serré Hugo dans mes bras et un grand apaisement m'est venu.

UN *PARTY* AU CHAMPAGNE

Dès que j'ai été mise au courant, je suis devenue furieuse! Je me suis précipitée chez mon frère Pierre à qui je tenais à faire connaître, sans plus attendre, ma façon de penser.

«Stéphane m'a dit, lui ai-je lancé en entrant dans la cuisine comme il déjeunait avec Denis, que Gilles Guilbault ne voulait pas que tu acceptes l'offre de T.C. Taylor? Va lui parler tout de suite, Pierre! Sinon, je m'en occupe! Je te garantis qu'il ne fera pas beau tantôt dans son bureau du Colisée! — Qu'est-ce que tu veux, Suzie, m'a répondu mon frère en replongeant le nez dans le journal, l'air coquin, Gilles Guilbault, c'est mon boss! — Aïe! Pierre Lambert! que j'ai crié pendant que Denis me regardait béatement, tout sourire. Je t'ai déjà connu plus bagarreur que ça! Le contrat de Taylor, c'est un lancement pour moi! Tu ne peux pas me laisser tomber! (Pierre a reposé le journal, m'a dévisagée.) — Tu parles pour rien dire, Suzie... a-t-il laissé tomber. — Comment? que j'ai vivement rétorqué. — Guilbault m'a appelé hier soir pour me dire que tout était correct!»

Denis et lui ont éclaté de rire.

Ils m'avaient bien eue !

J'ai sauté au cou de Pierre.

Nous avons ri. Puis, j'ai étalé sur la table (en tassant le pot de confiture et le litre de lait), les photos de mode que j'avais apportées avec moi.

« Sais-tu, Suzie, m'a avoué Pierre en les examinant, si tu n'étais pas ma soeur... »

« Très belles photos ! s'est exclamé Denis. Tu es magnifique, Suzie ! »

J'ai rougi malgré moi comme le téléphone sonnait. Pierre est allé répondre et, pour la première fois depuis des mois, nous nous sommes retrouvés seuls, Denis et moi, face à face.

Il m'examinait, l'air satisfait.

« Sais-tu, Suzie, attaque-t-il d'un ton enjoué, tu t'en es bien sortie ! Après ce qui nous est arrivé, tu as vite repris le dessus ! (J'étais contente qu'il me parle aussi franchement.) — Veux-tu que je te confie quelque chose, Denis ? lui ai-je demandé, lui rendant la réciproque de sa confiance. Marc Gagnon a été forcé de me lâcher. Tout le monde était sur son dos, à l'achaler... Je l'ai vu l'autre jour au restaurant du Colisée. Je l'ai senti, Denis, je suis certaine que je ne me trompe pas, Marc m'aime encore ! (Il m'a souri généreusement.) — Et toi ? a-t-il enchaîné. Tu l'aimes ? — Tu vois ? ai-je répondu, en lui désignant du menton la vingtaine de photos de moi étalées sur la table. Je ne veux pas que Marc m'oublie !

— Tu ne changeras donc jamais, toi! a laissé tomber Denis sur un ton admiratif.»

Une fille, en très petite tenue, a fait alors son apparition.

«Suzie, m'a dit Denis. Je te présente Fabienne...»

Nous nous sommes regardées, l'adrénaline suspendue entre guerre et paix, puis la douce colombe en nous a triomphé.

Nous nous sommes souri et saluées.

«*Party* ce soir chez Paul Couture!» a claironné Pierre en surgissant dans la cuisine comme un boulet de canon.

Pour toute réponse, un «Yé!», plus formidable encore que les trompettes de Jéricho, a retenti dans l'appartement, risquant de faire tourner le lait et fondre les confitures!

Je suis la seule peau noire en maillot ce soir, au bord de la piscine intérieure de la propriété des Couture, où presque tout le National (et son double féminin) est réuni pour l'installation définitive au pays de Marina, la blonde du Suédois Johansson.

La seule Noire et je ne me sens pas à l'aise.

«Beau *party*, hein, Lucie?» me demande Pierre entre deux plongeons.

J'acquiesce.

Je cache le fond de ma pensée.

Sauf Pierre (que j'ai dans la chair incrusté), on fait trop de politesses autour de moi. Quand on ne m'ignore pas tout à fait, on me couvre d'attentions excessives que je trouve parfaitement ridicules ! Dans le fond, c'est une manière simplement plus subtile (sans doute inconsciente) de m'éloigner.

Je jette un regard sur le salon, tout autour, en essayant de mettre un nom sur tous ces maillots de couleurs qui habillent des peaux pâles (certaines, fraîchement torréfiées par le soleil des Antilles (le mien) ou passées au grille-peau d'un salon de bronzage).

Je découvre Denis qui ne cesse de bécoter Fabienne qui l'enlace, puis Michel Matthieu qui rougit à Francine (plus grande que lui d'un bon pied) qui le serre contre elle. Je passe à Maryse qui fait l'abeille autour du buffet, ensuite à Nicole qui boit le champagne au goulot tandis qu'à deux pas d'elle, Mac Templeton cajole sa moitié en jasant avec Johansson et Marina.

Dans mon dos, j'entends les murmures de Marc Gagnon et Robert Martin.

Oui, une belle soirée.

Si ce n'était de Steve Broadshaw et Gilles Champagne qui me fusillent du regard depuis que je suis arrivée . . .

«Guylaine ! me dit entre ses dents Steve, l'oeil

rivé à Lucie, l'amie de Pierre Lambert, I don't like her!
— Mêle-toi de tes affaires! que je lui ai répondu.
Commence par arrêter de la fixer comme ça, c'est écoeurant! Contrôle-toi, Steve!»

Plus il buvait et plus il la regardait. Comme il en était presque rendu à sa douzaine de bières (?), il ne la lâchait plus des yeux.

J'étais venue pour m'amuser et voilà que Steve était en train de gâcher ma soirée.

Au bout d'un bon moment de ce petit manège, le voyant de plus en plus mauvais, la peur s'est emparée de moi.

«Viens-t'en! que je lui ai dit en me levant. On va s'en aller!»

Il n'a pas bronché.

Il a marmonné: «Cette fois-ci, ce n'est pas moi qui vais partir» ou quelque chose du genre, l'accent texan de Steve embrouillant parfois mon anglais fragile.

«Arrange-toi donc avec tes troubles! que j'ai fini par lui dire, excédée. Je n'ai pas envie de m'ennuyer, moi! Salut!»

Et je l'ai laissé tout seul, à cuver sa haine et son houblon.

Maryse est venue s'asseoir entre Pierre et moi.

«Ça va Lucie ?» m'a-t-elle demandé.

J'ai fait signe que oui.

Puis elle a donné à Pierre des nouvelles de Ginette.

«J'ai bien peur qu'elle ne veuille plus rien savoir des Lambert pour un petit bout de temps !»

Maryse nous a confié qu'elle était revenue à son appartement, rue Sainte-Ursule et qu'elles s'appelaient tous les jours.

J'ai répété à Pierre de ne plus s'inquiéter pour elle, et Maryse a abondé dans mon sens.

«Arrête de t'en faire ! Elle est en train de reprendre le dessus !» a-t-elle ajouté.

Puis elle m'a demandé si je voulais bien aller à la cuisine préparer l'un de mes fameux punchs.

J'étais heureuse de me sentir utile, j'ai accepté d'emblée.

La suite se confond avec le pire de mes cauchemars.

Je me suis donc rendue à la cuisine préparer le jus de fruits et le rhum nécessaires, quand Steve Broadshaw et Gilles Champagne sont entrés.

«Hé ! s'est écrié Champagne, en se ruant vers moi. Laisse faire ! Je vais t'aider, ma noire ! (Il m'a enlacée, me tâtant partout.) Veux-tu bien me dire, a-t-il poursuivi, ce que tu fais à notre petit Lambert pour qu'il te colle dessus comme ça ? »

Il a glissé ses mains sous mon maillot, en dégageant mes seins. J'ai protesté. Broadshaw s'est approché en sifflant « I hate Negroes ! » et s'est jeté sur moi en me giflant à pleines mains. J'ai crié. Nous avons roulé par terre.

Marc Gagnon est accouru comme Broadshaw me tenait par les cheveux, secouée que j'étais de cris et de pleurs.

« Are you crazy ? » a hurlé Marc en se précipitant vers nous.

« Champagne ? s'est écrié Robert Martin en apparaissant à son tour. Es-tu tombé sur la tête ? — Toi Martin ! a rétorqué Champagne, en se remettant sur pied. Tu es devenu pire que le Curé ! Si deux gars ne peuvent plus s'amuser avec une négresse . . . a-t-il laissé tomber, niaisement. — Ta gueule ! a tranché Marc Gagnon. Ton haleine pue, charogne ! »

Là-dessus, Pierre est accouru.

Il a fallu que les autres se mettent à cinq pour le retenir d'égorger Champagne et Broadshaw, qui, comme revenu de son moment de folie, ne cessait de répéter « Sorry ! I'm so sorry ! »

J'étais blessée dans mon orgueil autant qu'indignée et révoltée contre la bêtise humaine.

« Je n'ai pas besoin de ce genre d'humiliation ! ai-je dit à Pierre, une fois seule avec lui. Je n'ai pas besoin de ça pour vivre! Je n'ai pas de temps à perdre avec des abrutis pareils! Même si ce sont tes amis! (J'étais brisée jusqu'au fond de mon âme.) — Ils ne sont pas tous comme ça, Lucie! que Pierre a répliqué. Steve n'est pas un mauvais gars! Je ne comprends pas! — Il n'y a pas d'excuses! ai-je coupé. C'est peut-être ton monde, Pierre, mais je n'ai pas à y vivre! Imagine-toi que j'ai d'autres combats à mener, moi! Et autrement plus graves! Je suis médecin, après tout!»

Pierre a tenté de me calmer, de me raisonner.

Je lui ai demandé de me raccompagner chez moi.

«J'ai le goût d'être seule!» ai-je conclu, la rancoeur brûlante.

Avoir pu, j'aurais dynamité la Lune, tous les terriens Blancs dessus!

Le *party* s'est brisé en mille morceaux, tant l'agression de Lucie a fait scandale.

Les gars (Marc Gagnon, Robert Martin, Mac Templeton et mon mari, autour de Champagne et Broadshaw, leurs manteaux sur les épaules, prêts à partir) sont réunis en caucus d'urgence au sous-sol.

«Maryse! me souffle Paul, à l'oreille. Voudrais-tu t'arranger pour qu'on ne nous dérange pas, s'il te plaît! (Il baisse le ton.) Et m'apporter de l'eau minérale... Ton gâteau *Forêt Noire* était trop bon!» (Il m'embrasse.)

Je m'exécute.

« Steve, ai-je entendu Robert Martin dire comme j'apportais à Paul son eau, même si ta soeur a été violée deux fois par des Noirs, à Chicago, ça n'excuse rien de ce que tu as fait ! — I'm sorry ! répondait l'interpellé, d'un air piteusement sincère. I'm so sorry, honestly ! »

Sur les entrefaites, Champagne s'était levé.

« Ça va faire, Steve ! » a-t-il lancé d'un ton arrogant.

« Non mais, pour qui est-ce que tu te prends, toi ? » a-t-il ajouté, en s'adressant cette fois à Robert Martin.

« Que Lambert garde sa sale négresse dans sa cave aussi longtemps qu'il voudra, ça le regarde ! Mais qu'il ne vienne pas nous écoeurer avec ! C'est tout ! — Ta gueule Champagne ! a hurlé Marc Gagnon. (J'ai sursauté.) Tu me donnes envie de vomir ! »

La bagarre a failli éclater, mais Templeton est intervenu.

« Allez donc tous manger un char de merde ! » a craché Gilles Champagne en disparaissant.

Lui parti, l'atmosphère s'est détendue.

« Penses-tu qu'on a une chance de gagner la Coupe cette année ? a demandé Robert Martin à mon mari. — À condition de se débarrasser des pommes pourries ! a rétorqué Paul, en buvant, par petites gorgées, son Perrier citron. »

« Je n'ai pas toujours donné l'exemple ! s'est exclamé Marc Gagnon, l'air sérieux. Mais je pense que Paul a raison. — Je sais ce qu'il nous reste à faire ! a conclu Robert Martin en se levant. »

Je suis montée rejoindre les femmes au salon.

Il n'y restait plus que Nicole Gagnon, seule, debout face à la fenêtre, qui pleurait aux dernières neiges de l'hiver, son trop-plein de champagne.

« Salut Bob ! s'est écrié Gilles Guilbault en me voyant entrer dans son bureau. Ne te fatigue pas ! Je suis au courant de tout ! — C'est grave ! que je lui ai répliqué, en m'assoyant devant lui. Depuis quelque temps, dans l'équipe, on sent que, tu sais, cette sorte de fièvre d'harmonie, cette chimie des muscles qui mène un club à la victoire, eh bien, elle est en train de se fabriquer entre les gars, Gilles ! Il n'y a que Champagne qui empêche le courant de passer ! C'est un pourri ! Je te le dis franchement, les gars n'en veulent plus ! Débarrasse-nous-en donc au plus maudit ! C'est le premier pas vers la coupe Stanley ! ai-je conclu sans plus d'ambages. »

Gilles Guilbault s'est mis à réfléchir à haute voix.

« Champagne a trente et un ans... Il s'est toujours conduit rudement... (Il a éteint son cigare.) Tu as raison, Robert ! Les Devils du New Jersey se cherchent un ailier pour essayer de garder leur souffle jusqu'aux éliminatoires... et nous autres, on n'a plus besoin de lui... »

Il m'a regardé, a hoché la tête.

«Donne-moi donc une couple d'heures, Bob, veux-tu?» a-t-il laissé tomber en se rassoyant.

D'un signe de main, je l'ai remercié, salué, et suis sorti.

Je n'étais pas d'humeur, au club Marius ce matin, à me brûler le petit fond d'énergie qui me restait et à suer sang et eau sur un vélo stationnaire!

Contrairement à tous ces muscles venus chercher, ici, épreuve, torture et souffrance, je n'avais, moi, aucun goût, aucune attraction, aucune propension à l'effort!

«Allez, Pierre! me répétait sans cesse Geneviève en me tâtant comme viande au marché. Il faut qu'un homme ait les cuisses fermes! claironnait-elle. Allez, montre-moi si c'est dur!»

Elle me palpait en prenant visiblement sa jouissance par la peau des mains, mais j'avais la tête, le coeur et le corps ailleurs.

J'ai vu arriver Robert Martin suivi de Steve Broadshaw. Mon sang a remué.

«Le Chat! a lancé Martin en se postant à côté de moi. Ne grimpe pas dans les rideaux! Steve vient s'excuser... — C'est écoeurant ce qu'ils ont fait! ai-je laissé tomber d'un ton sec. — Pierre... a piteusement dit Broadshaw. I'm so sorry!... — Pierre, la soeur de Steve a été violée par des Noirs à Chicago! a repris

Robert Martin en me regardant. Je sais, ce n'est pas une excuse, mais tu peux essayer de comprendre... »

J'ai soupiré.

Steve m'a tendu la main. J'ai hésité.

« Sorry, Pierre ! » a laissé tomber Broadshaw en recevant ma main.

« Faites place à la tornade blonde ! » a crié Lucien Boivin en faisant son apparition.

En l'apercevant, Robert et Steve se sont prestement éclipsés.

J'ai demandé à Lulu quel scoop pouvait bien l'attirer, à dix heures du matin, dans un centre de conditionnement physique ?

« La forme ! » m'a-t-il répondu en s'interrogeant sur la présence des autres, partis visiblement trop vite à son goût.

« La santé aussi » a-t-il ajouté comme Geneviève revenait vers nous.

« Et la beauté surtout ! » a-t-il laissé tomber dans un soupir.

Pour éviter les questions embarrassantes de Lulu (toujours à l'affût, comme un rapace), je me suis lancé à corps perdu et tombeau ouvert sur les pédales de mon vélo.

☆

Gilles Guilbault est venu me voir à mon bureau pour m'annoncer que je n'avais qu'un mot à dire pour que Gilles Champagne disparaisse au New Jersey!

«Tu dis oui, Jacques et c'est fait! Contre un choix de quatrième ronde. — Quant à moi, que j'ai répondu, ces derniers temps, deux douzaines de bâtons auraient mieux fait mon affaire sur la glace que Gilles Champagne! Tu peux l'envoyer en Sibérie si tu veux, ça ne sera pas encore assez loin! — Parfait! J'expédie un télex pour confirmer!»

Il allait sortir quand je l'ai retenu.

«Dis-moi donc, Gilles? ai-je demandé. Les rumeurs, c'est vrai? — Quelles rumeurs? a-t-il interrogé perplexe. — Que tu sautes la mère de Pierre Lambert? — Des histoires! a-t-il répondu vivement, en tournant les talons.»

Une chose est sûre, me disais-je en moi-même, me remémorant la pâleur du visage de Guilbault, il n'y a pas de fumée sans feu!

LA VÉRITÉ EN BLANC ET NOIR

Ce matin, 6 mars, tout le Québec est en effervescence pour un article de Lucien Boivin dans le *Québec-Métro* que Benoît Belley, qui m'a prise en otage dans son bureau, me brandit au bout du nez.

«C'est une très grosse affaire, Linda! me crie-t-il par la tête. Comment il se fait que ce soit Lulu que Champagne ait appelé pour sortir son histoire de racisme, et non pas toi ! Veux-tu me dire ? — Très simple, Ben ! que je lui réponds du tac au tac. Penses-tu que Champagne était pour se confier à moi ? Ça fait trois mois que j'écris de toutes les encres qu'il est un fruit pourri en train de gâter toute la récolte ! — Tous les journaux américains vont reprendre l'affaire ! gémit Belley. C'est le *Métro* qui va faire le magot ! Tu parles ! Un joueur échangé parce qu'il a voulu taquiner une Noire ! Du croustillant ! — Taquiner une Noire ? que je reprends. C'est ce que Champagne a bien voulu raconter à Boivin, ça !... Allez-y voir !»

Il m'a prise au mot et m'a recommandé d'aller y voir moi-même !

J'ai refusé. Il a haussé le ton.

«Comment ça, non ?» Il s'échauffait, je commençais à bouillir.

«Si tu n'arrives plus à trouver des nouvelles, Linda, a-t-il renchéri, fais ta job au moins, récupère les restes !»

Je l'aurais griffé.

J'ai répondu que j'allais lui faire un travail de professionnelle. Qu'il aurait un papier sur l'histoire, oui, mais rien de neuf.

«Et si ce n'est pas suffisant, Ben ! (les narines me frémissaient) tu pourras me faire exécuter du travail de traduction en plus, si tu veux !»

Il a changé d'air.

Le sourire qui était né sur ses lèvres l'instant d'avant, venait de cailler.

Je me suis dit «Lucien, tu tiens le gros bout du bâton, pas question de lâcher! Tu vas pousser ta nouvelle jusqu'au bout! N'oublie jamais qu'il faut battre le fer quand il est chaud!»

De bonne heure, ce matin donc, j'ai quitté Québec pour Montréal où j'avais pris rendez-vous, la veille, avec le père de Lucie Baptiste.

Il fallait creuser le scoop jusqu'à l'os et le traquer dans tous les coins, et surtout, agir vite, avant que Linda s'amène dans mes plates-bandes, ou quelqu'un d'autres; Marco de *La Presse* par exemple ou les journalistes américains qui commençaient à pulluler en ville, attirés par la chair fraîche sanguinolente.

J'étais convaincu qu'en allant voir Joseph Baptiste, je courais au-devant de l'ombre de la nouvelle...

Le père de Lucie s'est amené à l'heure dite au volant de son taxi (astiqué comme un sou neuf), vêtu d'un chandail aux couleurs du National marqué du chiffre treize.

Tout de suite, nous avons été sympathiques l'un à l'autre. Je lui ai montré mon article.

«Champagne a vraiment dit tout ça, monsieur Boivin? m'a-t-il demandé au bout d'un moment, l'air inquiet. — Oui! ai-je répondu. Et je n'ai pas tout écrit! — C'est terrible! a-t-il poursuivi. Lucie n'a jamais causé de problème à personne. S'il s'est mal conduit envers elle, ce n'est certainement pas de la faute de ma fille ! Je la connais ! — Justement, monsieur Baptiste ! ai-je enchaîné. Je voudrais expliquer aux gens, dans mon prochain article, que ce n'est pas toujours de la faute aux Haïtiens quand de telles choses se produisent...»

Il m'écoutait avec un immense intérêt.

Je lui ai demandé s'il avait le temps de jaser davantage.

«Venez à la maison ! m'a-t-il aussitôt répondu. Ma femme va être heureuse de vous connaître !»

L'occasion était trop belle et je flairais très gros, aussi ai-je vite accepté son invitation.

Il était midi, un patient m'attendait depuis onze heures, une urgence venait de me tomber dessus, et Pierre était toujours à mes trousses dans les corridors de l'hôpital !

«Laisse-moi tranquille, Pierre ! que je lui répétais. J'ai du travail, je te verrai plus tard ! — Écoute-moi sacrifice, Lucie ! Si on casse, toi et moi, ça va leur donner raison ! Ils vont pouvoir dire qu'un joueur de hockey n'a pas le droit de sortir avec la femme qu'il aime ! À cause de sa couleur ! C'est ça que ça va vouloir dire ! — Je le savais, dès le début de notre relation, qu'une histoire comme celle-là se préparait ! ai-je répondu. Je m'en doutais donc ! Je m'en rongeais les ongles. — Il ne faut pas laisser tomber, Lucie ! m'a lancé Pierre, comme j'allais lui refermer une porte de chambre au nez. — Ce n'est pas facile ! que j'ai répliqué en disparaissant.»

«Pas facile!» ai-je songé, en me penchant vers mon patient qui ne m'espérait presque plus («Ah! Docteur, enfin!»).

Autant le père de Lucie et sa femme, Fleur-Aimée, étaient des personnes d'agréable commerce, autant le fils aîné, Charles, est bouillant d'agressivité.

«Lucie n'avait pas d'affaire à se laisser avoir par un joueur de hockey! disait-il en me fixant du blanc immaculé de ses yeux.

«Papa a travaillé quatre-vingt-dix heures par semaine pour payer ses études! poursuivait-il, sous le regard désapprobateur de son père. Je lui ai aidé moi aussi! — Pierre est un bon garçon! a risqué Joseph. Tu l'as rencontré toi aussi! (Charles a fait la moue.) — Hé! a-t-il henni. C'est encore un bon petit Blanc qui se pense meilleur parce qu'il est Blanc! Et les autres? Des racistes de la pire espèce! (Joseph a trouvé qu'il exagérait.) Alors, trouve-moi donc un seul Noir dans toute la ligue Nationale, hein? a-t-il sifflé.»

«Tu penses, Charles, ai-je repris, que les joueurs du National sont racistes et que Lucie devrait laisser tomber Pierre Lambert? — Je pense que ma soeur n'a rien à gagner, maintenant qu'elle est médecin, à fréquenter un petit joueur de hockey borné! a-t-il répondu sèchement.»

Il s'est levé.

«C'est le temps qu'on réalise, m'a-t-il dit en mâchant ses mots, qu'il y a ici, autant de racisme que n'importe où ailleurs au monde! — Charles! a coupé le père. Tu recommences encore tes grands discours! (Le fils s'est éloigné.) Je gagne ma vie, nous avons de charmants voisins, pourquoi... — Parlons-en des voisins! a tranché Charles. Ça leur a pris juste cinq ans avant de nous dire bonjour!»

«Ah puis! Écrivez donc ce que vous voudrez! a-t-il ajouté à mon intention. Ça va finir encore par nous retomber sur le dos!»

Le fils est sorti. Le père a haussé les épaules.

«Vous savez monsieur Boivin, ma Lucie a beaucoup pleuré après la soirée chez les Couture... Beaucoup.»

Je me suis levé.

Je les ai remerciés, sa femme et lui, pour leur accueil, puis, je suis rentré à l'hôtel, aussi vite que j'ai pu.

Il fallait mettre en mots ma nouvelle et l'expédier à Québec, encore frétillante de vie, comme la truite qu'on vient tout juste de pêcher.

Lulu pavane. Il ne porte plus à terre. Je ne l'ai jamais vu aussi blond, tellement il rayonne et pavoise!

Pour me moquer de sa gueule, ce soir au Colisée pour la partie contre Chicago, en espérant devant le vestiaire l'arrivée des joueurs, je me suis amusée à le taquiner en le surnommant le «blond bec»...

«Tu crèves de jalousie, hein Linda? qu'il me

lance d'un ton moqueur et triomphant. — C'est beau, Lulu ! C'est beau ! que je réponds d'un ton neutre. »

Au même moment arrivent Johansson, Matthieu, Smith. Chacun passe devant André Simon, pendu à son micro de CKLT comme un foetus à son cordon ombilical, en murmurant le sempiternel mot de passe des lendemains de scandale « Pas de commentaires — No comment ». Seul Paul Couture s'arrête.

« Chers auditeurs ! d'attaquer en trompette Simon. Nous sommes en direct du Colisée de Québec et j'ai le défenseur Paul Couture du National à mes côtés... Paul, dis-nous, est-ce que les révélations de Lucien Boivin dans le *Québec-Métro* sont fondées ? »

Je m'approche pour ne rien manquer.

« Pour tout vous dire, de répondre l'autre, en se râclant la gorge, il y a eu, en effet, un malentendu entre des personnes, lors d'une réception chez moi. C'est tout ! Je pense que tous les éclaircissements ont été apportés, je n'ai pas d'autres commentaires à faire... »

Lulu s'est collé à moi comme la nuée de journalistes américains talonnaient Couture.

« C'est à mon tour, Linda ! qu'il me lance sur un ton victorieux. Tu ne pourras plus rire de moi, je l'ai mon scoop, maintenant ! »

Je le reçois avec la plus laide de mes grimaces. Il rit.

Au même moment, Steve Broadshaw fait son apparition.

C'est la cohue générale. Heureusement, Jacques Mercier accourt à temps et le met à l'abri des flashes et des micros.

Pour être franche avec moi-même, je dois avouer que j'envie le succès journalistique de Lulu.

Ah! le plaisir secret d'être le premier messager! Le délice de la manchette!

Juste avant la cloche des trois minutes, comme on allait sauter sur la glace pour affronter les Black Hawks, Jacques Mercier est entré dans le vestiaire, furieux.

«Je ne serai pas long! qu'il nous a dit (il s'était planté devant moi). Tout ce que je veux dire, c'est que je suis payé pour jouer au hockey, moi ici, pas pour gérer une maternelle!

«Vous connaissez tous la dernière! La négresse de Lambert fait jaser toute la ligue Nationale! Il n'y a pas si longtemps, c'était la soeur de Pierre Lambert et bientôt, ce sera la mère de Pierre Lambert, je suppose?»

La cloche d'une minute a sonné.

«J'imagine, a-t-il ajouté, en me fixant droit dans les yeux, que si Pierre Lambert est aussi bon pour brasser autant de merde, il devrait être capable de battre Chicago à lui tout seu!, ce soir!»

Il s'est esquivé à grandes enjambées.

«Laisse faire, le Chat! m'a conseillé Robert Martin, comme j'allais me défouler sur mon bâton. Garde ça pour le match!»

Les nerfs à vif, à deux cheveux de l'explosion, j'ai foncé vers la patinoire.

Penché au-dessus de l'épaule de Pierre, je relis pour la dixième fois l'article de Lucien Boivin dans le journal.

Pierre rage.

«Le petit sacrament à Lulu, qu'il s'écrie, attends que je lui mette la main dessus! Non mais, Denis? As-tu lu ça?»

Je lis un bout de l'article à haute voix.

«Mon père n'a pas travaillé quatre-vingt-dix heures par semaine pour faire instruire ma soeur pour qu'elle aille ensuite se faire rabaisser par des joueurs de hockey. Ce sont les pires racistes en Amérique! a déclaré Charles Baptiste dans une entrevue exclusive au journal!»

«Il y en a une page comme ça!» que j'ajoute en regardant Pierre qui crache le feu.

J'ai l'impression qu'il y a pas mal de coups de pied au cul qui se préparent à quelque part...

Jacques m'a bien peinée aujourd'hui.

Je lui ai pardonné parce qu'il est rare qu'il soit si dur envers Jimmy.

«Excuse-moi, Judy... je me trouve dégueulasse des fois...»

Les problèmes du National ont encore une fois assailli la maison et pollué notre existence!

Les finales approchent, la tension monte.

Les scandales fleurissent comme les perce-neige au printemps (j'en ai vu une aujourd'hui, très précoce, pointant son nez fleuri sous une dentelle de neige)! Et Jacques devient de plus en plus geignard, intolérant et nerveux.

Son humeur suit scrupuleusement la saison du hockey. Et parfois, c'est Jimmy qui écope des soubresauts de la fonte des neiges.

Heureusement, les heurts sont soudains, mais jamais excessifs.

Je lui reproche, ces temps-ci, de trop penser à la coupe Stanley, d'essayer de terroriser ses joueurs pour les forcer à la décrocher.

«Jacques, pourquoi ne pas essayer la douceur? que je lui suggère. — Judy! Ils vont m'haïr d'ici la fin de l'année, comme jamais! qu'il me rétorque. Je vais les forcer à s'unir, à faire front commun, à jouer au même rythme, à respirer d'un même poumon, à se battre autour d'un même coeur, d'un seul noyau, d'un seul pôle!»

J'ai demandé qui pouvait bien être ce fameux pôle dont il parlait avec tant de démesure.

«Le maudit merdeux à Pierre Lambert!» a-t-il laissé tomber, le regard étrangement transfiguré.

Dès que le nouvel article de Lulu est paru, Lucie s'est amenée à mon appartement, en trombe et en furie.

«Tu vas faire quoi, Pierre? m'a-t-elle demandé, à peine entrée, l'oeil électrique. Laisser cette merde nous salir tous les deux? — Écoute Lucie! que j'ai répondu (j'avais, moi-même, les nerfs à vif). C'est tout de même ton frère et ton père qui ont raconté tout ça à Lulu! Pas moi!»

À l'instant on a frappé à la porte.

J'ai ouvert. Stéphane et Suzie ont surgi.

«C'est ignoble, Pierre! m'a lancé ma soeur en poussant la porte. Tu ne vas pas laisser faire ça!»

Je l'ai suppliée de ne pas en rajouter, que ma coupe était pleine pour aujourd'hui.

«En rajouter? s'est-elle écriée, suffoquée, je ne perdrai pas ce contrat-là pour une niaiserie de journalistes, sans dire un mot! Tu me connais, Pierre, ça ne restera pas là!»

Je ne savais plus où donner de la tête. Mes idées flottaient sens dessus dessous.

«Quel contrat, Suzie?» a interrogé Lucie.

«C'est le contrat de Suzie pour les présentations de mode de Ti-Si Taylor! a répondu Stéphane en s'avançant. Le tien aussi, Pierre! a-t-il ajouté en me regardant.

«Le magasin annule la campagne! a-t-il finalement laissé tomber en s'écrasant sur une chaise. Ils viennent de me téléphoner. Ils disent que tu t'en viens trop controversé ces temps-ci, ils craignent des réactions négatives à toutes ces histoires de racisme.

«Tout est à l'eau! a-t-il conclu en faisant la moue.»

«Pierre! se sont écriées en choeur ma soeur et Lucie. Il faut faire quelque chose!»

«Si je perds cet argent-là, je suis faite à l'os! a laissé tomber Suzie. — On peut faire quelque chose, a repris Stéphane en se levant, mais ça risque de brasser bien de la merde!»

Nous sommes restés tous les quatre figés dans nos regards respectifs, immobilisés par l'indécision.

La première, Lucie est sortie de la léthargie générale. Elle s'est levée, nous a regardés longuement.

«L'imbécillité, a-t-elle commencé par dire, c'est une chose, mais l'injustice, c'en est une autre!»

Elle a pris une profonde respiration comme si elle s'apprêtait à sonner l'appel des troupes au combat.

«Puisque c'est comme ça, s'est-elle exclamée,

nous allons nous rendre jusqu'au fin bout de l'histoire!
On verra bien! Tant pis! Advienne que pourra!»

Je l'ai serrée dans mes bras.

LA MAIN DE DIEU FRAPPE

Stéphane m'a dit: «Suzie! Il faut faire face à la
musique! Tu viens avec moi à l'agence!»

Un certain Gilbert Dumont, tiré à quatre
épingles, trônant derrière un pupitre hyper design, nous
a reçus.

«Vous m'avez mal compris! a-t-il répondu à
Stéphane qui lui exposait le but de notre visite. Nous
allons respecter le contrat de Mademoiselle Lambert.
Ses posters vont être affichés, tel qu'entendu, et nos
placards publicitaires seront publiés dans les journaux et
les magazines! Mais... (il s'examinait le bout des
ongles), il n'est plus question qu'on l'associe, pour l'instant, à son frère Pierre.»

Il a plissé le nez et passé une pointe de langue
sur sa fine moustache.

«Vous comprenez, notre client, T.C. Taylor,
n'aime pas tellement les histoires controversées... (J'ai
bondi.) — Mais c'est eux autres qui ont exigé que Pierre
soit au lancement de la campagne! me suis-je écriée,
indignée. — Tout ça, a repris Stéphane, parce que vous
avez peur que vos grosses madames, qui achètent les
guenilles de votre client, n'aiment pas les négresses et
ceux qui les fréquentent! — Je veux rencontrer Mon-

sieur Taylor! ai-je ajouté en me levant. — C'est tout à fait inutile, mademoiselle! a répliqué Dumont en pâlissant. Depuis plus de quinze ans, nous nous occupons de l'image de T.C. Taylor, c'est avec nous qu'il faut traiter et croyez-moi, jamais nous ne prendrons le risque de mécontenter Monsieur Taylor... — Au risque de ramper devant la moindre petite manifestation de racisme, hein? de rétorquer Stéphane en m'entraînant vers la porte.»

Nous avons laissé Dumont à son univers de catalogues d'ameublement et sommes sortis.

«On va appeler Linda Hébert, tout de suite!» s'est exclamé Stéphane, comme nous montions dans sa voiture.

J'ai soupiré. De fatigue et d'espoir.

Linda Hébert me bombardait de questions pendant que le photographe de son journal me mitraillait de flashes!

«Lucie, m'a demandé Linda, que répondez-vous aux accusations de ceux qui affirment que vous, une Noire, avez chassé Gilles Champagne de la ville de Québec? — Il s'est chassé lui-même, ai-je répondu, en perdant le respect de ses coéquipiers et la confiance de la direction! — Comment qualifiez-vous l'attitude des magasins T.C. Taylor dans le conflit qui les oppose aux Lambert? — Je connais bien les gens de Québec! ai-je dit. Je travaille avec eux et pour eux! J'ai peur que la décision de T.C. Taylor ne se retourne contre la chaîne de magasins elle-même... Ce serait bien dommage... — Croyez-vous, poursuivait Linda, que les joueurs de hockey, et ceux du National en particulier, soient de sales racistes ? — Nous avons tous des réactions de peur et de défense face à des gens que nous ne connaissons pas ou mal ! ai-je répondu en cherchant à être aussi juste que claire. Ça ne veut pas dire qu'on soit raciste pour autant ! ai-je conclu. »

À ce moment, Pierre est entré en marchant sur la pointe des pieds.

« Vous ne trouvez pas difficile, a renchéri Linda Hébert en s'adressant autant à Pierre qu'à moi, vous un médecin, de fréquenter un joueur de hockey de vingt ans ? (J'ai souri à Pierre, il m'a répondu en me pressant contre lui.) — Mademoiselle... ai-je repris. Si j'ai accepté de vous rencontrer, c'est pour que vous disiez à vos lecteurs qu'il s'agit avant tout d'une histoire d'amour (je sentais l'intense chaleur de Pierre m'envahir) ! J'aime Pierre Lambert et il m'aime. Nous aimerions pouvoir vivre notre amour en toute intimité, comme tout le monde ! »

Linda Hébert a paru satisfaite.

« Prends-en soin ! a-t-elle lancé à Pierre en refermant son calepin. On ne rencontre pas de Lucie Baptiste à tous les coins de rue ! — C'est pour ça que je l'aime ! a rétorqué Pierre en m'embrassant. »

Sur ce, la journaliste et le photographe nous ont quittés.

Michel Trépanier, le directeur de la rédaction au *Matin* est venu me voir à mon pupitre.

« Mademoiselle Hébert, m'a-t-il dit d'un ton

prudent et inquiet, votre article sur T.C. Taylor, c'est de la dynamite!»

J'ai répondu que je savais pourquoi.

«Les magasins Taylor sont les plus gros annonceurs du journal, je sais, monsieur Trépanier. Plus d'un million par année! Ils vont être furieux! — Pas "vont être furieux", a aussitôt enchaîné le directeur, ils sont déjà hors de leurs gonds! Et ils démentent absolument l'information... — Comment, ils démentent? me suis-je écriée, outrée. Impossible! J'ai tous les témoignages! — L'agence de publicité soutient qu'ils ont dû annuler la participation de votre Pierre Lambert en raison d'une clause contractuelle du National...»

Je voyais s'enfler la panique du directeur.

«Écoutez, a-t-il ajouté en cherchant ses mots, on pourrait mettre l'histoire sur la glace un jour ou deux, le temps d'y voir plus clair... (J'ai bondi comme une panthère.) — Pas question, monsieur Trépanier! me suis-je exclamée en me dressant sur ma chaise. Quand il s'agissait de fouiller dans la merde pour salir encore plus Lucie Baptiste et sa famille, c'était toujours trop peu, trop tard! Maintenant que mes informations sont solides et que l'histoire a été vérifiée, vous hésitez? (Je l'ai regardé bien droit dans les yeux.) Monsieur Trépanier, ai-je ajouté, nous publions ou le syndicat s'en mêle!»

Il s'est mordu la lèvre.

«Ils vont sûrement couper leur publicité pendant quelques semaines! a-t-il murmuré. Plus de cent mille dollars en moins!»

Il m'a regardée.

«On publie!» a-t-il enfin laissé tomber à court d'arguments.

Chose rare, dans mon enthousiasme, je lui ai serré les mains.

Ce matin, je suis allée prendre le café avec Gilles Guilbault, chez lui, histoire de resserrer nos liens qui, depuis quelque temps, s'étaient quelque peu relâchés.

«Des fois, Maroussia, me disait-il, j'aimerais ça être le père de ton Pierre! Je n'ai jamais vu un pareil caractère! Toujours dans les complications et les troubles! Il ne peut rien faire comme tout le monde! Et ta fille Suzie est comme lui! — Ce sont des êtres vivants, Gilles! que j'ai répondu. Ils font bouger les choses! — Mais veux-tu me dire pourquoi il a fallu que Pierre tombe sur une négresse? — C'est une superbe jeune femme, Gilles! me suis-je écriée, un peu indignée du ton raciste de sa question. Et elle est médecin!»

Il n'a pas eu l'air d'accord.

«J'aime mieux ne pas être à sa place!» a-t-il conclu en versant un doigt de cognac dans sa tasse.

Je me suis sentie soudain bien loin de lui. Sur une sorte d'île déserte, au coeur des Antilles.

En entrant dans le vestiaire, ce midi, j'ai été surpris. Tous les gars étaient là et me tournaient le dos. J'ai salué. Personne n'a répondu.

J'ai insisté et ils se sont tous retournés en même temps.

J'ai éclaté de rire. Ils s'étaient, du premier au dernier, soigneusement barbouillés le visage de noir à chaussures.

«Le Chat! m'a lancé Robert Martin. On est tannés des histoires de nègres! On ne veut plus passer pour racistes! Maintenant, la chose est claire: on est tous des Noirs! Sors donc avec ton Haïtienne! Ne te laisse pas écoeurer!»

J'ai senti comme un orage électrique me balayer de la tête aux pieds.

«Les gars! ai-je crié, gonflé à bloc. Est-ce qu'on va les chercher les quatre prochaines parties à l'étranger?»

Un formidable oui, vibrant de détermination, est venu répondre à ma question.

L'espace d'un éclair, plus concrète que le sol sous mes pieds, j'ai vu la coupe Stanley, là, au bout de mes bras...

J'avais à tirer des choses au clair. J'ai profité d'un moment libre pour monter à Montréal mettre un terme à mes chicanes de famille.

Mon frère Charles était allé un peu loin dans ses déclarations à Lucien Boivin, je voulais le lui faire savoir en personne.

«Je ne t'en veux pas, Charles! lui ai-je dit. Mais à l'avenir, je veux que tu te mêles de tes oignons! — Ce sont mes affaires, Lucie! qu'il m'a vivement rétorqué. La discrimination, ça me touche autant que toi! — C'est moi qui ai été insultée, pas toi! Il faut trouver des moyens plus civilisés pour faire progresser la cause des nôtres au Québec ... ai-je dit d'un ton calme. — Comme de coucher avec un petit joueur de hockey, par exemple? a ironisé mon frère.»

Papa, qui écoutait sans rien dire, a sursauté.

«Charles! a-t-il crié. Tu vas t'excuser! Ça fait des mois que je subis tes sarcasmes sans dire un mot. C'est assez!»

«C'est mon problème, papa! ai-je tranché. Laisse faire!»

Il a poursuivi sans vouloir m'écouter.

«Quand j'ai quitté Haïti pour aller travailler en France, nous ne mangions pas à notre faim. Et pendant les dix années passées à Paris, vous le savez, rien n'a été facile. C'est encore ici que nous avons été le mieux reçus... Je travaille, Lucie va bientôt ouvrir son cabinet de médecin et toi, tu pourras être ingénieur, si tu le désires. Je ne voudrais pas ruiner tant d'efforts et tant de sacrifices à cause de paroles malheureuses! — Tu vieillis papa! a simplement laissé tomber mon frère en quittant la pièce.»

Je n'avais plus rien à dire ni à expliquer.

Je me suis donc hâtée de revenir à Québec (Pierre partait pour New York le soir même) sachant que

446

mes problèmes, sans être tout à fait réglés, étaient, à présent, relativement moins lourds.

À l'aéroport de Québec, ce soir, comme nous attendons le reste de l'équipe avant de nous envoler pour New York, Nounou bougonne gentiment.

«Pierre! Encore une autre! Il y en a partout de ces maudites affiches-là!» s'exclame-t-il, rieur, posté de toute sa rondeur devant la photo, grandeur nature, de ma soeur Suzie, en constume de bain.

On voit Suzie partout, c'est vrai. La chose en est drôle. Sauf pour Marc Gagnon qui regarde les affiches avec le respect dû aux icônes, l'oeil religieux.

Sur les entrefaites, Lucie est arrivée.

L'instant d'après, Jacques Mercier sonnait le signal de l'embarquement.

Des applaudissements et des cris ont souligné le baiser d'au revoir que j'ai déposé sur les lèvres de Lucie.

J'ai envoyé la main et suis allé prendre ma place à bord. Mais mon coeur et ma tête, bien avant l'avion, avaient depuis longtemps quitté le plancher des vaches...

J'allais prendre un taxi, en sortant de mon bureau à l'université, quand Maryse Couture m'a interpellé.

«Sébastien! Tu veux un *lift?* Monte!» a-t-elle ordonné en souriant, pendant que le chauffeur de taxi, frustré d'une course, la regardait, dépité.

«Je dois aller sur la rue Sainte-Ursule; ça ne prendra qu'une seconde. Je te ramène ensuite chez toi! a-t-elle enchaîné comme nous démarrions. — Je ne voudrais pas t'imposer un détour, Maryse! ai-je protesté. Je ne demeure pas loin...»

Elle n'a rien voulu entendre.

Tel que prévu, elle s'est arrêtée chez une amie qui n'avait pas l'air très bien dans sa peau.

«J'ai recommencé à travailler, Maryse (lui disait l'amie) mais je ne sais toujours pas pour qui ni pourquoi... — Fais confiance aux forces secrètes qui t'habitent, Ginette! lui a conseillé Maryse. Tu vas voir, tout va te paraître tellement plus facile. — Je suis encore loin de ça! a rétorqué l'amie, les yeux embués. Je me sens toujours au bout de mon rouleau...»

Maryse lui a prodigué quelques autres paroles d'encouragement, a regardé sa montre, puis s'est excusée.

Elles se sont embrassées et nous sommes remontés dans la voiture.

Il avait plu dans la journée. À la tombée du jour, toute cette eau avait gelé. La chaussée était devenue glissante.

À une intersection, Maryse s'est engagée sur un feu vert quand un énorme camion est apparu soudain à notre gauche, tout klaxon hurlant, tout freins crissant.

J'ai hurlé « Maryse, attention ! »

Mais un bruit de ferraille qui se tord et de verre qui se brise a été la seule réponse qui soit venue.

Du sang a jailli dans ma bouche.

J'ai fermé les yeux et me suis évanoui.

DOUZIÈME CHAPITRE

AVRIL
ET LES FINALES
SONT DE RETOUR

LES VOIES DU SEIGNEUR

C'est moi-même qui ai demandé à partager la chambre avec le Curé. Je le regrette.

Je voudrais bien fermer l'oeil, mais à toutes les cinq minutes, je l'entends téléphoner à Québec.

À bout de patience, je me dresse sur mon lit.

«Je t'empêche de dormir, hein, mon Pierre?»

Je baragouine un «ouais» vaguement teinté d'exaspération.

«Excuse-moi, je ne peux pas faire autrement. Je n'arrive pas à me coucher tant que je n'ai pas parlé à Maryse! Tu vas rire de moi, mais à chaque match en dehors de Québec, c'est comme ça! Ça me porte chance. C'est ma patte de lapin à moi, tu comprends? Mais là, je ne sais pas ce qui se passe, la gardienne est toujours à la maison (il jette un oeil à sa montre), et il est deux heures et quart du matin! — Ta femme découche, Curé! que je lui lance. (Il pâlit.) Qu'est-ce que la Bible te dit de faire dans ces cas-là?»

Ce sont des coups frappés à notre porte qui ont répondu à ma question.

Paul est allé ouvrir et c'est Jacques Mercier (ô surprise!), en robe de chambre (du jamais vu), l'air catastrophé, qui s'est présenté.

J'ai vu blêmir le Curé.

Mercier s'est râclé la gorge.

«Paul... qu'il a dit, c'est ta femme... (Le Curé a écarquillé les yeux.) Elle vient d'avoir un accident de voiture!»

Paul a reculé d'un pas et s'est assis sur le rebord du lit.

«Grave? a-t-il vivement demandé la voix blanche d'émotion. — On ne le sait pas encore. On doit l'opérer cette nuit. Elle n'a pas repris conscience. — Il faut que je monte à Québec! s'est écrié Paul en se remettant debout. — J'ai fait réserver une place pour toi sur le premier vol de ce matin! a répondu Mercier. — Elle est à quel hôpital? s'est enquis nerveusement le Curé. — L'Enfant-Jésus! a répondu l'autre.»

Je me suis précipité vers le téléphone.

«Voyons Paul! a repris Mercier en arrondissant sa voix. Maryse est une femme solide. Tu sais bien qu'elle va s'en sortir...»

J'ai tiré Lucie de son sommeil. Elle avait l'air heureuse de m'entendre, puis elle s'est vitement inquiétée. «Qu'est-ce qui se passe?» m'a-t-elle demandé. Je lui ai annoncé la mauvaise nouvelle.

«Ils vont l'opérer à ton hôpital, ai-je précisé. — Je m'habille et je vais voir! m'a-t-elle répondu. Je te rappelle aussitôt que j'en sais plus long!»

J'ai raccroché.

Mercier refermait la porte derrière lui et Paul, effondré sur le bord de son lit, pleurait à chaudes larmes.

À sept heures du matin (Paul Couture venait tout juste de partir pour l'aéroport), je suis allé boire un café en compagnie de Jacques Mercier, dans un déprimant snack-bar à deux doigts de notre hôtel, à New York.

«Il paraît qu'il y avait un gars avec elle dans la voiture... lui ai-je dit après les premières (et brûlantes) gorgées. — Ça ne veut rien dire, Phil! m'a-t-il répondu, le regard égaré dans le fond de sa tasse. C'était un des collègues d'université à Maryse... D'ailleurs, ça n'a plus tellement d'importance puisque le type est mort brûlé dans la voiture... — Heureusement! me suis-je écrié. Elle, on a pu la dégager à temps! Et le chauffeur du camion? ai-je interrogé. — Soûl comme une botte! s'est exclamé Jacques.»

J'essayais de m'imaginer la scène, les bruits, les flammes et le reste. Un frisson m'a parcouru l'échine.

«Dire que Maryse et le Curé, a laissé tomber Jacques au bout d'un moment, c'était le couple qui marchait le mieux dans toute l'équipe!

«L'équipe... a-t-il répété en me regardant. Tu sais, Phil... Ça ne sera pas facile...»

J'ai ouvert le *New York Daily News* qui traînait sur le comptoir et j'ai scruté le classement des équipes dans les pages des sports.

«Boston a six points d'avance sur nous autres, Jacques! me suis-je exclamé, au terme de mon examen. Philadelphie deux et Buffalo nous chauffe les fesses! — Non! a poursuivi Jacques, absorbé dans ses pensées. Ce ne sera pas facile pour nous autres! Phil, écoute-moi bien! a-t-il enchaîné, en enflant soudain la voix. Même si je dois en crever derrière le banc, je veux gagner le championnat! Je la veux la maudite Coupe! — Difficile de fouetter les gars davantage, Jacques! me suis-je écrié en hochant la tête. Tout le monde donne déjà son effort maximum!»

En me retournant, j'ai aperçu Pierre Lambert qui nous cherchait. Nous ayant vus, il s'est aussitôt dirigé vers nous.

«Je viens de parler à Lucie! a-t-il dit, l'air intense et sérieux. Elle a passé la nuit aux côtés de Maryse. Ce n'est pas très beau! Multiples fractures du crâne, colonne vertébrale brisée... Elle est toujours dans le coma. — Merci, Pierre! a simplement répondu Jacques.»

Lambert s'est éloigné. En le suivant des yeux, Jacques m'a dit: «Tu sais, Phil, Lambert a manqué deux mois et pourtant, il va finir l'année avec trente buts!»

Il s'est tourné vers moi.

«Mais surtout, a-t-il ajouté, ce qui me fait le plus plaisir, c'est de constater que maintenant, quand Lambert parle, tous les joueurs l'écoutent! C'est un gars comme ça qui peut nous conduire à la Coupe, Phil! Un gagneur comme ça!»

Il me dévisageait, le front illuminé.

Je n'ai rien trouvé à répondre.

Seule, l'image de la coupe Stanley m'est venue à l'esprit.

J'ai souri comme à la plus sexy des sirènes...

Quand j'ai vu cette forme allongée dans des draps blancs, entourée de tubes, de fioles et d'appareils, j'ai senti que je tombais dans un puits noir et sans fond.

Je me suis approché du lit.

Un bout de visage, pâle et tuméfié, entre des bandages, m'a rappelé Maryse, ma femme.

C'était bien elle.

Un cri alors a jailli malgré moi du fond de ma pensée, un vent de révolte plus vaste que le monde m'a soulevé et j'ai hurlé du tréfonds de mon être: «Je te maudis, Seigneur!»

Oui! Oui! J'ai blasphémé!

Je crois que Paul est très secoué par l'accident de Maryse.

Je suis allé le voir, tout à l'heure, à la salle d'urgence de L'Enfant-Jésus pour lui apporter les secours de la religion, mais il m'a reçu plutôt froidement, moi son conseiller spirituel.

«Le Seigneur éprouve ceux qu'Il aime! lui ai-je dit. — Il doit m'aimer en maudit, pasteur! qu'il m'a répliqué. Pensez-vous, pasteur Pronovost, que ça vaut la peine d'être fidèle au Seigneur quand Il vient nous faire aussi mal que ça?»

J'ai suggéré la prière, mais il s'est rebiffé.

«À quoi ça sert? a-t-il rétorqué, sur un ton de révolte. Au moins, avant que je me convertisse, les femmes que je baisais ne finissaient pas paralysées sur un lit d'hôpital!»

Il ne servait à rien de poursuivre mon ministère auprès de lui.

J'ai ajouté quelques bonnes et circonspectes paroles d'encouragement et je suis retourné au temple, prier.

«Pour Paul Couture, Seigneur, qui a bien besoin de Toi...»

«Gilles! me disait, de New York au téléphone, Jacques Mercier. Tu devrais voir les gars! Ils ont l'air de veaux qu'on mène à l'abattoir! Le Curé, c'était le grand frère de l'équipe!»

J'ai répondu que c'était un coup dur à prendre, mais qu'il fallait se débrouiller.

«Tu sais quoi faire? lui ai-je demandé. (Il m'a répondu oui sur un ton déterminé.) — Compte sur moi, Gilles, je vais les brasser comme il faut! — Je suis derrière toi à cent pour cent, Jacques! ai-je ajouté en raccrochant.»

Quelques minutes avant la partie contre les Islanders, j'ai fait comme j'avais promis à Gilles, je suis entré au vestiaire fouetter les gars.

Je les sentais ailleurs, le coeur mou, sans volonté.

«Écoutez-moi bien! ai-je commencé par leur dire. Le match de tout à l'heure, je veux qu'on le gagne! Rien de moins! C'est clair?

«Buffalo vient de perdre, cet après-midi, contre Montréal, c'est notre chance de prendre les devants!

«Je sais bien, le malheur de Couture vous a dérangé les esprits, c'est normal! Mais on n'y peut rien! Vous allez oublier les misères du Curé, les gars! Le petit Jésus va s'occuper de lui, ne vous en faites pas! Vous autres, c'est au hockey que vous allez penser! Uniquement à ça! C'est pour jouer que vous êtes payés, pas pour brailler! Il ne vous reste plus qu'une chose à faire, laisser de côté vos faces de carême, et vous grouiller le cul!»

Je les ai regardés, un à un, et je suis sorti comme la cloche des trois minutes retentissait.

J'étais seule, à l'hôpital, au chevet de Maryse,

toujours inconsciente, entre vie et trépas (Paul se reposait dans la salle d'attente) et je lui murmurais à l'oreille : «Je comprends ce que tu me disais. Ça va mieux maintenant, grâce à toi. Merci, Maryse, merci. »

J'ai sursauté, quelqu'un venait d'entrer discrètement dans la chambre. Je me suis retournée et j'ai reconnu Lucie, la fameuse Noire de Pierre.

J'ai ressenti un pincement au coeur.

Elle s'est approchée, m'a souri avec douceur. Je n'avais plus la force de la détester, surtout pas devant Maryse.

«Est-ce qu'elle peut m'entendre ? ai-je demandé. — Non, Ginette ! a-t-elle affablement répondu. Vous savez, elle peut être comme ça plusieurs jours encore . . . Nous faisons l'impossible, croyez-moi, ne vous inquiétez pas. »

À son tour, Nicole Gagnon est apparue, les yeux rougis.

«C'est toujours les meilleurs qui partent les premiers ! » s'est-elle exclamée, après avoir longuement examiné la forme blanche et douloureusement inerte de Maryse qui arrachait sa vie, goutte à goutte, de la tubulure des sérums.

«Je ne sais pas ce que Jacques Mercier a fait aux joueurs, Linda, de me dire Lulu, à la fin de la partie contre New York, mais toujours est-il que le National a gagné ! — De justesse, Lulu ! ai-je rétorqué, trois à deux ! — C'était un beau match pareil, hein ? »

J'ai acquiescé.

Comment faire autrement? Après tout, qui n'applaudirait pas un miracle?

LA MORT ET L'AMOUR RÔDENT

À New York, j'avais remarqué dans la vitrine d'une boutique haïtienne, deux sculptures sur bois, représentant des fruits exotiques, qui m'avaient tout de suite plu. Je les ai donc achetées et rapportées à Québec.

À peine descendu d'avion, avant d'aller chercher Lucie et la ramener à la maison, j'ai accroché les deux objets sur un mur de ma cuisine.

En revenant à mon appartement avec elle, je lui ai voilé les yeux et l'ai guidée jusque devant les sculptures, tout heureux de la surprendre.

«Mon Dieu, Pierre! s'est-elle écriée, comme je libérais ses yeux de ma main. C'est quoi ça? — Tu n'es pas contente? que j'ai demandé d'un ton inquiet.»

Elle m'a répondu en m'embrassant.

«C'est pourquoi le cadeau? a-t-elle repris après un moment de chaleur. (J'avais une idée derrière la tête et Lucie m'avait deviné.) — Denis est déménagé hier! ai-je dit. J'aimerais que tu viennes vivre avec moi, ici! (Elle s'est défaite de mon étreinte.) — Tu sais Pierre, a-t-elle commencé par dire, en examinant de plus près son cadeau, je suis de garde une trentaine d'heures par semaine, j'ai mes cours à l'université encore, j'ai des travaux à remettre, des livres à lire, des examens à préparer, mon internat à compléter... Sais-tu combien d'heures par semaine, tout ça représente comme travail ? — On ne se dérangerait pas Lucie, voyons ! On n'est plus des enfants ! — Ce n'est pas la question, Pierre ! qu'elle a repris. J'ai besoin de tranquillité, de paix, de concentration... Toi, tu t'entraînes dans la journée, tu rentres de voyage tard la nuit, les éliminatoires vont commencer ! Non, il faut que je pense un peu à moi... Déjà que je pense trop à toi... (Je l'ai enlacée.) Tu me prends tout mon coeur, Pierre ! a-t-elle poursuivi. Laisse-moi au moins un peu de ma tête... (Je l'ai embrassée dans le cou.) Tu me manques ! J'en dors mal la nuit et quand je rêve, c'est à un bébé de toi...»

Ça m'a fait tout drôle d'entendre parler de bébé (pour dire vrai, c'était bien la première fois que l'idée d'être père un jour me traversait l'esprit).

«Tu as ta carrière, a-t-elle ajouté et j'ai la mienne ! Pour l'instant, je pense que c'est préférable de rester chacun chez soi...»

J'étais un peu déçu, mais je trouvais ses raisons valables.

«Pourquoi donc, Lucie, ai-je dit, qu'avec toi, je comprends toujours tout sans me fâcher ? — Peut-être parce que tu m'aimes et que tu commences à mieux t'aimer toi-même ? qu'elle a laissé tomber en posant ses lèvres sur les miennes.»

Je l'ai enveloppée de mes bras.

Enlacés, nous avons navigué, jusqu'à ma chambre et dans la mer houleuse de nos corps, nos désirs ont sombré.

☆

Pour une fois que je suis à la maison, par un bel après-midi de mars, Nicole a trouvé le moyen de disparaître en allant magasiner avec Marie-France, et Francis m'a laissé tout fin seul à la maison.

Depuis une demi-heure, je tourne en rond à lire les journaux et à jongler devant les photos publicitaires de Suzie, en manteau d'hiver dans le *Québec-Métro* et en robe du soir dans *Le Matin,* que j'ai étalées devant moi, sur la table de la cuisine.

L'envie de lui parler, de la revoir m'est venue si fort que j'ai composé son numéro (tout frais en mémoire). Elle a décroché.

«Allô... c'est Marc...» ai-je dit.

Elle n'a pas paru surprise.

«C'est merveilleux ce qui t'arrive, hein Suzie? ai-je poursuivi. On te voit partout... Je t'assure que tu n'es pas facile à oublier... (j'ai fait une pause). Surtout pour un gars qui pense toujours à toi... (Je suis resté sans voix, débordé d'émotion.) — Marc! a-t-elle dit. Moi aussi, tu sais, je ne voulais pas que tu m'oublies!»

J'ai retrouvé mes esprits suffisamment pour lui avouer que je l'aimais toujours («Ça ne s'oublie pas en trois mois!» me suis-je exclamé) et lui demander de venir prendre un café avec moi.

«Écoute Marc... (Je m'attendais au pire.) Le seul moment libre qui me reste, ce serait demain, ici. Disons à sept heures. Ça te convient?»

D'étonnement, j'ai avalé mon oui et bafouillé «À demain!» comme un adolescent boutonneux qui vient de décrocher son premier rendez-vous.

«La partie est dure, Linda! me disait Lulu, de la passerelle de la presse au Colisée d'où nous suivions le match contre New York. Trois à zéro pour les Islanders à la fin de la première, je trouve que ça augure bien mal! — Le National est mou comme de la guenille, Lulu! que je réponds. Ils manquent d'entrain! On les dirait en deuil! Pourtant, la femme de Paul Couture n'est pas encore morte, que je sache!»

«Ça ne file pas fort, hein, Pierre? me dit Denis, en nage, comme nous poussions la porte du vestiaire. — Je ne sais pas ce qui se passe... ai-je répondu.»

La porte s'est ouverte, le silence s'est fait et Jacques Mercier, fulminant, est entré.

«Vous devez être fiers de vous autres, bande de vaches! qu'il a commencé par nous dire. (Les gars ont baissé les yeux.) Boston a perdu ses deux dernières parties, on pouvait les rattraper ce soir, mais non! Ça aurait été trop simple de jouer avec du coeur au ventre!»

Il est venu se planter droit devant Paul Couture qui a levé la tête vers lui.

«Toi, Couture! a-t-il poursuivi. Aux trois buts que New York a comptés, tu étais sur la glace! Tu as passé ta soirée à genoux dans un coin! Tes maudites prières, tu ne pourrais pas les faire à l'église comme tout le monde, sacrament!

«Si tu ne veux pas jouer, dis-le! Si tu n'es pas capable, c'est simple, lève-toi, criss, et sors d'ici!

«Des gars avec des problèmes, j'en ai déjà vus! Ta femme, laisse-la où elle est, et joue! C'est pour ça qu'on te paye!»

Mercier a claqué la porte.

Le Curé était effondré, blanc comme une hostie.

«Il ne faut pas te laisser écoeurer, Paul... que je lui ai dit. Compte sur nous, on va te couvrir!»

Les gars ont abondé dans mon sens et je ne sais trop comment, mais au bout de quelques minutes, l'ambiance dans le vestiaire était changée du tout au tout.

Les visages se sont éclairés. Les sourires sont revenus, avec les encouragements et les tapes dans le dos.

En sautant sur la glace pour la deuxième période, je savais que tout à l'heure, il se produirait des miracles.

«En tout cas, ai-je dit pour conclure la rencontre avec la presse, ce matin, la victoire d'hier soir (cinq à quatre) contre New York montre que les gars ont du coeur! Combler un écart de trois buts et gagner, ça veut dire quelque chose! — Jacques, me demande Linda Hébert sur le pas de ma porte, après que les autres journalistes eurent quitté mon bureau, est-ce que motiver une équipe (elle cherchait ses mots), ça veut dire insulter gravement un des joueurs devant tous ses coéquipiers en ridiculisant ses convictions religieuses ? — C'est quoi cette histoire-là ? ai-je demandé, soudain mal à mon aise. — Ce que tu as dit à Paul Couture entre la première et la deuxième période hier soir, a-t-elle poursuivi, tu trouves ça correct ? — Il ne s'est rien passé dans le vestiaire ! ai-je répondu sèchement. — J'ai mes sources, Jacques ! qu'elle a rétorqué, l'oeil indigné. Elles sont sûres et formelles ! (Linda commençait à m'échauffer les oreilles.) — Ce qui se passe dans le vestiaire entre deux périodes, ça regarde personne, encore moins des journalistes et surtout pas toi, Linda Hébert ! que je lui ai lancé en l'invitant du geste à sortir. — C'est ça ta déclaration ? a-t-elle demandé.»

J'ai gardé silence.

«Très bien, c'est tout ce qu'il me fallait pour écrire mon papier ! Tes propos édifiants vont être publiés intégralement. — Je m'en fiche ! ai-je répondu comme elle passait la porte. Écris ce que tu voudras ! Tout le monde s'en fiche de ce que tu vas vomir, Linda, parce qu'on a gagné contre New York et c'est ça qui compte !»

J'ai fait claquer la porte à ses talons.

D'après le docteur Bergeron (qui l'aurait dit à Phil, qui l'aurait raconté à Nounou, etc.), Maryse serait mieux de ne jamais se réveiller.

C'est ce que je répétais à Pierre ce matin en faisant avec lui mon entraînement (intensif) quotidien au club Marius (finales exigent).

«Tu penses, Denis, qu'il m'a répondu, que Maryse serait devenue une sorte de légume ? — Quelque chose comme ça, oui... que j'ai ajouté. »

Pierre a pris le temps de bien me regarder.

«Ça prouve mon Denis, m'a-t-il répondu d'un air grave, que la vie, comme la coupe Stanley, il faut la prendre quand elle passe ! »

Et justement, la Coupe allait passer.

Je lui ai souri de complicité.

Aujourd'hui 26 mars, j'ai préparé une petite fête avec Marie-France (aidées au compte-gouttes par Francis) pour l'anniversaire de leur père.

Tout est prêt : les guirlandes, le rôti, le gâteau, les bougies.

À sept heures, toujours pas de Marc. Les enfants s'impatientent et s'inquiètent. Finalement, il appelle.

«Tu t'en viens ? que je lui demande. Tu avais promis aux enfants d'être ici pour sept heures ! — C'est pour ça que j'appelais, Nicole ! J'avais oublié de te le dire, je suis avec Luc Sigouin, j'en ai pour une couple d'heures... Il va falloir que vous mangiez sans moi ! »

Il a patiné un peu, puis il a raccroché.

Mon Dieu ! Que ces guirlandes, ces banderoles, ce gâteau, ces confettis, cette cuisine même, ma maison, mes enfants, ma vie tout entière, que tout cela me semble donc tout à coup atrocement dérisoire !

Suzie avait trouvé le temps de me gâter.

À sept heures, en plus de me recevoir plus belle que jamais dans une robe aguichante, un petit souper, au champagne s'il vous plaît, m'attendait.

«... Je pense que je vais m'en aller vivre à Paris ou à New York» me disait-elle, comme nous en étions aux dernières bouchées d'un gâteau au chocolat.

«J'ai dix-huit ans, quand on veut faire carrière, une vraie, il faut partir ...»

Je l'ai encouragée.

J'allais ouvrir une autre bouteille de champagne.

«Sais-tu, m'a-t-elle dit l'oeil vibrant, c'est pas tellement de champagne dont j'aurais envie ...»

Nous avons fait l'amour comme à Montréal, au Ritz, la première fois.

Un peu plus tard, je lui ai demandé si nous allions recommencer à nous voir, comme avant.

«Non, pas comme avant ! qu'elle m'a répondu d'un ton neutre, pour ne pas me faire mal. Tu sais, maintenant, je me sens libérée de toi.

«Tu peux te consoler en te disant que je t'ai aimé beaucoup, Marc! Ça au moins, ce n'est pas perdu! Mais pour reprendre, ça, non, c'est fini. Je vais me contenter de te regarder jouer! — C'est ma fête aujourd'hui, Suzie! ai-je ajouté en sortant.»

Elle m'a embrassé en me souhaitant de gagner la Coupe cette année.

«Toi tu gagnes déjà, Suzie! ai-je conclu. Tu sais, moi, je t'aime encore!»

Elle a souri. Ailleurs.

À un autre, déjà, peut-être?

En rentrant à la maison, c'est une banderole rouge vif, à la cuisine, qui a attiré mon attention. Dessus, il y avait écrit «Bonne fête papa chéri!» Un gâteau, intact, trônait sous sa coupole de verre, sur la table vide.

Au salon, un oreiller et des couvertures avaient l'air de m'attendre.

«Est-ce que j'ai encore ma place ici?» que j'ai demandé à Nicole en pénétrant dans notre chambre.

Elle était étendue, au milieu du lit, un livre à la main. Elle m'a regardé droit dans les yeux.

«Non!» a-t-elle répondu, sans animosité, sans haine, sans compassion, presque sans émotion.

J'ai baissé les yeux et en silence, je suis allé me coucher sur le divan du salon.

UNE CONVERSION CRUCIALE

«Jacques, me disait Phil Aubry calé dans une chaise, une liasse de papiers sur les genoux, on a gagné six de nos huit dernières parties ! Il nous en reste quatre à jouer ! Mais la clé du championnat, Jacques, c'est à Washington et Boston qu'elle se trouve ! Il faut les gagner ces deux parties-là ! Coûte que coûte !»

Il me dévisageait, attendant que j'ajoute mon commentaire, mais je n'avais qu'une chose en tête : Paul Couture.

«Qu'est-ce qui se passe, Jacques, a repris Phil. Tu ne dis rien ? — Ça fait vingt-deux jours que la femme de Paul est dans le coma ! ai-je répondu finalement. Sais-tu, Phil, combien de buts, les adversaires ont comptés dans nos filets, le Curé présent sur la patinoire ? (Phil a jeté un coup d'oeil sur ses papiers.) Je vais te le dire, moi ! Dix-huit ! Le pauvre gars n'est plus là ! ai-je poursuivi. Notre meilleur défenseur n'arrive plus à jouer ! — Qu'est-ce qu'on fait ? a demandé Phil. On débranche sa femme ? — Pas de farce avec ça, Phil, s'il te plaît ! me suis-je écrié. Tout ce qui nous reste à faire, ai-je repris, c'est de ne perdre ni la tête ni notre avance !»

Heureusement, Phil n'a pas demandé comment je pensais y parvenir. J'aurais été bien embêté pour lui répondre, n'en sachant encore rien moi-même...

Après la quarante et unième partie, le National m'a versé une importante somme d'argent en paiement rétroactif.

J'ai pu commencer à rembourser mes dettes.

J'ai remis à Robert Martin, ce soir au vestiaire (avant la partie contre Chicago), les deux mille dollars empruntés pour maman, l'hiver dernier.

«Tiens, Bob! que je lui ai dit. Je te remercie, tu ne peux pas savoir à quel point tu m'as rendu service! — Voyons, Pierre! Ça m'a fait plaisir! Au fait, a-t-il ajouté, en dois-tu encore beaucoup aux gars? — Huit mille, Bob! Mille chacun!»

Je lui ai dit que je comptais sur le bonus du championnat, (quatre mille dollars environ) pour en liquider une partie au moins.

«Si on gagne la série, Pierre! s'est-il écrié, tu n'auras plus besoin de t'inquiéter avec ça, tu vas voir!»

Nous avons hoché la tête en riant comme Nounou s'était approché.

«Sais-tu, le Chat, a-t-il commencé par me dire, d'un ton solennel, il va bientôt falloir t'appeler monsieur Lambert et dérouler un tapis rouge tout le tour de ton casier?»

J'avais bien remarqué le haut niveau de ma popularité au sein de l'équipe, mais je ne voyais pas à quoi Nounou voulait en venir. Et je me méfiais, particulièrement, des ragots cruels qu'il se plaisait à colporter dans le vestiaire.

Un nuage noir est passé dans mon oeil.

«Comment ça, Nounou? ai-je demandé sans parvenir à camoufler mon inquiétude. — Ouais ... a-t-il enchaîné. Il paraîtrait que Gilles Guilbault deviendrait ton beau-père? (Les gars se sont approchés, l'air moqueur.) — Qu'est-ce que tu veux dire exactement, Nounou? ai-je bafouillé nerveusement. — Il y en a qui disent que ta mère et lui, sortiraient ensemble?»

Je suis resté interloqué.

«Ah bon! s'est écrié Marc Gagnon sur un ton d'ironie, amusé. Je comprends pourquoi tu joues sur tous les *power plays,* maintenant! Les ordres viennent d'en haut!»

Tout le monde rit et se moque de moi, gentiment.

«Bon, écoutez les gars! que j'ai répliqué en les balayant du regard. Cette fois-ci, vous n'arriverez pas à me faire grimper dans les rideaux (les rires ont diminué)! Les amours de ma mère, ce n'est pas de mes affaires, encore moins des vôtres (le silence s'est fait, on s'est arrêtés, on m'écoute comme si j'allais prononcer le mot magique qui va nous ouvrir la caverne d'Ali Baba)!

«Si ça ne vous fait rien les gars, ai-je ajouté, le plus calmement du monde, j'aimerais mieux qu'on s'occupe des Black Hawks de Chicago, ce soir! C'est eux autres qu'il faut battre!»

Un «Yé» enthousiaste, sortant comme d'un seul poumon, a retenti.

«Je pense qu'on doit la gagner celle-là, s'est écrié tout haut Michel Matthieu, si on veut se faire rembourser notre argent! — O.K. les braves! a renchéri Robert Martin. On va la gagner pour la nouvelle patronne!»

Je n'ai pu m'empêcher d'éclater de rire (avec les autres), en assenant à Bob, un amical coup de bâton sur le derrière.

En revenant de Chicago, avec une autre victoire de trois à deux dans les poches et le coeur en fête, je trouvais Jacques Mercier cruel de priver les gars d'une bière ou deux, à bord de l'avion qui nous ramenait à Québec.

Je suis allé le trouver.

En passant à côté de Mac Templeton, je l'ai entendu demander moqueusement à Paul Couture où était passée sa bible (Paul avait cessé ses prêches sur l'Écriture, et avait plutôt l'air d'avoir défroqué).

«Écrase Templeton!» a sèchement rétorqué le Curé.

À l'avant de l'appareil, je me suis accroupi tout près de l'entraîneur qui lisait un journal.

«Jacques, que je lui ai dit, les gars viennent d'en remporter une grosse, on joue demain contre Boston, ça ne sera pas facile... Je pense que ça ferait grand bien à tout le monde de prendre une bière ou deux... qu'est-ce que tu en dis? — Si j'avais voulu faire distribuer de la bière par l'hôtesse, Bob, que me répond Jacques d'une voix cassante, je l'aurais fait sans attendre que tu viennes me le demander! — Moi je disais ça pour l'équipe... que j'ajoute en bégayant. — L'équipe, Bob, qu'il s'écrie le timbre haut (le silence se fait autour, je me suis redressé), c'est moi qui la mène! Veux-tu bien te mêler de tes maudites affaires!»

Je suis resté figé sur place.

Les joueurs, eux, n'avaient pas dit leur dernier mot.

Pierre Lambert (suivi de Mercure et Matthieu) a entonné une chanson que les autres ont reprise et finalement, en l'espace de quelques minutes, toute l'équipe s'était mise de la partie et chantait à tue-tête...

«Deux bouteilles pour chacun, pas plus!» a laissé tomber Jacques Mercier à l'hôtesse accourue à son appel.

Je suis retourné à mon fauteuil, tout sourire, en chantant avec les autres.

Ce matin (le réveil a été dur, nous sommes revenus tard de Chicago), je me suis précipité au club Marius pour mon entraînement habituel («Il ne faut pas lâcher, Pierre!» que je me disais) pour ne rien perdre de ma bonne forme.

Comme depuis quelques semaines déjà Geneviève me rôdait autour, pour la contenter, à la fin de ma séance, je l'ai invitée à souper chez moi.

Là, elle m'a fait des propositions très claires et directes. Je les ai toutes repoussées.

«Je voulais être seule avec toi, m'a-t-elle dit racoleuse, il y a longtemps que j'en rêve... — Geneviève, que j'ai répondu, tu es une fille merveilleuse! Tu es belle sans bon sens, mais j'aime Lucie... — Elle n'a pas besoin de le savoir! qu'elle m'a répliqué, d'une voix enjôleuse.»

J'ai verbalisé mon refus.

«C'est dommage! qu'elle a laissé tomber, un peu dépitée. Ta Lucie est bien chanceuse!»

Elle m'a quitté, déçue.

Moi, j'avais l'ego gonflé d'orgueil.

Seul devant mon miroir, je me suis senti, soudain, le plus beau gars du monde!

Après tout, pouvais-je m'offusquer d'être l'objet du désir d'autrui?

Un fou!

«Fabi! que je suis content que tu sois venue me voir dans ma retraite fermée! que j'ai lancé à Fabienne comme elle entrait chez moi en provenance de Chicoutimi. — Denis! je me suis ennuyée à mourir (elle s'est collée à moi)! Comme ça, a-t-elle poursuivi, le National vous séquestre pour la durée des éliminatoires? — Oui! ai-je répondu mi-sérieux, mi-blagueur. Plus de grande bouffe! Plus d'alcool! Plus de distractions! Plus de sorties! Plus de femmes (je l'ai enlacée)! Plus rien d'autre que du hockey! Du hockey partout, du hockey tout le temps!

«Tu sais, ai-je ajouté en lui mordillant l'oreille, pendant les séries, il faut même demander à Mercier la permission d'aller pisser! (J'ai dissous son rire sur mes lèvres.) Si jamais, Fabi, je me promène avec la coupe Stanley au bout des bras, que je lui ai dit plus tard, je vais hurler tellement fort que tu vas m'entendre jusqu'à Chicoutimi!»

Je l'ai embrassée encore une fois, puis je l'ai remerciée d'être apparue dans ma vie au bon moment!

L'instant d'après, nous nous perdions dans l'ivresse de nos retrouvailles.

Je suis incapable de rester en place à la veille des séries.

Je suis donc allé prendre une bière chez Gino.

Aux toilettes, je suis tombé sur Lulu, complètement paf, qui s'est amené à ma table en pleurnichant.

«Je sais que je t'achale, Marc! qu'il m'a lancé à travers ses effluves d'alcool. Tu voudrais être tout seul!»

Il s'est assis péniblement, sa grosse bière devant lui.

«Je le sais, a-t-il dit en continuant de battre sa coulpe, que j'ai été dégueulasse dans l'affaire des Haïtiens, vous devez tous m'haïr encore bien gros, hein?»

Je lui ai dit que tout le monde avait oublié ça depuis belle lurette («Les séries, Lulu!») et que de toute façon, il n'avait fait que son travail de journaliste.

Il a levé son verre à Geneviève en me répétant *ad nauseam* à quel point il l'aimait et la trouvait belle.

«Que veux-tu Marc! s'est-il écrié la bouche empâtée d'émotion et de bière. Les crapauds, ça fait peur au soleil!»

J'ai eu beau lui dire qu'il exagérait, mais il est resté inconsolable. Il a bu encore et encore.

Finalement, j'ai dû le ramener chez lui, soûl mort et, malgré ses protestations, dans ma Ferrari. Je ne tenais pas à voir Lucien Boivin aller rejoindre Maryse Couture au désolant pays du coma.

J'étais très fatigué de voir Paul Couture ronger sa peine et s'affaler dans son malheur.

S'il n'arrivait pas bientôt à quitter sa torpeur, il risquait de nuire à l'équipe et nous faire rater notre chance d'aller jusqu'au championnat.

J'ai donc profité d'une soirée où je savais qu'il irait au temple (le pasteur Pronovost avait réussi à le ramener au bercail, paraît-il), pour réunir les joueurs et leur proposer mon plan.

Tous l'ont accepté d'emblée.

« On y va tout de suite mon Pierre ! » m'a répondu Robert Martin au nom des autres.

Nous nous sommes donc rendus au temple de L'Évangile, à Sainte-Foy.

Paul était agenouillé dans les premières rangées du choeur. Nous nous sommes approchés discrètement (à sept gars, ce n'était pas une mince affaire) et nous sommes allés nous asseoir à quelques pas de lui.

Le pasteur Pronovost, qui n'avait pas été prévenu de notre arrivée en masse, a dû croire à une conversion collective ; en nous voyant, il a aussitôt entonné un chant d'action de grâce !

L'assemblée (le temple était presque plein) s'est levée et s'est mise à chanter avec ardeur.

Nous ne connaissions pas les paroles du cantique, mais la mélodie nous était familière (une chanson des Beatles). Nous avons donc joint nos voix (à bouches fermées) à celles des fidèles, attirant, par la rudesse de nos timbres, l'attention de Paul.

En nous apercevant, en rang d'oignons, côte à côte, il a cru à une apparition de Dieu-le-Père en personne, son visage s'est soudainement transfiguré.

Il s'est levé, est venu vers nous et nous a serré tous la main, avec chaleur, les yeux rouges d'émotion, pendant que montait toujours le chant d'allégresse.

C'est ce soir-là, j'en suis sûr, que le coeur du National s'est vraiment mis à battre et que tout est soudain devenu possible.

DES SÉRIES QUI PROMETTENT

«Ça y est, Linda ! s'écrie Lulu en me pressant de toutes ses forces contre lui et en m'embrassant sur la bouche (exceptionnelle familiarité). On les fait les séries ! — "On", Lulu ? que je réplique en riant. — Cinq à deux contre Boston, Linda ! répète-t-il en claquant des mains. »

Autour de nous c'est la foire, l'hystérie collective! Le National s'est rendu aux séries! C'est tout un événement!

Je suis calme d'habitude, mais ce soir, au vestiaire du club, je ne peux m'empêcher de crier avec les autres, avec la foule des partisans qui chantent *Halte-là* depuis vingt minutes à tue-tête dans les gradins.

Jacques Mercier s'amène, affichant son trop rare (voire enjôleur) et pourtant rayonnant visage des grands jours. Il réclame un silence qu'il obtient, d'ordinaire, sans demander.

«Félicitations, les gars! lance-t-il, visiblement satisfait. Mais il ne faut pas oublier que les séries commencent mardi, contre Philadelphie... Vous savez ce que ça veut dire? (Des "ouais" faussement dépités lui répondent.) Pas de folies. Pratique demain à onze heures! — Quoi? de s'exclamer Marc Gagnon, comme le tintamarre reprenait. À onze heures? — As-tu un rendez-vous à cette heure-là? lui a vivement rétorqué Mercier. Comment? Encore ta Ferrari? a-t-il ironiquement ajouté. — Non, non, c'est correct! a laissé tomber Gagnon en s'éloignant.»

Mercier m'a regardée et pour la première fois depuis que je le connais, m'a gratifiée de son plus beau, plus simple et franc sourire.

«Décidément, me suis-je dit, voilà des séries qui promettent!»

Avant de me rendre à l'aéroport, où l'avion qui doit mener l'équipe à Philadelphie nous attend, ma femme a tenu à me faire voir les nouveaux progrès de notre fils Jimmy.

Aujourd'hui (bien péniblement encore, il faut dire) il a pu se lever de sa chaise roulante et faire presque un pas complet, tout seul, avant de s'effondrer en sueurs, l'oeil fou de triomphe, dans les bras de sa mère !

«Jacques, tu as vu !» s'est exclamé Judy, rayonnante de fierté, pendant que Jimmy reprenait son souffle.

J'ai embrassé mon fils en l'assurant qu'à mon retour, il en ferait sûrement dix. Il m'a souri, tremblant d'excitation et de fatigue.

Le moment de partir est venu.

«Tu sais Jacques, me dit Judy, dans la voiture, c'est plus difficile d'année en année pour Jimmy. Il vieillit.»

Elle s'est appuyé la tête contre mon épaule.

«Il s'ennuie beaucoup de toi quand tu n'es pas là... a-t-elle ajouté. — Et toi ? Tu t'ennuies de moi ? que je lui ai demandé. — Surtout quand tu gagnes ! qu'elle m'a répondu en souriant. — Eh bien, ça tombe mal ! que je lui ai lancé. Je m'en vais en finales pour gagner ! Ma pauvre Judy, j'ai bien peur, en revenant, de te retrouver morte d'ennui !»

Elle m'a embrassé dans le cou. De mon bras libre, je l'ai enlacée.

Mes bagages m'attendaient à la porte, je venais de dire au revoir à Marie-France et j'observais Francis qui faisait semblant de m'ignorer, assis à la table de la cuisine.

Je suis allé le trouver.

«Francis, ai-je demandé, c'est vrai que tes notes ont baissé? (Il m'a regardé comme si j'atterrissais d'Uranus.) — Oui, papa! a-t-il répondu presque avec satisfaction. — Francis, écoute-moi! ai-je repris. Moi, ma carrière s'achève et je me retrouve sans diplôme, sans rien. C'est important d'étudier, si tu veux réussir dans la vie... — Je n'aime pas l'école! qu'il me répond en baissant la tête.»

J'étais un peu désemparé. Nicole était là, silencieuse, à nous observer.

«Dis-moi Francis, ai-je demandé, est-ce qu'il y a quelque chose que tu aimes beaucoup? Qu'est-ce que tu aimes le plus? — Le dessin! a-t-il aussitôt répondu. — Tu sais, ai-je poursuivi, je pars pour plusieurs semaines... (une idée m'est venue comme une inspiration). Si tu me faisais un grand livre tout plein de dessins comme tu les aimes, ça me ferait terriblement plaisir... — Tu aimerais vraiment ça? qu'il m'a demandé, les yeux brillants. — Énormément! que j'ai répondu en les embrassant, lui et sa soeur venue chercher sa part de chatteries.»

«Je t'attends avec du champagne, Marc? m'a demandé ma femme à la porte, en m'enveloppant de ses bras. — Garde-le au frais, Nicole! ai-je répondu en me laissant couvrir de baisers. Je m'en viens avec la Coupe qu'il faut pour le boire!»

L'instant d'après, j'étais parti.

Pour mon départ, Lucie m'avait invité à manger

chez elle. Après le dernier café, le moment de la séparation (temporaire) était arrivé.

«Pierre, me disait-elle, je ne pensais jamais trouver ton départ aussi difficile ! Je ne me reconnais plus ! — Peut-être que ça sera suffisant pour te donner le goût de venir vivre avec moi à mon retour ! ai-je répondu en ricanant.»

Les adieux se sont faits, les yeux ont rougi entre les embrassades et finalement, plus tard, quand j'ai regardé dehors, l'avion roulait sur la piste.

Là-bas, au sud, par-delà les nuages, les rêves et les espoirs, Philadelphie nous attendait au bord de la Delaware . . .

À dix heures, dans une salle de notre hôtel à Philadelphie, Mercier a réuni toute l'équipe pour nous faire visionner un montage de nos plus belles gaffes de la saison («Un vrai festival, Denis !» de me glisser Pierre).

C'est un exercice à la fois éducatif et tordant.

C'est ainsi qu'on a vu et revu Robert Martin, dans un coin, abandonner la rondelle à un adversaire arrivé par surprise.

«Ça, de s'exclamer Mercier en commentant les images que Phil Aubry refait passer au ralenti en ricanant sadiquement, c'est un gars qui a treize années d'expérience dans la ligue qui fait ça ! La tête entre les patins ! Qui ne regarde pas derrière lui ! Manque de concentration Robert Martin !»

Bob se râcle la gorge sous la mitraille des rires moqueurs.

Puis le tour de Marc Gagnon est venu.

Puis celui de Pierre, de Paul, le mien, et le tour de beaucoup d'autres.

À la fin, il a fait rallumer les lampes et s'est tourné vers nous.

«Ce que vous venez de voir, les gars, c'est de quoi vous avez l'air quand vous êtes convaincus que la partie est facile. Quand vous ne voulez pas vous faire souffrir! Quand vous avez peur d'avoir mal!

«Vous le savez tous, a-t-il poursuivi après une pause, on ne peut pas gagner si on ne va pas au-delà de son maximum, en un mot, si on n'accepte pas de souffrir!

«Souffrir, ça veut dire absorber le coup reçu pour conserver la rondelle, c'est se laisser écraser contre la rampe pour donner une seconde de plus à son coéquipier, c'est passer la rondelle à quelqu'un de mieux placé! C'est même oublier que sa femme est dans le coma... (il y a eu une vague d'émotion parmi nous).

«C'est en souffrant, les gars, a-t-il achevé, qu'on va gagner la partie de demain soir! Pas autrement! Vous êtes prêts?»

Je n'ai pas entendu souvent un cri de ralliement aussi net, aussi sincère, aussi puissant.

À minuit trente, à peine assoupie, le téléphone m'éveille.

«Ah, excuse-moi Maroussia! Je te réveille, hein? J'ai eu le goût d'entendre ta voix... — Comment vas-tu, Gilles? — Oh! j'ai bien des problèmes... bien du travail... la saison est dure... avec les séries qui commencent, c'est pire...»

Je lui ai dit que je pensais à lui souvent et de plus en plus (mon regard s'est posé sur la photo de Guy sur un mur de ma chambre).

Il a gémi.

«J'aimerais te serrer dans mes bras, Maroussia! Il me semble que ce serait plus facile... — Tu penses? ai-je demandé mi-sérieuse.»

Il m'a fait mille tendresses et beaux compliments et m'a souhaité affectueusement bonne nuit.

Je suis retournée me coucher, chercher la trame de mon sommeil, tisser la toile de mes rêves, pendant qu'à Philadelphie, mon fils se préparait à se tailler une place parmi les siens.

TREIZIÈME CHAPITRE

LA GRANDE
BATAILLE

UN MATCH PAS FACILE

« Ça y est, Linda ! me lance Lulu, comme j'étais plongée dans mon calepin de notes, nous voilà rendus en finales ! »

Déjà le 15 mai, me disais-je en jetant un coup d'oeil au calendrier. Je n'avais pas vu le temps passer. Les éliminatoires s'étaient déroulées comme dans un rêve (un cauchemar, pour certains), le National éliminant tour à tour, Buffalo, Montréal et les Flyers de Philadelphie.

Mais le pire restait à venir : les finales contre Boston, l'ennemi héréditaire.

C'est ce soir, que le cirque allait commencer, au Colisée de Québec.

J'entretenais des doutes sérieux sur les capacités du National de vaincre les Bruins.

« En quatre, Lulu ! que je disais à mon collègue. Le National se fait dévorer tout vif en quatre matchs ! »

Lucien, dont la dévotion aux hommes de Mercier était aussi entière que naïve, a bondi de rage sur sa chaise et s'est mis à m'engueuler comme du poisson pourri.

Le pauvre Lulu ne réalisait pas, dans son aveuglement partisan, que je me payais tout bonnement sa tête.

J'en remettais, pour l'attiser davantage. Lui, s'enflammait de plus belle, vantant avec force épithètes, l'ardeur et le talent des Gagnon, Lambert, Mercure, Martin et le reste.

J'étais morte de rire dans ma barbe de femme...

«On se croirait dans un hôpital, Pierre!» me disait Denis, au vestiaire, comme le docteur Bergeron bandait de gaze l'épaule de Robert Martin, gémissant («Le bras est presque sorti de l'articulation, Bob!»), et que Réal, son adjoint, en faisait autant pour ma cheville.

«Plus fort! Serre plus fort! ordonnait le docteur à Réal. Le ligament est étiré!»

«Sacrament! que je me suis écrié en grimaçant. J'ai le pied déjà engourdi, je ne sens plus rien! — C'est ce qu'il faut, mon Pierre! m'a répliqué l'adjoint.»

Nounou, mère-poule et nurse à la fois, allait d'un gars à l'autre, s'occupant du poignet de celui-ci ou massant le dos de celui-là.

Oui, Denis avait raison, on se serait crus dans une salle d'urgence.

Puis, Jacques Mercier est entré.

En silence, il s'est planté droit devant Marc, l'a intensément fixé dans les yeux, longuement, puis il a dit : «Prêt, Marc ?» Gagnon a hoché la tête avec détermination.

À chacun de nous, Mercier a répété le même rituel, sondant du regard, au fond de notre tête, la racine même de notre volonté. Son oeil avait le don de piquer notre orgueil, d'éveiller une rage cachée qui sommeillait en nous et la faire surgir à la surface.

Quand, à mon tour, je lui ai dit oui de la tête, plus qu'une seule pensée m'habitait : battre Boston !

«Excuse me, Rico !» m'a lancé Gary Bennett en courant vers le lavabo, pâle comme un mort, un peu avant de sauter sur la glace pour la première des finales contre Québec. J'ai ouvert pour lui la porte des toilettes.

Quand le National l'a envoyé avec nous, j'avais entendu dire (un soigneur finit par tout savoir) que Gary Bennett était un bon gardien, mais qu'il avait la manie de vomir de peur avant chaque match important. Je croyais que c'était une blague. J'ai vite découvert qu'il n'en était rien.

Gary a vomi deux fois ce soir.

L'entraîneur est entré, Ken Ashley a cessé de hurler, Jimmy Thompson de sacrer et Eddie Dawson s'est adressé aux gars.

«Vous savez ce que vous avez à faire ? leur

a-t-il dit avec son anglais texan. Leur botter le cul! Cognez fort! Ne ratez pas Lambert ni Gagnon, surtout! Je veux leurs scalps! M'entendez-vous? Leurs scalps!»

Les gars ont crié si fort que j'ai dû me boucher les oreilles à deux mains!

«Denis, as-tu vu ce que Nounou a accroché sur le mur du fond?» me demande Pierre comme je finissais d'ajuster une jambière.

J'ai levé la tête et j'ai vu trois chandails ennemis (Buffalo, Montréal et Philadelphie) bien tendus, fixés chacun par quatre clous au mur du vestiaire, comme des chauves-souris sur une porte de grange.

Au bas de chaque chandail était épinglé une pancarte: RIP 16 avril, pour les Sabres, RIP 27 avril pour le Tricolore et RIP 12 mai, pour les Flyers.

J'allais manifester ma chaude appréciation de la mise en place dramatique de Nounou, quand Jacques Mercier a fait son apparition.

«Marc Gagnon et Robert Martin pourraient vous le dire, a-t-il attaqué en nous balayant du regard, vous êtes tout près de vivre le plus grand jour de votre vie, gagner la coupe Stanley!»

Il a pris une profonde respiration, nous tous avec lui.

«Il y a des centaines de grands joueurs de hockey qui ont passé quinze ans dans la ligue sans jamais y parvenir! Vous autres, il ne vous reste plus que quatre parties à gagner.

«Marc et Robert vous le diront, ce sont les quatre parties les plus dures de toutes! Savez-vous pourquoi? Parce que de l'autre côté, Boston pense exactement la même chose!

«Les Bruins, on les connaît. On a étudié tous les vidéos de leurs matchs. On sait qu'ils sont forts, qu'ils ont du coeur! Mais je suis convaincu qu'on peut en avoir encore plus qu'eux autres!»

«Nounou!» a-t-il lancé en se tournant vers l'intéressé qui tenait un chandail jaune avec un B sur le devant. Saint-Cyr s'est dirigé vers le mur du fond et d'un coup de marteau a transpercé le B d'un clou. Le chandail des Bruins a eu l'air d'un chiffon, pendant misérablement à côté des autres.

«Vous voyez ces clous que j'ai dans la main? a poursuivi Mercier. Pour que le chandail de Boston soit bien accroché comme les autres, tout ce qu'il faut, c'est quatre clous! Un clou par victoire! C'est à vous autres à donner les coups de marteau qu'il faut!»

Il est parti, mais le silence est resté, tous les gars attendant le geste que Steve Broadshaw devait poser avant de nous diriger vers la patinoire affronter Boston.

Steve dévorait le plancher des yeux. Soudain, il s'est levé, a empoigné son bâton et l'a fracassé en hennissant d'un coup sec sur une table.

Le sacrifice sacramentel avait été accompli, maintenant, la partie pouvait commencer.

« Tu as l'air piteux ! que je glisse à Lulu, assis tristement à mes côtés, sur la passerelle des journalistes. — Tu sais, Linda, qu'il me répond d'un ton boudeur, quatre à un pour Boston à la deuxième, ce n'est pas très encourageant ! »

J'ai eu à peine le temps d'enchaîner « Que veux-tu ! » que la foule poussait sa clameur des moments dramatiques.

Pierre Lambert venait de recevoir de la part de Jimmy Thompson (l'éternelle bête noire, l'ennemi par essence), un solide coup de coude au thorax et demeurait étendu sur la glace. Mercure a voulu le venger, mais Gilbert, des Bruins, l'a retenu. La bagarre a failli prendre. Ils se sont séparés.

Quelques secondes d'angoisse générale et Lambert est debout pendant que Thompson, le premier des gorilles des Bruins, exécutant l'ordre de l'arbitre, se dirige vers le banc des punitions sous les huées copieuses d'un Colisée rageur.

« Ça va Pierre ? me demande Mercier comme je reviens au banc avec Denis et Marc après le coup de Thompson. — Oui, ça peut aller, Jacques ! que j'ai répondu, essoufflé. »

« Calmez-vous, les gars ! nous a-t-il dit. Quatre à un, ça se remonte ! Surtout : ne vous laissez pas entraîner dans les bagarres ! Compris Mercure ! Un but à la fois ! On est capable d'y arriver ! »

« De l'eau, Rico ! » me crie Ashley en revenant au banc. Je fouille dans mes bouteilles.

«Ils sont en train de paniquer, les gars! dit aux joueurs en se penchant vers le banc, Eddie Dawson, comme je donne de l'eau à Ashley. Lâchez pas Lambert et Gagnon! Ils ont tellement peur des punitions, qu'ils vont vous laisser faire! Go!»

«Enfin du jeu, Linda! Ce n'est pas trop tôt!» me crie Lulu comme Lambert orchestre avec Gagnon et Mercure (précédés de Couture et Broadshaw) une superbe remontée vers le filet des Bruins. La foule se lève d'un trait.

Lambert contourne les buts de Bennett juste comme Luc Gilbert le met solidement en échec. Lambert s'écrase, Gilbert par-dessus lui.

Templeton sur le banc veut se précipiter, on le retient. C'est Couture qui vient faire le zélé en tentant de dégager Pierre du poids de Gilbert et qui se voit attribuer dix minutes de punition pour avoir été le troisième homme dans la bagarre!

Cette décision, fort injuste, est accueillie par des huées sauvages. Marc Gagnon bondit, furieux, et abreuve l'arbitre d'injures, lequel le regarde les mains sur les hanches, faussement imperturbable.

Le banc du National aboie, Mercier en tête. L'arbitre menace, tout le monde se calme, le jeu reprend.

Trop tard, la sirène hurle la fin de la rencontre.

Sous les applaudissements sincères et attristés des partisans, le National regagne son vestiaire tandis que les Bruins disparaissent sous les menaces et les quolibets.

«Cinq à un pour les Bruins! En voilà une chez le diable, Linda!» me lance Lulu, dépité, en rangeant distraitement ses papiers.

Je classe les miens.

Sans le dire à Lucien, moi aussi, je suis triste et j'ai le coeur gros.

«Rico!» me crie Jimmy Thompson du fond de notre vestiaire après que les cris de victoire des gars se furent un peu calmés. «*Hammer*! Marteau, Rico!»

Je lui ai apporté ce qu'il réclamait.

Il s'est approché du chandail du National que j'avais pendu à un crochet avant la partie, l'a saisi par l'épaule et d'un vigoureux coup de marteau, l'a cloué au mur!

Le tintamarre a repris, pendant que je fixais le chandail du National en me frottant les mains de satisfaction.

«Les joueurs n'étaient pas prêts, Gilles! me disait Jacques Mercier en faisant les cent pas devant Phil et moi entre le magnétoscope et le divan de mon bureau. Manque d'expérience! Les gars pensaient que la Coupe était déjà dans leur poche. Manque de concentration, manque d'intensité. — Il va falloir protéger Lambert, Jacques! que j'ai dit. Il s'est fait cogner dessus toute la

494

soirée. Il ne finira pas la finale, si ça continue ! — Lambert ne lâchera pas, Gilles ! — Ce n'est pas une affaire de nerfs, Jacques, que j'ai répliqué assez sèchement. Lambert mange trop de coups ! Il faut faire quelque chose ! »

Il m'a regardé un instant, affolé, perdu.

« Il faut gagner la prochaine, c'est tout ce que je peux te dire ! À Boston en plus, dans le zoo du Garden, ça va être tout un festival ! »

On m'avait fait une offre de défilé de mode des plus alléchantes. Comme par hasard, ce midi, je tombe sur Pierre (la lèvre inférieure et un oeil amochés) et Denis (qui n'arrêtait pas de me dévisager), attablés devant une bière, chez Gino.

« Non, mais à quoi tu penses, Suzie ? m'a répondu Pierre comme je venais de mettre la question du contrat sur le tapis. On est en finales, on vient de perdre l'avantage de la glace, et tu viens me parler de parade de mode ? — Ce n'est pas nécessaire de monter sur tes grands chevaux ! que je lui ai rétorqué. La planète ne va pas s'arrêter de tourner parce que le National de Québec vient de perdre un match ! (Je m'échauffais d'indignation.) Je veux juste savoir si ça t'intéresse ou non d'embarquer avec moi dans l'affaire ? »

Mon envolée l'a fait atterrir.

Entre-temps, l'arrivée de Lucie, souriante, qui lui a suggéré, ayant vite décodé son humeur, de se détendre (elle l'a embrassé sur la joue) aura joué en ma faveur.

Mon frère a fini par accepter mon offre en me disant de m'arranger avec Stéphane.

«On ne s'est quand même pas rendus au bout de la saison, qu'il a gémi ensuite, pour se faire planter comme ça, en finale! Je n'ai pas dormi de la nuit! — Tu aurais dû! que je lui ai lancé avec un filet d'acidité dans la voix.»

Denis a levé la tête. Lucie a souri. Pierre a fait de même en essuyant le sang qui coulait de sa lèvre.

Tout à coup, Denis a blêmi.

«Trop tard!» a-t-il laissé tomber.

Au même moment, Jacques Mercier est apparu à notre table, l'air contrarié.

«Vous connaissez le règlement? a-t-il lancé en direction de ses joueurs. — On boit du Seven-Up, on ne fait rien de mal! a répondu mon frère, sur le ton d'un enfant pris en défaut. — Ta gueule! a crié Mercier, sec et blanc. Tu connais le règlement!»

Mon sang de Lambert n'a fait qu'un tour.

«Franchement! que je me suis écriée, en le fusillant des yeux. — On ne vous demande rien mademoiselle Lambert! qu'il a coupé net, sans même me regarder.»

J'allais l'égorger. Pierre et Denis se sont prestement levés.

«Suzie, c'est de notre faute! m'a glissé Denis. On ne devrait pas être ici!»

«Pour un gars qui est supposé être le leader de l'équipe, a ajouté Mercier comme Pierre s'éloignait, on peut bien avoir perdu hier soir!»

Sans plus se soucier de moi ni de Lucie, restée figée sur place, Mercier est allé rejoindre sa femme Judy qui l'attendait plus loin.

Avoir été un homme, c'est simple, je lui aurais foutu mon poing sur la gueule!

J'ai reproché à Jacques d'être trop dur envers ses joueurs.

«Il le faut, Judy! Il le faut! qu'il a laissé tomber...»

J'ai attendu que nous soyons remontés dans la voiture pour lui parler de Jimmy.

«Il a besoin de toi, Jacques! Sais-tu que depuis deux semaines, il refuse de se lever de sa chaise. Il n'a pas fait un doigt de progrès depuis le début des éliminatoires! Je suis découragée...Il faut que tu lui parles! — Dès que j'aurai une minute, Judy...qu'il m'a répondu, visiblement préoccupé.»

Le sentant très fatigué, je n'ai pas insisté.

«Tu me laisses ici! que j'ai lancé comme nous stoppions à un feu rouge. — Où est-ce que tu vas? m'a-t-il demandé, vaguement inquiet. — Mon cours de chant, voyons ! que j'ai répliqué en l'embrassant. » Il m'a répondu d'un sourire plein de lassitude. J'ai envoyé la main, refermé la portière et je me suis empressée d'aller préparer ma surprise...

LE CLOU DE LA SOIRÉE

« On va les avoir, Linda ! On va les avoir ! » me hurlait Lulu aux oreilles, en sautant sur place comme un kangourou.

La foule du Colisée faisait le décompte des dernières secondes de jeu, en claquant des mains.

« Huit, sept, six... » disait, avec elle, Lulu, blanc de joie, debout sur la passerelle des journalistes.

« Quatre, trois, deux, un, zéro ! »

La sirène a retenti, saluée de cris, de sifflets, de coups de trompettes et d'applaudissements.

« Quatre à zéro, Linda ! s'est écrié Lulu, grisé, en se tournant vers mois. Ça c'est du bon hockey ! a-t-il ajouté d'un air papal. »

Je suis bien d'accord avec lui. Du sport de classe !

J'ai souri.

«Nounou, le clou et le marteau!» m'a crié Robert Martin en mettant les patins dans le vestiaire.

Il s'est précipité vers le chandail, resté comme un orphelin à côté des trois autres sur le mur, tandis que je courais lui remettre l'outil.

Dans un geste solennel, accompagné des sifflets et des encouragements de tous, d'un grand coup de marteau à l'épaule droite, il a cloué le chandail de Boston.

J'étais tellement content de la victoire de l'équipe, qu'en quittant la patinoire tout à l'heure, je n'ai pu m'empêcher d'envoyer le bras d'honneur (chose rare) à mon collègue soigneur de Boston, Henrico Gonzalez.

Il a blanchi de rage et j'ai failli mourir de rire.

«Rico! m'a crié Ashley. Une serviette!» Je me suis hâté de satisfaire sa demande comme Dawson entrait au vestiaire en rongeant son cure-dent.

«Vous avez pris ça relax ce soir, hein?» a-t-il lancé mi-fâché, mi-soucieux, aux joueurs qui se déshabillaient en silence, la mine basse.

«Vous étiez trop contents d'en avoir gagné une, ici, à Québec, hein, a vous a coupé les jambes? Vous avez passé le match à regarder patiner Gagnon, Lambert et Mercure, à les admirer la bouche ouverte.

«Il ne faut pas chercher à jouer plus finaud qu'eux autres, je pense que vous avez compris ça, ce soir! À partir de maintenant, c'est à Boston que ça se passe! Chez nous, il va falloir jouer comme à Edmonton! Compris?

«Il va falloir frapper! a-t-il ordonné en martelant la table du poing. Frapper! C'est clair?»

Tout le monde a poussé le cri de circonstance, sauf Ashley qui m'a crié «Rico! Viens me frotter le dos!».

Je me suis exécuté comme Dawson sortait.

Le National ne sait pas ce qui l'attend.

La salle réservée à la conférence de presse des entraîneurs après la seconde partie des finales à Québec était bondée de journalistes, de cameramen et de photographes. Il y faisait aussi chaud que dans un four à pain.

«Vous avez vaincu Edmonton en sept matchs grâce à l'intimidation et aux blessures de Kurri et Gretsky! disais-je à Eddie Dawson des Bruins de Boston. — Nous les avons battus, Miss Hébert, parce que nous étions les meilleurs! m'a-t-il coupé de son anglais détestable. — Quand vous vous contentez de jouer au hockey comme ce soir, vous êtes battus! ai-je poursuivi en haussant le ton. À Boston, monsieur Dawson, comptez-vous revenir à l'intimidation? — Posez la question à mon collègue Mercier! a-t-il lancé, sourire ironique en coin. Demandez-lui donc s'il a l'intention d'utiliser Templeton à Boston? — Templeton est un joueur défensif! a vitement coupé Jacques Mercier, avec une indignation toute cosmétique.»

«Avez-vous l'intention d'amener quelques gorilles de plus dans le zoo du Garden? de demander Lulu,

plein d'aplomb, à un Mercier un moment désemparé.
— Nous, de reprendre l'entraîneur du National, nous jouons au hockey! Une chose est sûre, Lucien, nous ne reviendrons pas à Québec les mains vides!»

J'ai surpris un éclair dans l'oeil de Dawson, il a souri malicieusement.

Mercier et lui se sont levés. La conférence venait de prendre fin.

Le champ de bataille, à présent, se déplaçait à Boston.

Après la deuxième partie du National contre Boston, je suis allée attendre Pierre à la sortie du vestiaire.

Il a paru sincèrement heureux de me voir.

«Ginette! Comment ça va? qu'il s'est écrié. — Ça va mieux! que j'ai répondu. Beaucoup mieux. Je reprends mon cégep à la session d'été... — Je suis content d'apprendre ça... (Il s'est fait sérieux.) Tu m'as fait très peur, tu sais! — Maryse m'a fait comprendre beaucoup de choses... — Rien de neuf pour elle? a-t-il glissé, en baissant le ton. — Je suis encore passée à l'hôpital aujourd'hui, elle est toujours dans le coma! (Ma voix s'est brisée.) — Tu vas m'excuser, Ginette! a-t-il laissé tomber au bout d'un moment. Il faut que je me sauve! Ça m'a fait plaisir de voir que tu vas bien!»

Je l'ai embrassé sur les deux joues en lui disant que je l'aimais encore énormément.

«Moi aussi, Ginette! Je t'aime énormément! m'a-t-il répété en écho. (Il a fait un pas.) Nous n'avions plus le même dictionnaire. — Tu sais, Pierre, ai-je ajouté en le quittant, c'est probablement la dernière fois qu'on se voit, mais je voudrais te souhaiter, avant de partir, de décrocher ce que tu désires le plus au monde, la coupe Stanley, parce que, sincèrement, je pense que tu la mérites!»

Il m'a inondée de son plus beau sourire et s'est éclipsé.

J'ai fait de même.

Tout allait bien. Nous étions plus décidés que jamais à mener la vie dure aux Bruins et à leur vendre chèrement notre peau. Les gars étaient vertueux et disciplinés (amochés aussi pas mal; l'épaule de Bob, la cheville de Broadshaw, le genou de celui-ci, le coude de celui-là, ma lèvre...). Nous venions d'aboutir aux douanes américaines, à l'aéroport de Boston, quand les emmerdements ont commencé.

«Pierre, sais-tu ce qui se passe, toi?» me demande Denis.

J'ai fait signe que non.

D'habitude, quand l'équipe s'amène aux postes de douanes, tous les gars passent comme des lettres à la poste, sans contrôle, ni chichi. Tout se déroule en douce. Mais voilà qu'aujourd'hui, soudainement les choses se compliquent.

Un douanier s'est avancé vers Gilles Guilbault.

«One moment, please! lui a-t-il dit. Nous devons fouiller tout le monde! — C'est que nous avons une pratique à trois heures! s'est écrié Jacques Mercier. Il est déjà midi. Est-ce que ça va être bien long? — Ça se peut! a répondu le douanier qui nous a fait entasser tous nos bagages sur un comptoir et nous a ordonné de nous mettre en ligne. — What the fuck! a craché Guilbault. (Le douanier a levé le nez.) — Qu'est-ce que vous avez dit, monsieur? a-t-il demandé, sans entendre à rire, comme une nuée de ses collègues arrivaient à sa rescousse. — C'est quoi tout ce cirque-là? a repris Guilbault, prudemment. — Pour votre information monsieur, sachez que nous faisons notre travail!»

Sans plus de discours, ils nous ont fait déshabiller. Puis, malgré nos protestations, à tour de rôle, les douaniers ont procédé à notre fouille complète et intime pendant que des chiens renifleurs flairaient nos bagages.

Tout le National crachait le feu.

«Gilles! de me lancer Jacques Mercier rageur. C'est la première fois de ma vie qu'une aventure comme celle-là m'arrive! Veux-tu me dire ce qui se passe? Ça fait deux heures que ça dure! Il va falloir annuler la pratique, sacrifice! Quelle raison l'officier de douane t'a donnée? — Une dénonciation, Jacques! que j'ai répondu. Quelqu'un les aurait prévenus qu'un de nos joueurs allait essayer de passer de la drogue! Une vraie histoire de fous!»

J'ai levé la tête et au même moment, j'ai compris. Je venais d'apercevoir Gerry Tomlin et Eddie Dawson, suivis de tous les joueurs des Bruins, traverser sans encombre, au pas de promenade, le poste frontière en nous envoyant la main, le sourire fendu jusqu'aux oreilles.

«Toi! ai-je lancé en direction de Tomlin (qui ne pouvait pas m'entendre), je te dois un chien de ma chienne! Je n'aurai pas besoin de douaniers pour te rembourser la facture, je te le garantis!»

Je l'aurais étranglé.

Jacques a fait signe à Robert Martin d'approcher.

«Bob, lui a-t-il dit, en serrant les dents, dis aux gars que l'exercice est annulé! Meeting dans ma suite à sept heures avant le souper. Essaie de calmer tout le monde. On a deux matchs à jouer, il ne faut pas gaspiller ses énergies.» Martin s'est exécuté.

Nous avons poussé un soupir d'impatience pendant que les gars s'habillaient et ramassaient leurs affaires.

«Toute une claque, hein Linda! me lance Lulu, exténué. — Toute une, Lulu! que je réponds comme la sirène hurle la fin de la partie au Garden de Boston dans une atmosphère de foire indescriptible.»

Une gifle en pleine face, me dis-je. Cinq à deux!

«Les gars ont manqué de discipline, Linda! de poursuivre Lulu. Ils se sont rués sur la patinoire comme des enragés! Trop de punitions inutiles! Toutes leurs chances se sont envolées et Boston n'a eu qu'à en profiter. Bref, rien de bien impressionnant, hein? ai-je laissé tomber. La côte ne sera pas facile à remonter!»

Lulu me regarde, découragé.

«Ne t'en fais pas! On va gagner les prochaines!» que j'ajoute sans aucune conviction.

Il me regarde en silence tout en ramassant ses papiers, m'envoie la main, et disparaît.

Quand j'ai ouvert les yeux dans le vestiaire, j'étais étendu sur une table, un sac de glace sur la tête et Nounou à mes côtés.

«Voyons Pierre! me disait Saint-Cyr (sa voix me parvenait de loin). Parle-moi! Réveille-toi, sacrifice! — Où est-ce que je suis, Nounou? ai-je demandé. — À Boston, mon minou! a-t-il répondu, moqueur. Thompson t'a assommé et Templeton est allé te défendre! Tu te rappelles?»

Tout m'est revenu comme un éclair, le bâton de Thompson devant le but des Bruins, le choc contre la glace et les trente-six chandelles qui ont suivi.

«Ça va?» m'a demandé le docteur Bergeron en entrant. J'ai fait signe que oui.

Tandis qu'il allait examiner le genou de Paul et l'épaule de Bob, j'ai fermé les yeux pour donner le temps à mes idées égarées de retrouver leur chemin dans ma tête...

«Rico!» m'a crié Ashley en entrant dans le vestiaire.

Il n'a pas eu besoin d'en dire davantage, je lui ai passé le clou qu'il a enfoncé d'un coup franc de marteau en plein sur l'épaule gauche du chandail du National!

Nous avons tous hurlé de frénésie.

«Encore deux comme ça, me suis-je dit et la coupe Stanley s'en vient à Boston!»

J'en ai frémi de la tête aux pieds.

UN ÉTAGE BIEN GARNI

«Pierre, tu sais, me dit Denis en sortant de l'ascenseur de l'hôtel Spencer à Boston, j'ai l'impression d'avoir vieilli de dix ans en dix mois! — Ce n'est pas une impression, Denis, que je réponds, on a vraiment vieilli de dix ans! L'an passé à Trois-Rivières, on était des enfants! Toi avec Suzie, moi avec Ginette, notre destin était réglé pour l'éternité! — Moi, j'ai perdu Suzie et toi tu as trouvé Lucie...»

Il s'est arrêté devant la porte de sa chambre.

«L'aimes-tu si fort que ça ta négresse? me demande-t-il à brûle-pourpoint. (J'ai réfléchi.) — Elle m'oblige à me voir du dedans, c'est fantastique! ai-je finalement répondu. Avec elle, je ne peux pas tricher. — C'est peut-être ça vieillir, Pierre, enchaîne-t-il, apprendre à ne plus tricher avec la vie...»

Il a glissé la clé dans la serrure, a ouvert.

«Je te souhaite une Lucie, toi aussi, Denis!»
ai-je laissé tomber comme il passait la porte.

Il a souri. Nous nous sommes souhaité bonne
nuit, et je me suis dirigé vers la chambre que je devais
partager avec Marc Gagnon, à l'autre bout du corridor.

«Ça m'a fait tout drôle de recevoir une lettre de
toi, Nicole! que je disais à ma femme au téléphone, bien
étendu sur mon lit à l'hôtel Spencer. — Tu sais, Marc,
qu'elle m'a dit, quand parler devient trop difficile, c'est
plus simple de s'écrire. Tu devrais me répondre, tu dois
avoir des choses à dire toi aussi! — J'ai de la misère à
parler, Nicole, encore plus pour écrire! que j'ai répliqué
doucement. Tu sais, depuis un mois, ça me travaille
moins dans la tête...Je vais peut-être finir pas trouver
ma place auprès de toi et des enfants! — J'en suis sûre,
Marc! a-t-elle vivement enchaîné, la voix chaude et légère. (J'aurais eu le goût de parler davantage, mais Lambert est entré.) — Embrasse les enfants, Nicole! ai-je
conclu en raccrochant. Je t'aime. Bonne nuit!»

Lambert s'est dévêtu sans dire un mot et s'est
glissé sous ses draps.

J'ai passé une nuit épouvantable et je ne suis
pas le seul!

À peine assoupis hier soir, Marc et moi, qu'un
vacarme à l'étage au-dessus de notre chambre nous
réveille net. («Pierre! s'est écrié Marc, c'est quoi ce
party-là!»)

De la musique à plein volume, des cris sur nos
têtes, bref, c'était la noce.

J'ai sauté sur le téléphone, engueulé la direction et les bruits ont finalement cessé.

Nous nous sommes rendormis.

À deux heures du matin, la sonnerie du téléphone nous sort du sommeil à son tour. Un gars soûl cherche une Shirley, je l'envoie promener en raccrochant avec fureur. Marc ouvre les yeux comme on sonne à nouveau. C'est le même gars qui réclame sa chérie.

«Ça fait dix fois que je la baise ta Shirley! que je lui crie. Tu peux aller te recoucher, épais!»

À quatre heures, c'est Marc qui se lève, hors de lui, pour répondre aux coups répétés qu'on frappe cette fois à la porte.

«Arthur! s'écrie une blonde à demi-nue, en se jetant dans ses bras. My love...»

Elle n'a eu le temps d'achever sa phrase que Marc l'a envoyé valser sur le tapis du corridor.

La porte a claqué.

«Ah! les tabarnaques! a-t-il craché entre ses dents. Ils vont me la payer celle-là!»

À six heures du matin, je venais enfin de m'endormir profondément, quand on a énergiquement frappé à la porte de notre chambre.

Il a fallu que je retienne Marc à deux mains pour ne pas qu'il démolisse le portrait du garçon d'étage venu nous apporter le breakfast que nous avions soi-disant réclamé.

Quand nous avons rejoint les autres pour le déjeuner, vers huit heures, nous n'étions pas les seuls à avoir la face longue et les yeux petits. Paul, Denis, Steve, Mac, Michel, Anders, d'autres, aucun d'entre nous n'avait pu fermer l'oeil de la nuit.

« Sacrifice, Linda ! s'écriait Lulu en me regardant, découragé. Une autre de perdue ! Ça n'a pas de bon sens, on ne réussira jamais à remonter la pente ! »

Lucien gémissait pendant qu'une partie de la foule bigarrée du Boston Garden hurlait le *Nah nah Eh ! Goodbye !* et que l'autre comptait les dernières minutes d'un match carrément abominable.

Des bagarres, des punitions et des blessures (la trinité diabolique du hockey), voilà à quoi nous avions eu droit, ce soir.

Grosse perte pour le National : Anders Johansson, le gardien de but suédois, a été blessé sérieusement, dans la dernière minute de jeu, par un tir de Ken Ashley. C'est le petit Michel Matthieu qui va devoir tout prendre sur ses épaules.

Lulu a raison : la pente ne sera pas facile à remonter...

« Rico ! m'a dit en douce Luc Gilbert, posté devant le chandail du National, doublement rivé au mur de notre vestiaire, je ne trouve plus mon clou ! »

J'ai couru lui en chercher un autre.

Sous les mille singeries et mugissements de l'équipe, il l'a enfoncé, d'un coup sonore de marteau, dans le coeur du vêtement. J'ai cru entendre gémir les gars du National!

Ken Ashley riait aux éclats.

«Je ne sais pas ce que Lambert et Gagnon avaient ce soir, disait-il à la ronde, mais c'est effrayant comme ils ont joué les jambes molles!»

Un fou rire s'est emparé de nous...

«Il faut amener Johansson à l'hôpital, Gilles! me disait le docteur Bergeron comme je venais de rejoindre, pour la deuxième fois aujourd'hui, Raymond Patenaude, mon homme de confiance à Québec. — On est dans le trou jusqu'au cou, hein, Gilles? a demandé le médecin. — Jusqu'aux narines, doc! me suis-je écrié comme une voix se faisait entendre au bout de la ligne.»

«Raymond? ai-je demandé. As-tu trouvé ce que je cherchais ce matin? — Oui! — Puis? — Dans le parfait, Gilles! Tu m'en donneras des nouvelles!»

J'ai raccroché.

Ah! Si je pouvais donc avoir une preuve! que je me disais en me dirigeant vers Michel Matthieu assis dans son coin, la certitude scientifique que c'est Tomlin ou Dawson qui se cache derrière la nuit d'enfer à l'hôtel!

Ah, si seulement je pouvais trouver juste un début de bout de queue de preuve!

Sitôt de retour à Québec, Jacques Mercier a réuni l'équipe (on dirait un congrès d'éclopés) autour de lui, dans une salle de meeting.

«Mercier ne veut pas qu'on oublie les vacances, Pierre!» me glisse Denis en pointant du menton deux énormes sacs de golf qui trônent, bien en évidence, à côté de l'entraîneur.

«Vous vous êtes laissés déconcentrer à Boston! que Mercier commence par nous dire. Il y a même eu des attaques de jaunisse! Il y a quelques semaines, vous pensiez avoir la Coupe au bout des doigts. Avez-vous lu les journaux aujourd'hui? (Il s'est penché, en a cueilli quelques-uns.)

«Linda Hébert, a-t-il dit en montrant *Le Matin*, parle de la violence et de l'intimidation qui sont venues à bout du talent dans cette série. Lucien Boivin, lui (il a dégagé le *Québec-Métro*), raconte que nous avons fait une bonne saison, mais qu'il est impossible pour une équipe amochée comme la nôtre, aussi valeureuse soit-elle, de gagner trois matchs d'affilée.»

Sur les entrefaites, Phil Aubry s'est amené, porteur d'une gigantesque couronne mortuaire arborant, sous un RIP noir et argent, le sigle du National.

«On a même reçu une couronne de fleurs de la part d'Arthur et Shirley de Boston, a poursuivi Mercier. Je ne sais pas si ça vous dit quelque chose?»

Les gars ont bondi, piqués. D'un coup, nous étions sortis de notre torpeur.

Mercier nous a encouragés à ne pas lâcher («Du coeur!» a-t-il conclu) et nous a libérés.

«Il fallait bien tirer profit des circonstances, hein, Phil? que je l'ai entendu dire à Aubry comme je passais à côté d'eux. Ça reste un cent dollars bien placé! a-t-il ajouté, en se caressant le menton.»

«Tu veux une surprise made in Québec pour les gars de Boston, mon Gilles? que je disais à Guilbault, ce matin au téléphone. — En plein ça, Raymond! qu'il me répondait. Arrange-toi pour me trouver ce qu'il y a de mieux, d'accord? Je ne tiens pas à faire chou blanc!»

J'ai juré qu'il pouvait compter sur moi.

J'ai tenu parole.

J'ai donc rassemblé, autour d'une amie à moi (Christine), une douzaine des plus belles «hôtesses» de Québec (parmi les plus olé olé) et les ai envoyées se présenter à l'hôtel Picardie de Québec (déguisées en vendeuses de cosmétiques en congrès), où, par le plus curieux des hasards, loge, pour les prochains jours, toute l'équipe des Bruins de Boston!

Par un contact que j'ai personnellement dans la place, j'ai pu obtenir que mes poules de luxe soient nichées exactement au même étage que les hommes de Dawson.

Simplement de songer à ce qui s'en vient, je suis déjà plié en quatre !

J'étais au téléphone avec Raymond Patenaude, ce matin, assis calmement à mon bureau, au Colisée, quand est entré, blanc de rage, Gerry Tomlin, le directeur général des Bruins de Boston.

«Gilles Guilbault ! You *sonofabitch* ! m'a-t-il crié en martelant du poing mon pupitre. Tu vas me le payer un de ces jours ! (J'ai raccroché, puis invité Gerry à s'asseoir.) Les filles, Guilbault ! a-t-il poursuivi sans m'écouter. Je suis sûr que c'est toi, ça ! — Quelles filles, Gerry ? que j'ai demandé du ton le plus neutre possible. — La pire chose qui pouvait nous arriver, Gilles ! Des filles, des belles filles, une vingtaine, trente, des vendeuses . . . Les gars ont perdu le nord, le *party* a duré toute la nuit . . . — Pauvre toi ! ai-je laissé tomber, faussement compatissant. »

Il est sorti de mon bureau, effondré. Moi, je ricanais dans ma barbe.

«Un tiers de la pente de franchi, Lulu ! m'a lancé Linda, comme la sirène du Colisée retentissait, annonçant du même coup la victoire du National sur les Bruins. — Quatre à deux ! que je me suis exclamé, l'enthousiasme en flammes (Linda secouait la tête de plaisir). C'est beau ! Encore deux autres comme ça, ma vieille, et la Coupe est dans la poche ! »

La satisfaction et la fierté nous ont remplis d'aise. Nous nous sommes souri.

«Denis, c'est à ton tour, vas-y!» m'a lancé Pierre en me tendant le marteau et le clou.

Un coup sourd, et l'épaule gauche du chandail jaune de Boston était clouée au mur, sous les cris de guerre de tous les gars!

UNE ÉQUIPE AMOCHÉE

J'ai pris Rico sur le fait! En train de fouiller dans notre équipement, la veille de notre sixième match au Garden de Boston, dans notre propre vestiaire!

«Allô, Nounou...a-t-il bafouillé, en tentant de lever les pieds. Je l'ai saisi au collet, il s'est débattu, nous nous sommes empoignés, injuriés, frappés, il s'est enfui et ce matin (j'ai passé la nuit auprès du stock, à faire le guet), j'ai un superbe oeil droit au beurre noir!

Je me suis promis que Rico allait me payer ça, tôt ou tard.

Il ne l'emportera pas au paradis! Promis!

«Les Bruins sont enragés, Lulu! me dit Linda.
— À douze minutes à faire en troisième période, par trois à un, n'importe qui le serait! que je lui réponds.»

Pour être féroce, Boston l'était. Toute la soirée, le jeu avait été terriblement rude.

Les blessés ne se comptaient plus.

Justement, Pierre Lambert venait de quitter la patinoire à son tour, grimaçant de douleur, en se tenant l'épaule d'une main.

Linda a pâli.

«Pierre, me disait le docteur Bergeron penché sur mon épaule qui élançait à hurler, c'est vilain! Luxation, peut-être séparation! À l'hôpital mon gars! Ta soirée est terminée! Deux buts, c'est assez! — Pas question! ai-je coupé. Je veux jouer! — Ah, tu veux jouer? de reprendre le docteur. Bon, très bien, ferme les yeux et fais une prière! Nounou! Apporte de la glace et viens m'aider! On va lui rentrer le bras dans la capsule. (Nounou s'est activé.) Pierre, a poursuivi le docteur, je te préviens, ça va être terrible! Mais, si personne ne te frappe encore l'épaule, tu as des chances de jouer après-demain. — Je suis prêt!»

Nounou m'a empoigné solidement pendant que le docteur s'est saisi de mon bras.

J'ai perdu la carte.

«Nounou, ai-je entendu le docteur dire, en revenant à moi, un moment plus tard, je veux qu'il y ait de la glace sur son épaule toute la nuit. Et surtout, pas un mot à personne! Le moindre coup sur sa blessure et c'est la table d'opération!» a-t-il laissé tomber en sortant.

Quand les gars sont entrés en trombe dans le vestiaire en criant de joie, j'étais dans les vapeurs du calmant prescrit par le docteur, étendu sur le lit d'urgence.

J'ai eu un net sursaut de conscience et d'excitation quand Michel Matthieu, en poussant un cri de cantatrice, a planté le troisième clou dans le chandail jaune de Boston !

Puis Denis est venu me dire de ne pas m'inquiéter et que si jamais je ne pouvais pas retourner sur la patinoire, tous les gars joueraient la dernière partie pour moi.

« Vous ne la jouerez pas sans moi, celle-là ! Pas la plus importante ! » me suis-je écrié comme Jacques Mercier s'amenait.

Il m'a félicité et ordonné à Nounou de me tenir à l'abri des journalistes. J'ai perdu le reste de ses recommandations dans la brume sirupeuse de mon somnifère.

« Si j'étais médecin ordinaire, Jacques, me disait le docteur Bergeron dans l'avion qui nous ramenait à Québec pour l'ultime rencontre, je te dirais que Lambert aurait besoin d'au moins trois semaines d'immobilisation. Le bras était complètement sorti de la capsule ! Luxation totale, c'est quelque chose ! — Mais tu n'es pas un docteur ordinaire ! que je lui ai répondu. Tu es un médecin d'une équipe de hockey ! Moi, je ne demande qu'une chose : y a-t-il moyen que Pierre Lambert joue demain soir ? — Le premier coup solide va le sortir de la patinoire ! a poursuivi le docteur après un moment de réflexion. Je vais lui expliquer les risques encourus. Tu sais, Jacques, un autre choc à la même place et c'est le scalpel ! — Ça, ai-je coupé, on verra dans le temps comme dans le temps ! C'est demain que j'ai besoin de lui ! Excuse-moi, doc, d'être aussi bête, que j'ai ajouté en adoucissant la voix, mais tout ça me met sur les nerfs ! — Rien de plus normal, Jacques ! a-t-il laissé tomber en replongeant le nez dans son journal, à l'instant où la ville de Québec se pointait le nez au hublot. »

L'avion amorçait sa descente. Nous étions arrivés.

Maman et Lucie s'étaient donné le mot pour venir m'accueillir à l'aéroport.

Ma mère resplendissait. Elle m'a embrassé sur les joues et s'est tout de suite dirigée vers Gilles Guilbault, tandis que Lucie s'accrochait à mon bras.

« Qu'est-ce que tu as ? m'a demandé Lucie, en me voyant grimacer. — Mon épaule ! ai-je répondu. Rien de grave ! — Viens à l'hôpital, je vais te faire passer des tests ! — Pas question ! ai-je tranché net. Personne ne doit le savoir ! (Lucie s'est indignée.) — Pierre... »

Puis, elle m'a fait une belle surprise.

« Quand tu auras fini avec le hockey, d'ici la fin du mois, j'irai vivre avec toi, si tu le veux toujours ! »

J'ai crié de joie. Nous nous sommes étreints longuement. En relevant la tête, j'ai vu Gilles Guilbault qui faisait la même chose à ma mère un peu plus loin, tandis qu'Allan Goldman se dirigeait vers eux.

« Un aéroport, ce n'est peut-être pas l'endroit romantique idéal, à la hauteur de ce que tu mérites, Maroussia ! m'a soufflé Gilles à l'oreille, mais je peux quand même te demander si tu voudrais bien qu'on finisse par vivre ensemble un jour... »

J'ai souri du fond de mon âme.

«Tu connais Maroussia Lambert? a demandé Gilles à Allan Goldman qui venait tout juste de nous aborder. — Bien sûr! a répondu l'autre, en me serrant la main. Heureux de vous revoir madame! — Maroussia et moi, a dit Gilles d'un ton grave, en me souriant, nous voulons nous marier d'ici quelques mois. Tu ne seras pas surpris...»

Goldman est resté blanc d'étonnement. Il nous a félicités, m'a saluée gentiment et s'est éloigné.

Gilles s'est tourné vers moi, m'a enlacée et embrassée. Un baiser torride comme un chaud après-midi de juillet. J'ai chaviré.

Lucien et moi, à l'occasion de la dernière partie des finales de la coupe Stanley, nous avons été invités à livrer nos commentaires, avant le match, à l'émission de Gabriel Chagnon, à CLMK-TV de Québec.

L'émission vient à peine de commencer.

«Plusieurs n'y croyaient pas, a dit le présentateur devant la caméra, après la saison en dents de scie du National de Québec, mais nous y voici à cette fameuse septième et dernière partie de la finale de la coupe Stanley!»

«Linda Hébert, a-t-il poursuivi en se tournant vers moi, quelles sont d'après vous les chances des adversaires en présence? — Tout peut survenir! ai-je répondu. Bien sûr, Marc Gagnon demeure un atout important. La naissance d'une nouvelle superstar, Pierre

518

Lambert, joue également en faveur du National...Par contre, Anders Johansson est blessé et la pression sera très forte sur les épaules de Michel Matthieu...Ce sera une bataille d'usure! Les deux équipes sont affaiblies, décimées par les blessures. La guerre des tranchées fait des ravages! Mais quels que soient les résultats de ce soir, le National de Québec pourra dire merci à ses partisans! Leur enthousiasme constant a été une source d'inspiration pour les joueurs tout au long de la saison!»

Lulu, que la caméra ne cadrait pas, mais que je voyais parfaitement, me dévisageait comme une apparition, transfiguré de fierté, le sourire épanoui.

«Rico! a crié Eddie Dawson en entrant dans le vestiaire juste à la cloche des trois minutes. Ferme la porte!»

J'ai obéi. Le silence est tombé net.

Dawson s'est promené, sans dire un mot, de long en large, devant les joueurs pendant un moment, puis, est allé à Thompson et l'a regardé droit dans les yeux.

«C'est la dernière! Jimmy, you're ready?» lui a-t-il dit.

Thompson a fait signe que oui. Dawson s'est adressé de la même manière à Bennett, à Gilbert, à Ashley, à Laviolette, à Banford, à tous les joueurs à tour de rôle, obtenant de chacun un oui incandescent de volonté.

«Rico! a-t-il crié à la fin. Tout est prêt?»

J'ai fait signe que oui et, tout de suite après, la fin du monde a commencé.

«Denis, je pense que je vais mourir, c'est bien simple! gémissait Michel Matthieu comme l'instant de sauter sur la glace était arrivé. — Ne t'en fais pas! que je lui ai répondu. On va tous jouer pour toi, ne sois pas inquiet!»

«Ça va aller, Pierre? est venu me demander Jacques Mercier juste avant le début du match. — Je ne me sens pas très fort, ai-je avoué, mais ce n'est pas ce soir que Boston va m'avoir! — J'ai toujours su que tu avais un caractère de cochon! m'a-t-il lancé en souriant.»

Il a réclamé le silence.

«Ce ne sera pas long! Juste un mot, les gars! Vous savez ce que vous avez à faire? nous a-t-il dit en nous balayant des yeux. Je veux juste préciser une chose: que vous gagniez ou que vous perdiez, je serai fier de vous autres quand même! (Il y a eu, parmi nous, un remous chaleureux.) Ce soir les gars, a-t-il conclu, vous n'êtes pas tout seuls, vous êtes seize mille contre vingt! Allez-y!»

Un terrible cri guerrier a fusé.

Steve a brisé son bâton selon le saint rituel accompagné de nos hurlements de bêtes fauves et nous nous sommes dirigés vers la patinoire.

«Et maintenant, Mesdames, Mesdemoiselles,

Messieurs, a dit l'annonceur du Colisée, accueillons le National ! »

J'ai frémi de la racine des pieds à la racine des cheveux. L'ovation a duré, duré. Elle avait succédé aux huées, quand les Bruins avaient fait leur apparition sur la glace.

« Et pour interpréter les hymnes nationaux, a repris l'annonceur, Madame Judy Mercier. »

Jacques Mercier a rougi. Tous les gars ont souri.

L'ULTIME COUP DE COEUR

« Ça commence raide, Linda ! J'aime ça de même ! me glisse Lulu pendant que le National mène une violente attaque dans la zone des Bruins. Les hommes de Mercier se démènent comme des diables, la résistance de Boston est remarquable. Depuis les dix premières minutes, le jeu est enlevant et la foule, déjà très excitée, s'époumone en cris et en chants de ralliement.

Soudain, le Colisée tout entier se lève comme un seul homme. Marc Gagnon vient de compter le premier but de la rencontre. C'est le délire.

Lulu jubile et moi de même.

« Rico, de l'eau ! » me crie Luc Gilbert en revenant au banc. Je lui tends une bouteille, tout en ne quittant pas des yeux Nounou, le soigneur du National, qui m'envoie le bras d'honneur en ricanant comme un débile de l'autre côté de la patinoire.

J'attends mon heure. Rira bien qui rira le dernier, Claude Saint-Cyr...

« Tu as vu, Linda ? » s'écrie Lulu, debout, rouge d'indignation.

Ce que j'ai vu, c'est Marc Gagnon, devant les filets des Bruins se faire solidement frapper par derrière par Jimmy Thompson et s'écrouler entre les jambes de Gary Bennett. L'arbitre a sifflé la punition de Thompson au grand plaisir des partisans et au mécontentement outré de Dawson qui saute sur place en hurlant des injures à tous vents.

Lulu retrouve son calme. Il me regarde, satisfait.

À deux minutes de la fin de la première période Paul Couture, aidé de Broadshaw et Templeton, réussit le miracle qu'on n'attendait plus de lui : son premier but des séries finales !

Il est complètement abasourdi et se laisse féliciter par les tapes et les coups de bâton des siens en souriant faiblement. On le dirait troublé plus que content.

En entrant dans le vestiaire après la deuxième période, les gars ne tenaient plus en place.

«Trois à zéro, Pierre! me disait Denis en s'assoyant à côté de moi. On va les avoir!»

L'atmosphère était déjà à la fête, la pression
tombait doucement, la victoire mangeait dans notre
main.

Puis, Jacques Mercier est entré en coup de
vent, le regard dur.

«Minute les boys! nous a-t-il lancé sèchement.
La partie n'est pas encore gagnée! Il nous reste vingt
minutes! C'est long vingt minutes de hockey! Ce n'est
pas le temps de niaiser! Concentrez-vous!»

Il est sorti. Les rires ont continué.

«Ça se corse, Linda! de me glisser Lulu,
comme l'arbitre venait d'accorder un lancer de punition
à Boston, juste au début de la troisième période.

La tension est montée d'un cran dans la foule.
Après un moment de silence, c'est la stupeur: Ashley a
déjoué Michel Matthieu et les Bruins marquent leur premier but!

Lulu fait la moue tandis que sur le banc de Boston, on triomphe avec force cris et embrassades.

Un doute s'installe soudain dans les gradins du
Colisée...

«Du nerf, les gars! nous crie Mercier comme

nous étions revenus au banc, Marc, Denis, Paul, Steve et moi, conférer avec lui. Encore six minutes à faire! Il faut tenir le coup.»

«Ton épaule, ça va, Pierre?» s'est-il informé en nous renvoyant au jeu. J'ai grimacé ma réponse et la guerre a repris.

Lulu frappait la table de ses poings en sacrant.

«Tabarnaque, Linda! gueulait-il. À vingt et une secondes de la fin! C'est franchement écoeurant!»

Lucien avait de quoi se révolter: Ken Ashley, l'ailier droit des Bruins, venait d'égaliser le compte!

La déprime s'est emparée de la foule, seul l'organiste et quelques partisans inconditionnels continuaient à manifester leur indéracinable enthousiasme.

La partie a repris (mise en jeu perdue par Lambert). À vingt-deux secondes de la fin de la troisième période, dans une bousculade confuse devant les filets de Michel Matthieu, Jimmy Thompson (le pithécanthrope) a marqué!

Le Colisée est en état de choc. On dirait que la Terre vient de s'ouvrir en deux.

«Le but n'est pas accordé», informe au micro, d'un ton neutre, l'annonceur du Colisée; un joueur de Boston se trouvait dans le territoire du gardien de but. La sirène annonce la fin de la troisième.

En un éclair, l'atmosphère passe de l'effroi au

délire, tandis que Dawson et ses hommes gesticulent à l'arbitre leurs vaines protestations.

Nous sommes revenus au vestiaire la mine basse. «C'est la catastrophe, Denis! me souffle Pierre, assommé, écrasé devant son casier. On est finis!»

Au même moment, Jacques Mercier est apparu. Les rares conversations se sont tues et dans un silence de mort, il s'est posté devant nous, et nous a dévisagés à tour de rôle. Il n'avait l'air ni fâché, ni déçu, simplement perdu, déboussolé.

Soudain, son regard s'est allumé, il a tourné prestement les talons et a quitté la place en coup de vent.

Nous nous sommes regardés sans trop comprendre.

Aubry nous a prodigué des encouragements stéréotypés et a eu l'air d'y croire autant que nous, c'est-à-dire, pas du tout.

Notre moral marquait zéro.

Puis, Jacques Mercier est réapparu poussant son fils Jimmy dans sa chaise roulante!

L'abandonnant au beau milieu de la pièce, il s'en est éloigné de quatre ou cinq pas.

«Vas-y Jimmy! a-t-il lancé en lui tendant les bras. Montre-leur ce que c'est que d'avoir du courage jusqu'au bout!»

Nous étions suffoqués d'étonnement.

Jimmy s'est péniblement dressé sur sa chaise et a posé ses pieds par terre.

«Vas-y Jimmy!» encourageait Mercier.

L'enfant s'est mis debout en tremblant.

«Courage!» s'exclamait son père pendant qu'a-vec effort Jimmy complétait son premier pas, les bras tendus et le visage dégoulinant de sueurs.

«Montre-leur! Vas-y!»

Jimmy peinait, souffrait, gémissait.

Finalement, au cinquième pas, obtenu au bout d'un effort inouï, Jimmy s'est écroulé en larmes dans les bras de son père, lui-même bouleversé d'émotion.

«Je l'ai fait, papa! criait-il secoué de pleurs. Je l'ai fait!»

Je n'ai jamais senti un vent d'euphorie aussi puissant que celui qui a soufflé sur nous l'instant d'après!

Quand nous avons sauté sur la glace pour la prolongation, on aurait dit qu'un courant de cent mille volts venait d'électriser nos patins!

Quand, à la deuxième minute après le retour au jeu, Pierre Lambert, assisté de Marc Gagnon et de Denis

Mercure, a compté le but vainqueur, j'ai cru que le toit du Colisée allait voler en éclats !

Lucien bondissait partout comme un jeune chien («On l'a, Linda ! On l'a !» me hurlait-il aux oreilles), André Simon applaudissait à tout rompre, et moi, incapable de me contenir, je pleurais comme une Madeleine.

Pendant ce temps, les joueurs du National s'agglutinaient comme un essaim d'abeilles autour de Michel Matthieu, ruisselant de sueurs.

Et quand enfin, Pierre Lambert, entouré du National au grand complet et d'une nuée bourdonnante de cameraman, a fait la tournée triomphale de la patinoire du Colisée, la coupe Stanley au bout des bras, j'ai vu Lucien Boivin, seul dans un coin, brailler, à son tour, à chaudes larmes.

Oui, les miracles ne laissent jamais personne indifférent...

FIN DE LA PREMIÈRE PARTIE

Table des matières